Les Éditions du Boréal
4447, rue Saint-Denis
Montréal (Québec) H2J 2L2
www.editionsboreal.qc.ca

JE SUIS UN THRILLER
SENTIMENTAL

Emmanuelle Tremblay

# JE SUIS UN THRILLER SENTIMENTAL

*roman*

Boréal

© Les Éditions du Boréal 2013
Dépôt légal : 3ᵉ trimestre 2013
Bibliothèque et Archives nationales du Québec

Diffusion au Canada : Dimedia
Diffusion et distribution en Europe : Volumen

*Catalogage avant publication de Bibliothèque et Archives nationales du Québec
et Bibliothèque et Archives Canada*

Tremblay, Emmanuelle, 1966-

    Je suis un thriller sentimental

      ISBN 978-2-7646-2280-3

      I. Titre.

PS8639.R4504J4    2013    C843'.6    C2013-941583-1

PQ9639.R4504J4    2013

ISBN PAPIER 978-2-7646-2280-3

ISBN PDF 978-2-7646-3280-2

ISBN EPUB 978-2-7646-4280-1

*À Christiane et autres complices :*
*Jacky, Michelle, Brahim, Paul et Suzanne.*
*Grâce à l'épreuve de la belle-sœur.*

*Mais il est ce qu'on veut. Vous entendez :*
*ce qu'on veut. Tout ce que l'on veut, quoi*
*qu'on veuille, peut toujours être lui.*

PAUL VALÉRY

# PRÉLUDE FACE AU MIROIR

# L'enveloppe bleue

Entre les angles du ciel de Toronto, l'architecture est d'un autre siècle. Si son toit à l'impériale détonne, ce n'est qu'une fois à l'intérieur de l'hôtel qu'on s'étonne. Ici, les volutes des boiseries rivalisent d'excès avec les tentures de velours aux plis brodés de fruits. Et comme si cela ne suffisait pas à créer une atmosphère, il y a un frisson qui court sur les murs. Je dirais maintenant : l'imminence d'un trouble dans l'air. On pourrait croire que les corridors sont ceux de *Shining*. Et qu'un Jack Nicholson se trouve là, embusqué derrière chaque porte. Dans mon souvenir, il y a aussi des brûlures de cigarettes parmi les motifs des tapis. De lourdes moulures qui font penser au poids du destin sur les épaules des acteurs. Le décor bien laqué des drames.

C'était ce matin. Avant le tremblement perçu dans les yeux de Jérémie. Avant qu'il n'en échappe son cahier de notes et son crayon. Et que je ne les lui remette en disant : « Ça va aller. » Avant les mots prononcés dans la salle de conférences. Car tout tient dans ce passage de l'avant à l'après. D'étrangers que nous étions, nous sommes devenus, malgré nous, presque des intimes. Avec une même histoire en partage. C'était ce matin. Avant l'irréversible.

Je revois encore l'enchaînement précis des événements. À commencer par les congressistes se dispersant dans les salles de l'étage. Moi, je me suis greffée sur un des groupes pour entendre l'écrivaine martiniquaise, mais je reste au fond de la pièce. J'aime avoir une vue d'ensemble sur ce qui se passe. Garder le retrait possible, près de la porte.

Tandis que mon esprit fuit entre les poutres, vers les hauts plafonds où volent des anges en stuc doré, on frôle mon épaule. Quelqu'un se glisse sur le siège d'à côté. Je me retourne, salue de la tête. C'est lui, Jérémie. Derrière sa cravate en soie noire, il esquisse un demi-sourire. Égal à lui-même depuis toutes ces années que nous nous croisons par-ci par-là, pour le travail. De mise correcte, mais un peu perdu dans son veston. Le regard si gris que c'en est triste. Sa fragilité ne m'est pas indifférente. J'ai souvent pensé que nous étions faits pour mieux nous connaître.

Nous écoutons. Nous sommes là pour ça. Après les applaudissements d'usage, la salle se vide peu à peu. Sa présence à lui encore à mes côtés au moment où j'intercepte l'écrivaine à son passage pour lui tendre l'enveloppe bleue. Ses doigts à elle, occupés à la décacheter. Quant à Jérémie et moi, nous voilà déjà engagés dans la conversation.

— Contente de te revoir, cher collègue. Tu loges ici, à l'hôtel ?

— Oui, pour la durée du colloque. Plutôt vieillot comme endroit. Mais intéressant de s'y perdre. J'aime les corridors, avec tous ces miroirs qui les multiplient. C'est amusant, tu ne trouves pas ?

— Tu as raison… Un vrai labyrinthe.

— Mais toi, Amy, toujours aussi resplendissante ! Ça doit être l'air de Miami. Tu as de la chance d'avoir pu décrocher un poste au soleil !

Je vais lui répondre quand l'écrivaine pousse un cri qui cadre mal avec son calme aristocratique. Elle lève les yeux vers moi, le contenu de l'enveloppe serré contre sa poitrine. « Anthony ! lance-t-elle. Je ne peux pas y croire ! »

La veille, je m'apprêtais à mettre la main sur un de ces sandwichs coupés en triangle quand elle m'a interpellée. Ne nous connaissions-nous pas ? Elle en avait la certitude. Mais d'où ? Parmi les visages penchés sur le buffet, le sien me disait bien quelque chose. Pas plus qu'elle, cependant, je ne pouvais lever le voile sur cette impression de déjà-vu. Ce n'est qu'une fois de retour chez Anthony que le mystère a été résolu.

Il avait mis le souper à mijoter et un chianti à décanter. Sitôt calée dans le divan avec un apéro à la main, je me suis laissée aller au récit de ma journée qu'il écoutait d'une oreille distraite par la présentatrice de CBC. Au nom de l'écrivaine, Anthony s'est raidi pour bondir vers la chambre et me revenir avec un album de photos. Sur l'une d'elles, nous étions tout souriants. Lui au centre, elle à sa gauche et moi à sa droite, accompagnés d'autres quidams. « Rappelle-toi la soirée organisée après ma soutenance de thèse, m'a-t-il dit. Tu étais venue avec ton ami mexicain. Le type à lunettes, derrière toi. Il s'appelait comment, déjà ? »

Tout m'est alors revenu en bloc. Eduardo, mon

amour de jeunesse. Le groupe d'étudiants étrangers dont il faisait partie. Anthony, une simple connaissance de l'Université de Montréal où j'étais inscrite depuis le bac. Rien ne pouvait me laisser croire que cet homme-là deviendrait un jour mon amant. En fin de trentaine, il avait le ton de celui qui sait. Il nous en imposait par sa grande culture et les accents graves de sa voix. C'est fou ce que l'avenir nous réserve !

Quant à l'écrivaine, elle avait été sa professeure en Martinique. Célia Pépin, c'était bien elle. Dix ans plus tard, voilà qu'Anthony me remet une enveloppe qui lui est adressée. « Ne dis rien, surtout. Laisse-la lire d'abord », a-t-il suggéré ce matin avant de me serrer dans ses bras.

Émue, l'écrivaine l'est certainement. De retrouver son étudiant le plus brillant, mais aussi un ami si loin de Fort-de-France. Après ces deux jours de café sans odeur ni saveur, elle n'est du coup plus seule dans l'exil. « Nous nous verrons demain. Grâce à vous, Amy ! Merci ! Mais où est-il donc ? Dites-moi… Des années qu'il ne me donne pas de nouvelles… » Je lui réponds qu'il est en poste à Hamilton. Qu'une heure de voiture seulement les sépare et qu'il sera heureux d'apprendre son contentement à l'idée de le revoir.

Si belle encore malgré son âge. Elle a dû en impressionner plus d'un dans ses classes. Je me suis souvent plu à l'imaginer, lui, dans une chemise empesée. Avec son air propret, déjà plein de l'ambition qui l'aura mené jusqu'ici. Professeur émérite, il en est fier malgré tout. Car il souffre d'un manque de distinction, de toute évidence. Dans le monde de Forrest Gump, l'être d'exception qu'il s'est forgé là-bas n'est plus qu'un employé parmi d'autres.

« On vit une disparition fatale des bonnes manières et de l'intelligence. » C'est ce qu'il ne peut s'empêcher de répéter à qui veut l'entendre, au risque de passer pour un conservateur. Que peut l'élégance de la parole contre l'idéal de laconisme anglo-saxon ? Pauvre Anthony. À quoi lui servent désormais tous ces poèmes appris par cœur ? Sinon à rappeler la fin d'un monde dont il demeure, à mes yeux, le plus charmant des vestiges.

Impressionner sa professeure. Pour cela, je suppose, il aura exercé sa mémoire, s'égarant dans les ruines de la sensibilité romantique. Pour accumuler les vers comme autant de billets d'entrée auprès d'elle. C'est ainsi qu'il serait arrivé à se distinguer. À voler au-dessus des autres. Loin des railleries de ses semblables, vers le ciel plus clément de la reconnaissance.

Il n'avait pas eu à choisir. Sa différence, il la devait à une sensibilité peu compatible avec la turbulence des autres. Il y avait, d'un côté, le porc grillé, le zouk, le rhum et les sexes qui se font signe dans les rues de Fort-de-France. De l'autre, les propriétés dépuratives des herbes, Brahms, la rigueur de l'étude et jamais une goutte d'alcool.

Un autre trait distinctif faisait de lui une cible incontournable. « Un cul de femme, s'amuse-t-il souvent à rappeler. J'avais la fesse rebondie comme une pastèque ! » Sa bouche s'ouvre alors chaque fois dans un grand rire qui emporte avec lui ce qu'il y avait eu d'humiliant à se défendre contre la raillerie. Pour le reste, il garde le silence. Son passé est distillé au compte-gouttes. Si je suis arrivée à en reconstituer des bribes, c'est grâce à quelques anecdotes. Ce que je ne sais pas, je l'invente. J'en fais des souvenirs dans lesquels j'inclus cette femme qui est en face de moi. Pas tellement plus vieille qu'Anthony, du reste.

Il lui aura envoyé des mots tendres tout en rimes qu'elle aura conservés près du cœur sans toutefois leur donner suite. Oui, je le vois d'ici, entretenant la cage dorée de cet inaccessible. Se seraient-ils retrouvés des années plus tard? Dans un cocktail? Fort probable. Aurait-elle fini par répondre à son désir? Si belle…

Le cours de ma pensée dévie de façon inattendue. Je me demande comment j'ai pu en arriver là. Moi, jalouse? Et quelles raisons Anthony aurait-il eues de me cacher cette aventure? Un fait me déconcerte: l'enveloppe. Pourquoi l'avoir cachetée avant de me la remettre? Par peur d'une indiscrétion? Quel message ai-je livré à la Martiniquaise? Et pourquoi me poser tant de questions? D'où vient ce vent de panique qui s'infiltre dans mes poumons?

Je me tourne de nouveau vers Jérémie, repose mes yeux dans les siens, soupire pour libérer la tension et me dis que tout est tellement fragile. Qu'on ne sait jamais qui se cache derrière les gens qui nous aiment.

# Théorie des catastrophes

*Acte I.* Tous ont maintenant quitté la salle. Sous un imposant lustre d'imitation baroque, nous sommes encore là, Jérémie et moi, acteurs non désignés d'un psychodrame en trois actes. Au nom d'Anthony, lancé par l'écrivaine avec un trop-plein d'émotion, mon collègue profite de la vague pour faire surfer la conversation. Son œil parcourt d'abord la pièce, semble y chercher quelque chose qui lui manque. Il oblique ensuite vers l'écrivaine, qui dirige ses pas vers la porte en agitant les doigts pour nous laisser seuls.

Fuyant le mien, son regard s'attarde aux motifs du tapis et remonte tranquillement la couture de mon jean, oublieux des convenances. Jérémie incline la tête, hésite. Un je-ne-sais-quoi le titille, retient sa langue à laquelle je suis suspendue comme au bout de mon destin. Ce qu'il va dire, je le pressens, n'aura rien de banal :

— Anthony… Anthony Wiltor ? Tu connais ?

— Si je le connais ? Mais c'est chez lui que je suis installée ! Ça me fait d'ailleurs plaisir de les avoir remis en contact, tous les deux. Après toutes ces années ! C'est elle qui l'a aidé à passer son bac. Tu t'imagines ?

— Chez lui ? Je ne savais pas que vous vous

connaissiez à ce point ! Quelle coïncidence ! Tu salueras sa conjointe de ma part. Une excellente traductrice !

Les paroles de Jérémie pourtant si claires me demeurent sibyllines. Je reviens sur ce qui m'échappe :

— Sa conjointe…

— Oui… Caroline est une amie à moi. Mais ça fait des mois qu'on ne s'est pas vus. Depuis que je suis devenu directeur du département, tu sais ce que c'est… On n'est plus là pour personne. Débordé, vraiment…

Je ne comprends pas l'oracle. On m'aura transférée dans un monde virtuel sans avoir pris la peine de m'informer de la redistribution des rôles. Anthony aime Caroline qui aime Anthony. S'ils font partie d'une même réalité, alors qui suis-je ? Que fait ma brosse à dents dans cette autre réalité de la salle de bain d'Anthony que j'ai quittée ce matin ?

Et Jérémie de continuer à broder sur cette relation, idéale aux yeux de tous. Plutôt floue au début. Pas le genre de Caroline d'étaler sa vie privée au grand jour. Ensuite, on les avait vus ensemble. De plus en plus. Et il l'avait prise par la taille pendant une petite fête chez des amis. C'était confirmé. Sympathiques, tous les deux. « Je suis heureux pour Caroline. Anthony est un homme si charmant », termine-t-il avec une fébrilité que je ne peux m'empêcher de trouver bizarre. Aurait-il l'intuition que nous nous engageons sur un terrain miné ?

Les conversations innocentes appuient toujours là où ça blesse. Et l'ampleur du mal est telle que je dois présumer de sa naïveté. Cet homme ne cherche pas à m'inquiéter. Car il ne sait pas ce qu'il dit. Ni moi, quand je persiste à me tenir droite devant lui, comme si j'avais été programmée pour être là, à enchaîner les répliques, à cette heure précise de mon existence où une nouvelle donnée vient de faire irruption. Je m'entends lui répondre :

— Il ne m'en a pourtant jamais parlé. Leur union est sûrement trop récente…

— Oh ! Ça doit bien faire plus de trois ans que…

— Plus de trois ans !

— …

Monté en flèche dans les aigus, mon ton laisse Jérémie stupéfait comme un parterre devant une fausse note. J'en corrige le registre :

— Anthony est aussi du genre réservé.

— Mais pourtant… Aux dernières nouvelles, il était tellement souvent ici, à Toronto, qu'elle pensait vendre son appartement, en prendre un plus grand. Pour qu'ils soient plus à l'aise, tu vois ?

— Oui, je vois…

— …

— …

Non, je ne vois pas ni de qui ni de quoi on parle. Devant moi, il n'y a plus que l'impasse de nos propres mots. Le dialogue de ce mauvais film s'arrête là. Gros plan sur le malaise.

*Acte II.* Je suis devenue sourde aux sons que continue d'émettre la bouche de Jérémie, que je fixe comme pour lui mettre un bâillon. Mes yeux se lèvent vers les siens, lui disent d'arrêter. Ça ne va pas. Il a compris qu'il nous faut sortir de cette salle, prendre un peu d'air. Dans le miroir du corridor qui mène au buffet des congressistes, mon visage est aussi livide que celui de Jérémie. Deux fantômes parmi les vivants, qui font signe de les rejoindre.

« Où étiez-vous cachés ? », nous lance une voix du côté du monde qui était tantôt le mien. Avant qu'elle ne nous atteigne en riant, je vois aussi le reflet de mon bras droit dans le miroir. Est-il encore à moi ? Le voilà qui évolue de son propre chef, monte vers celui de Jérémie, s'agrippe à son coude. Ne le lâche pas. Et le tremblement dans ses yeux à lui quand, enfin, j'arrive à prononcer : « Mais JE suis avec Anthony. Je veux dire que nous sommes ensemble… Depuis plus de trois ans. En couple. À distance… »

Ses narines se dilatent et ses genoux fléchissent. En perte de contenance, la raideur du complet-veston ne lui est d'aucun secours. Cherchant un appui, il laisse aller ses épaules contre le mur, qui absorbe l'onde de choc transmise dans l'avant-bras puis dans le poignet. Ses doigts s'ouvrent, laissent tomber un cahier de notes et un crayon. Avec flegme, je les ramasse, les lui tends. Le rassure : « Ça va aller. »

Les événements ne m'arrivent pas encore. Expulsée du cours de ma propre histoire, je ne réponds plus à l'appel. Ce matin même, j'étais une seule dans le regard d'Anthony. Il avait fait un de ces copieux déjeuners qui sont pour lui une manière de marquer nos retrouvailles après des semaines de séparation. Que ce soit à Miami ou à Hamilton, ce rituel scelle nos existences dans une suite d'espaces-temps qui ont fait de moi ce que je suis, du moins ce que j'étais jusqu'à ce que le hasard de la conversation me rende étrangère à moi-même.

Dans les yeux de Jérémie, plus que de l'incrédulité. Tout a été dit. Nous ne trouvons rien à ajouter. Je passe la main sur mon visage. Il a la rigidité d'un masque. Impassible, je reste parfaite de cordialité face aux collègues lassés de nous attendre. Multipliant les bons mots, ces derniers ont remonté le corridor jusqu'à nous, une tasse de café à la main.

Ils se donnent la réplique, l'esprit émoustillé par la communication que vient de livrer le plus controversé d'entre eux :

— Tout naturel ! dit l'un. À notre époque, l'amour ne peut se vivre que dans l'absurde. Comment concevoir une histoire d'amour encore crédible ? Pas quand on sait d'avance que Roméo et Juliette eux-mêmes finiront par rire de leurs émois des années plus tard, attablés au Tim Hortons avec leurs nouveaux conjoints respectifs.

— Vous avez entièrement raison sur ce point, rétorque un autre. L'amour a perdu son sérieux. Il ne peut qu'être parodique. Une caricature de lui-même, comme on en voit tant au cinéma.

— Et c'est pourquoi nos vies sont si burlesques ! renchérit le premier.

Ce que j'en pense ? Sommée d'émettre une opinion, je suis prise au piège de la discussion. Jérémie vole à mon secours :

— L'amour, l'amour ! Mais de quoi parlons-nous ? Les mots qui le désignent veulent-ils encore dire quelque chose ? Comme tout le reste, il est devenu apocalyptique. Avec la fin de l'Histoire, nous assistons aussi à la fin de l'amour. Moi, je dis qu'il faudrait avant tout avoir la lucidité de prendre ça en considération : on vit dans un monde postamoureux ! On ne peut plus penser les rapports entre les individus de la même manière.

Une connaissance de longue date rapplique à mes côtés :

— Cent pour cent d'accord avec vous, Jérémie. Ceux qui aiment, de nos jours, sont en réalité des survivants. Il n'y a rien de burlesque là-dedans. Plutôt une nouvelle forme du tragique. N'en déplaise à tous les cyniques de la terre. Qu'y a-t-il de plus pathétique que cette impossibilité de croire en quoi que ce soit ? De donner un sens à l'amour ? Je ne sais pas ce qu'en pense Amy. Une spécialiste de la littérature des femmes pourrait avoir un autre point de vue sur la question…

Cette fois, il faudra tirer mon épingle du jeu. Ma bouche s'ouvre. Elle affirme que nous sommes nombreuses à ne pas avoir fait le deuil du romantisme. Que celui-ci est devenu certes burlesque, avec ses grimaces d'espoir et de souffrance gratuite. Et qu'il est peut-être temps que l'amour perde un peu de son sérieux. Pourquoi pas ?

Je repasse la main sur mon visage pour m'assurer que le masque tient le coup. Je me dis : « Pourquoi faudrait-il qu'il y ait un sens à tout ça ? Tout est toujours double… » Sur cette conclusion intérieure, je balbutie des excuses, prétexte un coup de fil important à passer. Bref, je ne serai pas longue, absente quelques minutes tout au plus.

J'amorce une échappée vers l'escalier. Avec les plus avenants, j'y vais d'un « Bonjour-comment-allez-vous » pour me défiler sitôt le contact établi. Entre deux poignées de mains, mes pas n'ont qu'un objectif : le rez-de-chaussée et, en bout de parcours, le hall de l'hôtel.

*Acte III.* Sur le trottoir. Enfin, j'y suis. En direction du stationnement, je réintègre peu à peu mon corps. Ces jambes qui bougent sont les miennes, la sensation de brûlure dans l'estomac est bien la mienne et la gorge sèche aussi. Mais le visage que j'entrevois dans la vitrine de chez Jacob ne m'appartient pas. Une grimace a fait craquer le masque. Je m'arrête pour mieux constater les dégâts.

Tant de soins méticuleux de l'épiderme pour en arriver là. Je me désole devant cette image qui jure avec la perfection des mannequins. Des blondes aux gros seins. Le genre de proies qu'affectionne Patrick Bateman dans *American Psycho.* En m'éloignant de ces icônes de la beauté profilée par la mode estivale, un frisson me parcourt l'échine.

Deux coins de rue plus loin, j'enfile la ruelle bordée d'un espace vacant où clignotent les lettres d'un *Public Parking*. Le soleil de juin intensifie l'odeur exhalée par les bennes à ordures dont les vapeurs montent dans l'air que des mouettes battent en cercles. Sur la façade d'un entrepôt, des tags de gangs. Une forme s'en détache, immense graffiti colorant le parpaing. C'est une bête grossièrement dessinée avec cornes, longue queue et trident. Au-dessus, je lis les mots *Sucker Fucker*.

À l'abri des témoins, je sors le cellulaire de ma poche et compose son numéro, les reins appuyés contre le capot de ma voiture. Anthony répond, comme il se doit, fidèle au serment de la première nuit. « Je serai toujours là pour toi. » Je me rappelle. Et je relis en même temps les mots peints en rouge, détachant bien les syllabes. *Su-cker-fu-cker.* C'est tout ce que j'ai pour ne pas fléchir. Je m'y accroche comme à un mantra.

— Qu'est-ce que tu dis ? J'entends mal, Amy. Où es-tu ?

— Il y a un changement au programme. Je rentre tout de suite. Tu me raconteras…

— Te raconter quoi ?

— Tout sur ta conjointe…

— De quoi tu parles ?

— De ta vie avec Caroline. C'est ton ami Jérémie. Il m'a mise au courant pour vous deux.

— Jérémie ! Longtemps que je ne l'ai pas vu, celui-là. Un maître du potin. Qu'est-ce qu'il a bien pu trouver cette fois ?

— Tu ne vas quand même pas nier l'existence de Caroline !

— Caroline Simard ? De l'histoire ancienne, ça ! Une amie de longue date, sans plus.

— …

— Allez, Amy… Rentre à la maison. Je t'expliquerai. C'est tout simple. Et tu te calmes, d'accord ? Tu verras. Rien de grave.

Une présence que je sens dans mon dos me fait me retourner. Avec l'air confus d'un témoin indiscret, un homme ferme une porte de métal donnant sur le stationnement. Un cuisinier, à en juger par le tablier qu'il porte sur son t-shirt. Il a capté le tremblement de ma main qui cherche les clés de la voiture. Pas dans mon sac. Ni dans mes poches. Je les aurais mises où ? Il s'avance, me dit d'attendre un peu. Qu'il faut reprendre son calme avant de conduire. « Un accident est si vite arrivé, me persuade-t-il en agitant un paquet de Camel. Une cigarette ? »

Je ne fume plus, mais j'accepte. Nous fumons, l'un et l'autre assis sur un bloc de béton. Ne reste plus qu'à attendre le dénouement de cette histoire. De deux choses l'une. Ou tout s'écroule autour de moi. Ou la vie poursuit son cours, indifférente à l'orage qui gronde pareil à ce doberman prêt à bondir d'un balcon en fer forgé, à notre droite. Je contracte mes muscles en position de sauve-qui-peut. « Relaxe », dit l'inconnu, d'une voix sans couleur, comme le teint de son visage qui présente peu de contraste avec le blanc de son tablier. « Faut pas avoir peur. Je le connais. Et sa laisse est solide. » Il porte la cigarette à ses lèvres, exhale la fumée dans un soupir puis déplie ses jambes sous lui, m'indiquant d'un geste de la tête le flux des voitures et des gens sur les trottoirs. « Il finit toujours par se passer quelque chose d'intéressant, commente-t-il. Suffit d'être patient. »

On dirait un ange qui a perdu ses ailes, barbiche à la Brad Pitt, un anneau dans l'oreille. De quelle coulisse sort-il celui-là ? On ne va quand même pas me faire le coup de l'envoyé spécial descendu du ciel pour secourir les âmes en détresse ! Je suis au XXIᵉ siècle. Ici, il n'y a de salut pour personne. Mais peut-être est-il lui aussi « en attente ». Je me dis que c'est ainsi que les êtres parfois se rencontrent, sans avoir à s'expliquer. Au purgatoire des peines.

Je laisse aller et venir mon souffle, les jambes au repos contre les siennes, mon attention rivée sur le mouvement impersonnel de la foule. Mais le répit est trop beau pour être vrai. La grâce ne dure jamais plus de quelques minutes. Tout le monde sait ça.

Devant nos yeux, une jeune femme à bicyclette fonce droit sur un homme au chapeau de cow-boy qui, au sortir d'une épicerie, est heurté de plein fouet, culbute et atterrit face contre terre, les bras en croix. Figés sur place, les piétons regardent le contenu du sac à provisions sur la chaussée : le pot de confiture éclaté sous le choc, la cannette de Budweiser roulant vers un paquet de saucisses à hot-dogs éventré. Et l'homme de se lever, d'empoigner la chauffarde par la queue de cheval, et de la traîner sur le trottoir. « Tu vas me payer ça ! Salope ! » semble-t-il lui cracher au visage. La jeune fille pleure, la jupe relevée sur les cuisses.

Nous attendons la suite, spectateurs privilégiés de la scène, de notre bloc de béton qui, je le comprends maintenant, offre une place aux premières loges de la réalité. « Le quotidien est d'une violence inouïe », lâche-t-il, comme pour donner un titre au tableau, alors qu'un policier sépare les acteurs du drame, dissipe les badauds, rétablit la circulation. « Tu vois : comme si de rien n'était ! Des coups, des cris et, dans la minute qui suit, plus aucune trace de ce qui a eu lieu auparavant. Les saucisses, où sont-elles ? Dans le ventre d'un pauvre chanceux en train de siroter la Bud quelque part entre deux buildings. La confiture, sur la langue du chien qui s'en va déjà, là-bas. Regarde : l'ordre a remis la bride au chaos. » Il s'allume une autre Camel et ajoute, avec la satisfaction de me sentir cent pour cent réceptive : « Ce que j'ai pu en voir d'ici, chaque jour que je prends ma pause ! Pas question de rester avec les autres dans la salle réservée aux employés. Je préfère ma dose d'imprévus, le temps d'en fumer une ou deux. »

L'ange tire de la poche de son tablier un carnet noir et un crayon qu'il glisse derrière son oreille. Je fixe son profil qui se colore d'une passion subite. « Tout est noté là-dedans, fait-il en tapotant la couverture du carnet. Je te donne des exemples. Hier : un vieillard s'écroule aux pieds des passants qui l'ignorent, contournent son corps, continuant d'aller là où ils vont. Pourquoi tant d'indifférence ? L'un d'eux s'arrête enfin. Un médecin, sans doute. C'est ce qu'on se dit. Il s'accroupit à côté de l'homme inconscient, fouille dans les poches de sa veste et s'éloigne ensuite, un portefeuille à la main. Ou cette femme, lundi dernier, coincée par une bande de loups pas vraiment méchants. Ils l'encerclent, se prennent à témoin de son trop-plein de chair. Salut ma belle cochonne ! Viens nous montrer ton beau boudin ! Poussez pas, y'en a pour tout le monde ! C'est juste pour rire, bien sûr. Rien de grave… »

Un son rauque sorti de ma gorge coupe court à l'intermède. Le profil de l'ange se recueille un moment, semble regretter ses paroles avant de se tourner vers moi pour ajouter, d'une voix qui se veut rassurante : « Anyway ! Les accidents peuvent arriver à n'importe qui, selon le calcul des probabilités dont on ne connaît pas les variantes. Mais je peux t'affirmer une chose avec certitude. Jamais, depuis que je m'assois sur ce bloc de béton, fidèle à mon poste, jamais, je te dis, je n'ai vu le chaos se produire plus d'une fois dans la même journée. »

C'est bon, ça va aller. L'air circule de nouveau. Je dis au revoir au théoricien des catastrophes, le remerciant d'avoir été là. Grâce à lui, mes gestes réintègrent l'enchaînement des choses. Mes doigts trouvent les clés dans la poche arrière de mon jean. J'ouvre la portière, mets le contact, le pied sur le frein. Mes mains reposent sur le volant. J'embraye, puis vire à gauche dans une artère commerciale.

Deux intersections plus loin, je lève la tête vers le rétroviseur, profitant d'un feu rouge pour répondre à un mauvais pressentiment. Juste à temps pour y voir une Thunderbird emboutir une autre voiture et, dans un long crissement de pneus, faire une embardée qui la projette sur le trottoir. Là, elle percute la vitrine d'un fleuriste. Le verre retombe en cascade sur le devant de la carrosserie pliée, se mêle aux éclats du pare-brise.

Un accident de trop dans la journée. C'est à ne pas y croire. Une impossibilité technique, dirait mon ange. Je ne m'y arrêterai pas. Au feu vert, j'appuie sur l'accélérateur. La catastrophe est derrière moi. Le spectacle, fini. Cris, sirènes et gyrophares, ça ne me concerne pas. Fermez les rideaux.

C'était ce matin. C'est encore maintenant, l'effroi.

## Pas ce que tu crois

La fin de l'après-midi déversait un jet de lumière en cha-
toiements sur le bouleau du plancher. Son cachet, le trois
et demie le devait aux grandes fenêtres avec vue sur une
artère commerciale. Bien situé. Pas très loin de la gare.
Commode pour lui. Une escale amoureuse entre ses
nombreux déplacements, qu'il soit en transit à Toronto
ou avec elle pour les week-ends. Sur la table du salon
trônait une orchidée, achetée pour lui chez le fleuriste
d'en face. Tout en laissant glisser par terre la serviette
qu'elle avait nouée autour de sa poitrine, Caroline se
trouva chanceuse : « Un homme qui sait apprécier les
délicatesses, c'est rare ! »

Au sortir de la douche, elle aimait à s'étendre sur le
canapé. À se laisser caresser par la rumeur du dehors,
mélange de bruissements automobiles et de voix ano-
nymes montant de la rue dans une chaude nuée de
monoxyde de carbone. Ses doigts effleurèrent son cou
parfumé. *Trésor*, de Lancôme. Un cadeau de lui, essentiel
à sa peau comme l'eau aux nuages. Son arôme avait un
charme cuivré. Il libérait ses atomes dans un espace qui
n'était plus tout à fait le sien tant il était imprégné de sa
présence à lui.

Sur la moquette de la chambre, des magazines et des livres. À lui. Dans le lecteur de CD, sa musique. À lui. Sans compter les quelques vêtements laissés dans la garde-robe. Mentalement, elle suivit la courbe du pantalon qui moulait ses fesses d'homme rebondies comme celles d'une fille. Un déhanchement incontrôlé en accentuait les formes, ce qui contrastait avec la carrure des épaules tout en muscles. Il n'en était d'ailleurs pas à une ambiguïté près. Proche et distant. Tantôt volubile, tantôt silencieux. « Je suis un passionné raisonnable », décrivait-il, non sans vanité, ce qu'il qualifiait de juste équilibre.

Il exigeait peu d'elle. Si respectueux de sa liberté qu'il avait su ne pas la brusquer. Comment ne pas céder au change? Le moindre événement était accueilli comme une conséquence naturelle de leur première rencontre. C'est pourquoi il s'était contenté d'incliner la tête quand Caroline lui avait annoncé qu'elle trouverait un appartement plus grand. Avec lui, tout était facile.

Elle laissa le téléphone sonner. Et si c'était lui? Tant pis. La veille, il ne l'avait pas rappelée. Toujours en retard. C'était son seul défaut. Pour le punir, elle allait commettre une infidélité. Se montrer qu'elle pouvait se passer de lui. Dans l'espace d'une folie, écarter les cuisses. Glisser les doigts sur son sexe frais rasé. Prolonger la caresse avec son majeur entre les deux grosses lèvres. Imaginer les papilles d'un inconnu sur son clitoris. Et lui, en retrait. Dans l'ombre, gémissant.

Une demi-heure plus tard, elle déposa le flacon

vide sur la commode après avoir vaporisé un reste d'effluves qui se mêlèrent aux rythmes de la bossa-nova. « Il ne faudrait pas oublier de refaire le plein de Lancôme avant de rentrer », se dit-elle face au miroir où elle jeta un dernier coup d'œil appréciatif. Satisfaite. Un : de ne pas avoir répondu au téléphone. Deux : de ce corps qui ne faisait pas ses quarante-cinq ans. Jambes encore lisses. Bras fermes. Le galbe des hanches tendu par une robe jaune avec des marguerites blanches sur le corsage. Un autre cadeau de lui. « Tu es ma marguerite quand tu m'aimes et aussi quand tu ne m'aimes pas », lui avait-il répondu un soir qu'elle mettait sa parole en doute. Non, il n'était pas sorti la veille. Il était resté chez lui. Ses messages ? Il ne les avait pris que plus tard. Trop tard pour la rappeler. Il s'en excusait. Il n'avait pas voulu troubler son sommeil. C'était tout à fait compréhensible.

« Mais ce qu'il peut être ennuyeux, parfois », lâcha-t-elle en ajustant la bretelle de son soutien-gorge, les sourcils froncés. Qu'il ait décidé de passer ce week-end sans elle lui paraissait absurde. Des tas de copies à corriger avant leur départ pour Paris. Un besoin de concentration, surtout. Quoiqu'il lui donnât toujours une raison pour chaque chose, elle butait sur une énigme. Qu'est-ce qui pouvait bien l'empêcher de se concentrer en sa compagnie ?

Elle n'aimait pas l'interférence d'idées négatives entre elle et le miroir. « Être soi pour soi », il lui fallait s'en tenir à ce mot d'ordre. Et encore une fois, tant pis pour lui. Sur son Facebook, elle avait pu lire, ce matin-là, une citation de Romain Rolland. « Nous ne choisissons point. Notre destin choisit. Et la sagesse est de nous montrer dignes de son choix, quel qu'il soit. » Une gracieuseté de George, son plus fidèle ami qui avait pris l'habitude de la saluer avec une pensée du jour. Si la liberté que lui laissait son amant était son destin, Caroline en déduisit qu'elle n'avait plus qu'à s'en montrer digne en profitant pleinement de la soirée. Autre petite vengeance qui n'arriverait toutefois pas à contrer le malaise.

Elle savait qu'il méritait toute sa confiance. Pourtant, l'inconfort du doute. Pourtant, le pincement au cœur et le trémolo dans la gorge quand, la veille, elle avait demandé à George de l'accompagner. Pour ne pas voir venir la nuit toute seule. Pour ne pas avoir à entendre la voix de l'intranquillité en boucle jusqu'au vertige. Et pour cesser de lui en vouloir injustement. S'étourdir de paroles et de saké avec son bon ami George. Écouler avec un autre les heures passées sans lui.

Quatre heures trente. Elle avait la main sur la poignée de porte quand lui vint l'envie de défier la raison. Et si elle prenait plutôt le bus de cinq heures? Le temps d'aller prendre une bouchée avec lui et de resauter dans celui de dix heures. Ce qui leur laisserait plus de deux heures pour se toucher du regard, combler le vide qui creusait la distance entre eux depuis quelques jours. Et s'il était absent? Elle avait la clé. « Pour quand tu auras besoin », lui avait-il susurré à l'oreille où retentit de nouveau la sonnerie du téléphone.

Le hasard déciderait de la suite. S'il s'agissait d'une copine, elle laisserait filer la conversation. Tout comme le bus qui partirait sans elle. Confiante en sa chance,

Caroline misa plutôt sur les accents caverneux de sa voix à lui. Ce que les lettres lumineuses de son nom confirmèrent sur l'afficheur du Nokia. Tout allait au mieux. Il allait la rassurer. Comme il savait si bien le faire. Et tant pis pour George.

— C'est toi, chéri?

— J'ai essayé de te joindre tout à l'heure. Tu étais où, Caro?

— Sous la douche peut-être. Désolée! Mais je ne suis pas la seule coupable. Tu en as pris du temps avant de me rappeler!

— Désolé, moi aussi. Écoute… Il faudrait qu'on parle un peu.

— Parle-moi, mon chéri. Mais pas trop longtemps. Tu as trois minutes. Je prends l'express de cinq heures. Tu pourras m'en dire plus dans la soirée. Une omelette aux champignons, ça te va?

Il ne la laissa pas continuer. Impossible. Un billet gratuit pour aller au concert. Avec John. Le lendemain? Non plus. C'était justement de ça qu'ils devaient parler. En fait, il y avait quelqu'un chez lui. Une amie. Pas question de se voir dans ces circonstances.

« Je t'expliquerai », glissa-t-il entre les hoquets de Caroline qui manquait d'air en accumulant les points d'interrogation. « Pourquoi tu m'as caché cette femme? Et tes corrections? » Il ne trouva pour sa part rien de plus convaincant qu'un cliché de telenovela. « Ce n'est pas ce que tu crois », répétait-il. Tandis qu'elle cherchait son oxygène, il s'ingénia à sortir du mauvais rôle dans lequel il s'était empêtré.

Il ne fallait pas se fier aux apparences. Parce qu'il s'agissait d'une vieille dette. Une amante du temps de ses frasques étudiantes. Rien de plus. Il avait promis de toujours être disponible pour elle. Dans l'amitié. Par-delà les déconvenues du passé. Elle était là pour le travail. De Miami. Pour un colloque. À l'hôtel ? Ce serait manquer de délicatesse. Il ne pouvait pas lui faire un affront pareil. D'autant plus qu'elle était fragile. Un peu déséquilibrée, même. Encore accrochée à cette relation qui s'était mal terminée. Pas facile à gérer sur le plan émotif. « Tu comprends, Caro ? Dis… Tu es encore là ? » Elle répondit par des sons inaudibles dans le fracas de verre qui venait du dehors.

En une fraction de seconde, son attention fut détournée vers les grandes fenêtres où elle ne fit qu'un bond. En bas, de l'autre côté de la rue, elle eut la vision d'une Thunderbird jaune encastrée dans la boutique du fleuriste. Le contact était resté sur le moteur qui continuait de tourner au point mort. On eût dit un gros bourdon butinant la diversité florale qui l'avait pris au piège. Épandues sur le capot, les belles jusquelà en montre dans la vitrine fracassée. Chrysanthèmes, dahlias, églantines, hyacinthes, iris, jonquilles, lys, marguerites, œillets, pensées, roses et violettes. Caroline les nomma toutes avant de voir quelqu'un se frayer un chemin à travers les éclats de verre pour ouvrir la portière du conducteur.

Comment pouvait-on en arriver là ? Par quel effet du hasard ? Elle eût pu désirer en savoir plus. Attendre que le corps soit dégagé de la voiture. Mort ou vivant ?

Homme ou femme ? Son regard se détacha cependant de la scène pour suivre la ouate du ciel qui faisait de l'ombre sur l'immeuble, alors que s'accumulaient, en bas, les signes du désordre. Cris, sirènes et gyrophares.

De peur de voir le visage de la victime et de ne pas pouvoir l'oublier par la suite, Caroline préféra s'éloigner des grandes fenêtres. Elle porta à son oreille le cellulaire resté dans sa main ballante. Il était toujours là.

— Mais qu'est-ce qui te prend de me laisser comme ça, sans rien dire ? Voyons, chérie !

— Un vrai gâchis, je suis désolée.

— J'offre l'hospitalité à une amie en visite et tu parles de gâchis ! De la jalousie inutile, voilà ce que c'est. Je ne supporte pas. Allez, raisonne-toi un peu. Tout ça est ridicule.

— Écoute… Laisse tomber. Et ne m'attends plus.

— C'est d'accord. Mais repose-toi bien. Je te rappelle après le concert. C'est promis.

Elle lui rétorqua que c'était inutile. Que ce soir-là, elle allait sortir. Et sans même lui laisser un droit de réplique, elle éteignit le cellulaire.

Dans le couloir, elle reprit au passage le sac à main et les clés tombées sur le plancher. Elle entendait encore les explications d'Anthony qui lui lacéraient la conscience. « Des piles de copies à corriger… » Totalement faux. « Une amie… » Elle voulait bien le croire. « Fais-moi confiance… » Reste à savoir comment faire malgré le mensonge, se dit-elle en faisant de nouveau face au miroir.

Les yeux, plus les mêmes. La mâchoire désormais

contractée. Le menton anguleux, comme sorti du visage. Dans l'ensemble, elle ne s'y reconnaissait plus. Son image, en mille morceaux.

# Un rasage parfait

Passer la fin de l'après-midi au téléphone n'était pas dans ses habitudes. C'est le soir qu'il préférait consacrer à sa vie sentimentale. Le dérèglement aurait des incidences sur son horaire. Irritant. D'autant plus que John devait passer le chercher à sept heures. Un concert qui tombait à point. Dans les circonstances, mieux valait s'en remettre à la musique. Pour y puiser la force de se soustraire aux complications qui ne tarderaient pas à s'accumuler, appréhendait-il.

Tout était affaire de contrôle. Règle numéro un : se maîtriser d'abord soi-même. Il se répétait la leçon chaque fois que le hasard se mêlait de contrarier la raison. Désinvolte, celui-là. Le retour précipité d'Amy était un inconvénient. Elle aurait dû passer la soirée avec ses collègues. Heureusement qu'il avait le tact de son côté. Ce qu'il allait lui expliquer ramènerait l'ordre. Il ne pouvait pas en être autrement.

Anthony dirigea le jet d'eau sur sa nuque. L'y laissa couler pour masser l'occiput et dénouer les foyers de stress. La vapeur montait de la douche, enrobait son corps. Il était là dans son élément, la peau soumise à un haut degré de chaleur. Au seuil du tolérable pour le commun des mortels. Toutes ces toxines dont il fallait se purger. Et les graisses à faire fondre. Un combat quotidien contre les dangers du laisser-aller qui finissait par gruger jusqu'à la volonté des individus pour les rendre étrangers à eux-mêmes. Pire : dépendants de leurs propres faiblesses. Ce qui ne serait pas son cas. Pas quand on fait de l'avenir une question d'hygiène.

Un bémol lui traversa l'esprit, comme un signe de mauvais augure. À force de se mettre dans l'eau chaude, ne finirait-il pas par voir apparaître de petites cornes sur les arcs formés par un début de calvitie ? Cette fois, le jeu exigeait la perfection de l'art. Il ouvrit la porte de la douche, saisit une serviette qu'il enroula autour de ses hanches avant de faire face au miroir embué.

Entre les halos de vapeur, ses traits peu à peu s'assemblèrent sur la surface du tain, qu'il essuyait avec un balai pareil à ceux des squeegees, mais en minuscule. Une trouvaille d'Amy. De grimace en grimace, il exerça les muscles de son visage, en interrogea le reflet pour s'assurer que l'âge n'y avait pas fait d'autres percées. Bientôt, il serait ce qu'on appelle un quinquagénaire, comme s'il devait muter en une autre espèce. Ce qu'il voyait le rassura toutefois. Il avait encore l'apparence d'un homme. Les rides l'avaient épargné, sursis qu'il attribuait à une alimentation saine et à la modération. Pas plus d'une coupe de vin par jour, à part quelques exceptions. Parce qu'il fallait aussi savoir tempérer ses excès. Quant à la bière, elle était permise à condition de faire suite à une séance de gym. Histoire de maintenir un bon équilibre calorique.

Règle numéro deux, pour faciliter la maîtrise : être

rasé de près, de préférence en optant pour la méthode traditionnelle. Après avoir appliqué une huile de pré-rasage sur la peau humide, il mélangea le savon dans un bol pour le faire émulsionner à l'aide d'un blaireau en corne. Une gracieuseté de Caroline, en provenance d'Italie. Anthony accordait une attention particulière à cette étape préparatoire qui redresse le poil de manière à permettre un rasage de près. Ah ! les préliminaires ! Comme il aimait les soigner ! Après, tout devenait mécanique. Immanquablement. C'est ce qu'on s'apprête à faire qui emballe. Quand l'avenir s'ouvre devant le geste.

Quel était donc cet air de Cuco Sánchez ? Avec Amy, la ritournelle marchait à tous coups. Surtout la première année de leur liaison. Si houleuse. Chaque nuit passée avec elle était une occasion de promesses à renouveler pour gagner une autre nuit à passer avec elle. Il la revoyait, ne sachant plus quoi faire de ses doutes. Pauvre Amy. Suffisait de fredonner les paroles du chanteur mexicain pour qu'elle retrouve son œil coquin.

Après avoir déposé le blaireau sur son support, il entonna le boléro magique en se saisissant d'un rasoir droit avec manche en imitation d'écailles de tortue, souvenir de Fort-de-France :

*Si la vie est un jardin*
*Les femmes en sont les fleurs*
*Et l'homme, le jardinier*
*qui coupe les plus belles*
*Moi, je n'en préfère aucune*
*J'aime à toutes les couper*

Oui, il la revoyait, inclinant la tête pour porter ensuite un doigt à sa bouche, mordiller la cuticule de l'ongle et laisser filer le nuage noir au-dessus d'elle. Il était tellement important, pour elle, de croire en l'amour. Fascinant, ce besoin viscéral de complicité qui la prédisposait au sourire, contre vents et marées. Même s'il lui semblait qu'une pointe de tristesse lui était restée accrochée au coin des lèvres depuis quelque temps. Quand avait-elle commencé à se rembrunir? Il ne pouvait pas dire.

La lame allait et venait sous son nez. Pour ne pas agresser la peau, il rasa dans le sens du poil, en douceur. Cette fois, la situation était délicate. Il lui faudrait faire preuve de plus de finesse. Le nuage semblait avoir pris les proportions d'une tempête tropicale dont la queue pouvait entraîner des dommages collatéraux à éviter. En aucune façon il ne laisserait les circonstances rompre l'équilibre qu'il avait réussi à obtenir. Mais il avait la raison de son côté. Grâce à elle, il allait exceller dans son rôle, tout comme il savait obtenir un rasage impeccable en passant la lame une deuxième fois, à contresens du poil.

Les erreurs surviennent quand le geste ne s'adapte pas aux accidents du terrain. Et il ne lui était jamais arrivé de s'écorcher un millimètre d'épiderme. La salive sur l'éraflure. La brûlure. Le petit bout de kleenex collé au menton des héros fragilisés au premier rendez-vous. Jamais. Ou il ne s'en souvenait pas. Du pareil au même. Suffit d'oublier pour que les choses n'aient plus droit à l'existence. Un truc simple.

Curieux ce réflexe qu'ont les gens de ramener leur passé à table pour un oui pour un non. « Tu te souviens, chéri, quand on s'est connus ? » On faisait ceci, on faisait cela. Tu as dit ceci, et moi, cela. Oui, il en convenait. L'être qu'il avait été hier avait bien fait ceci et peut-être même cela. Mais nos actions sont en perpétuelle mutation, disait Montaigne. Celui qui faisait face au miroir en ce jour du 23 juin 2011, confiant en lui-même, avait-il quelque chose à voir avec cet être-là du 22 juin, en proie à un inconfort qui lui avait donné des douleurs dans tout le corps ? Bien naïfs ceux qui croient en l'unité de la personne. Parce que nous serions toujours identiques à nous-mêmes, peu importent les circonstances ?

Il aurait voulu être cette lame qu'il plongeait dans l'eau chaude pour enlever l'excédent de mousse. Inflexible mais douce. Précise. Une constante dans la suite de ses métamorphoses, de Fort-de-France à Montréal, Miami, Toronto ou Hamilton. D'un appartement à l'autre. La même lame qui départageait ses ombres. Car l'homme n'est toujours qu'une ombre se multipliant selon l'heure et le lieu. Ça, les poètes l'avaient bien compris. Pas tous ces malheureux convertis au culte de l'authenticité. Et ce ne sont pas les slogans qui manquent. « Libérez-vous. Soyez enfin vous-mêmes. » « Laissez le naturel parler en vous. » N'importe quoi ! Comme si la vérité était là, dormante en nous, et qu'il suffisait de s'embrasser soi-même pour la réveiller.

Tout en riant de cette dernière pensée, Anthony passa son doigt sur cette même lame chaude qui lui permettait, chaque fois, de se refaire un visage à neuf, selon la vérité du moment. Qui le soustrayait, dans l'intimité de la salle de bain, aux exigences de sincérité de son entourage. « Disons plutôt qu'on a affaire à un véritable tribunal de la sincérité ! » lâcha Anthony à voix haute, brandissant le rasoir face au visage dont le côté droit était barbouillé de crème. Puis, changeant de ton selon les répliques, il se rejoua une scène : « Dis, chéri, tu les aimes, toi, ces pâtes ? – Excellentes. – Vrai ? – Mais oui. – Et moi, tu m'aimes ? – Bien sûr ! – Sûr, sûr, sûr ? – Mais je ne serais pas là à manger des pâtes avec toi ! – Tu es sincère, là ? – Et pourquoi je ne le serais pas ? »

C'est fou ce qu'il fallait tout justifier au quotidien. Rien ne pouvait être vécu sans montrer patte blanche. Anthony en avait déduit une loi élémentaire : plus une personne fait don de sa confiance, plus elle demande à être rassurée. Mais comment savoir si ce que l'on croit vrai le matin sera aussi vrai le soir ? Il n'oserait jamais aborder cette question de front avec aucune femme. Un moment de distraction lui fit jeter un coup d'œil à la montre Swiss que Caroline avait eu le bon goût de lui choisir. Un modèle d'élégance, serti de huit diamants noirs, avec chronomètre intégré. Fort utile au gym.

Dix-sept heures trente. Que pouvait bien faire Amy ? Elle avait téléphoné vers seize heures. Elle devrait pourtant être là. À moins qu'il ne lui soit arrivé quelque chose. Une crispation dans le geste, doublée de spasmes à l'estomac, le déconcerta. Était-ce là ce qu'on nomme de l'inquiétude ? Quoiqu'elle lui fût désagréable, cette réaction le réconforta, car elle était le sort commun de tous les hommes. Sur cette idée, il se ressaisissait déjà, enlevant l'excédent de mousse à l'eau froide.

Qu'est-ce que ce Jérémie était allé lui raconter ? Amy était dans tous ses états. Il l'avait bien perçu dans sa voix tout à l'heure. En plus de cet habituel fond d'insécurité qui faisait son charme, il avait noté un trémolo de colère contenue. Ou était-ce de la peur ? Il n'aurait su le dire avec précision. Une seule certitude cependant : la raisonner ne serait pas une tâche facile.

« Sa vie avec Caroline », avait-elle dit. Que pouvait-on signifier ainsi ? Qu'ils aient été vus ensemble à quelques reprises ne signifiait pas qu'ils avaient une vie en commun. Bien des choses les séparaient, en réalité. Ce qui serait facile à démontrer. Comment une femme intelligente comme Amy avait-elle pu tomber dans le piège du commérage ? Pire : mettre en doute sa sincérité. Voilà un argument imparable !

Il chercha la pierre d'alun pour resserrer les pores. Où était-elle ? Sous une serviette. Et il la passa sur les surfaces rasées, devisant sur les femmes en général. Il enviait la faculté qu'elles avaient de pouvoir sortir d'elles-mêmes, en proie aux dérèglements les plus variés. Un bon remède contre l'ennui. Toutes des Médée en puissance. Héroïques, plus que les hommes. Avec leur capital de trahisons et de souffrance. Étonnantes. Se tenir au plus près des femmes donnait à Anthony l'impression de toucher au sens même du tragique. D'ailleurs, il s'était souvent posé la question. Insoluble. La souffrance de l'homme est-elle comparable à celle de la femme ?

D'instinct, et si on lui en donnait le choix, il préférerait ne pas changer de sexe. Sa souffrance à lui, il pouvait la contrôler à coups de Tylenol et d'exercices qui libèrent le mal tout en tonifiant les muscles. Celle de la femme lui semblait sans remède. Il ne pouvait qu'aider à son apaisement. De façon temporaire, la résorber par sa présence assidue au téléphone. Se faire le Grand Consolateur. C'est ainsi qu'il avait appris à accentuer les graves, à moduler sa voix pour lui donner l'effet d'un baume. Le mot appelant la chose, Anthony appliqua sur son visage une crème hydratante Biotherm, un soin réparateur qu'il fit pénétrer avec des tapotements.

Il avait maintenant les joues fraîches comme les fesses d'un bébé. Satisfait, il l'était aussi d'avoir retrouvé son calme. Ne manquait plus au rituel qu'une serviette bien chaude, pour rouvrir les pores et faire respirer la peau. Moment de détente privilégié où il perdait contact avec le réel au profit des pulsations cardiaques qui rythmaient son mouvement intérieur. Arythmique. Ce qui l'effrayait toujours un peu. Mais c'était sa musique à lui qui, à défaut d'harmonie, ne manquait pas de mystère.

Il aurait d'ailleurs l'occasion, ce soir, de l'accorder avec la symphonie de Mahler. La quatrième. Un événement rare. Ce qui changerait des pop stars traversant le ciel autrement si vide des villes canadiennes. Et il n'allait pas se priver du plaisir d'ajouter un élément de comparaison à l'appréciation d'une symphonie qu'il avait réécoutée un nombre incalculable de fois dans différentes versions avant de les ranger, par ordre de préférence, sur l'étagère du salon.

Venait en premier lieu le nom de Karajan quant à l'orchestration dans son ensemble. Magistrale. Le visage toujours enfoui dans la serviette, Anthony revit le marché de Mexico où il avait déniché cette version dans une joyeuse cacophonie de ghetto blasters. Introuvable ailleurs. Un disque pirate japonais qui reposait sur un des étals tendus entre les décibels des rancheras, boléros, salsas, cumbias et sons tex-mex. Une aubaine offerte par les dieux aztèques à un Martiniquais en exil qui se trouvait au bon endroit au bon moment. Cette découverte lui semblait d'ailleurs être à l'image de la courbe de sa vie, dont il avait su reconnaître les vagues favorables. Tirer parti du bon timing, surfer sur sa propre chance. Ce qui n'était pas donné à tout le monde.

Il revenait souvent à Karajan, laissant la poussière s'accumuler sur les coffrets de Bernstein, Abbado, Boulez et Britten. Il n'avait toutefois pas su où classer l'interprétation de l'Italien Chailly. Lumineuse, moins emphatique que celle de Karajan, et plus près de la délicatesse orchestrale exigée par l'évocation des bonheurs célestes. Mais l'adagio dirigé par Karajan l'emportait nettement. Chailly n'arrivait pas à rendre le contraste entre la tristesse et la joie avec autant de vertiges. Enivrant. En composant ce troisième mouvement, c'était le visage de sa mère que Mahler avait vu, lui souriant à travers ses larmes. Mahler souffrait. Tourmenté, disait-on. Qui ne l'était pas ? Mais il n'avait pas cherché à guérir, lui. Il avait fait mieux. Son hymne à la joie était une perle de résilience. Il avait permis à Anthony de se ressourcer en situation délicate. Ce soir-là, il allait même lui fournir un alibi commode.

Caroline, qu'il finirait par rasséréner, le saurait en compagnie de ce bon vieux John. Un ami commun. Quant à Amy, elle comprenait ce que représentait pour lui ce concert. C'est pourquoi elle n'avait pas insisté pour qu'il l'accompagne au souper prévu avec ses collègues. Mais la voilà qui revenait plus tôt. Ce qui lui laissait peu de temps pour agir et la renvoyer d'où elle venait avant que John n'arrive.

Anthony venait d'entendre claquer la porte d'entrée, puis le tintement des clés sur le comptoir de la cuisine. Il jeta les serviettes sur le carrelage, se brossa les dents et passa le fil de soie dentaire. La pédicure pouvait être remise à un autre jour. Il avait d'autres chats à fouetter, se dit-il en attrapant d'une main la robe de chambre pendue à un crochet. Le silence qui régnait sur l'appartement commençait à le préoccuper. Pas de « Bonjour chéri ! Je suis là ! » Pas de portes d'armoires fermées, ni de robinet qui coule dans la cuisine. Amy ne lui donnait rien de connu à décoder. Ni soupirs ni plaintes ni cris.

Comme il avait horreur du vide, Anthony prit les devants : « Y'a quelqu'un ? Amy, c'est toi ? » Mais il s'en voulut d'avoir jeté cette pierre dans un silence qu'on eût dit sans fin et sur lequel il n'y avait pas de rebondissements, comme ces petits ronds sur la surface de l'eau qu'il s'amusait à faire, enfant. Pour le plaisir de voir son geste se prolonger, prendre un autre cours en répétant des formes prévisibles. Ce silence-là ne lui renvoyait aucun écho.

La journée n'était pas comme les autres. Et Anthony n'y était pas préparé. Dans son inconfort, il avait omis de nouer la ceinture de sa robe de chambre. Ce qui laissait son gland à découvert entre les jambes qui arpentaient le corridor. Jamais il ne s'était énervé. Sa patience était même légendaire. De mauvais goût cette manie qu'avaient les gens de s'emporter en toute occasion. Amy était pourtant d'accord. Tous les deux trouvaient indécent de faire des problèmes avec des vétilles. Il y avait dans le monde des réalités autrement plus préoccupantes que les malentendus de couple !

Gbagbo contre Ouattara en Côte-d'Ivoire. La guerre civile. L'innommable qui n'intéresse personne. Ce sont des Noirs, que voulez-vous ? Si différents de nous. Ça ne peut se passer que là. Un continent violent. Que pouvons-nous y faire ? C'est culturel. Anthony répétait ce qu'il avait cru lire sur le front de la présentatrice pendant que sortaient de sa bouche des paroles parfaites d'objectivité et avant qu'elle ne passe, avec le même ton aseptisé, au revers crève-cœur subi par les Canadiens contre Boston. Il y avait un mois de cela. Qui s'en souvenait ?

Et toutes ces vies emportées depuis le printemps arabe ? Il était encore sous le choc des images de CBC. Sur sa rétine, imprimé tel un tatouage indélébile, le corps du jeune Hamza al-Khatib. Treize ans. Mutilé par le régime syrien. On lui aurait coupé le pénis avant de le tuer, avait-il trouvé sur le Web. En Libye, des chefs tribaux, fusil automatique en bandoulière. Soumettre par peur d'être soumis. Voilà le moteur de l'histoire !

Sans compter l'autre imbécile, qui prenait les femmes de chambre pour des serviettes. Une belle inconnue au sortir de la douche dans un hôtel new-yorkais. Du fantasme à la réalité, il n'y avait qu'un pas! DS, pour délinquant sexuel. K, comme dans JFK, qui souffrait de priapisme. Un effet secondaire des médicaments qu'il prenait pour soigner la maladie d'Addison, paraîtrait-il. Et qu'est-ce que ça changeait? À quoi servait de tout démontrer par a + b? Il fallait être pornographe pour vouloir faire la lumière sur cette affaire. Répugnant. Anthony ne se souvenait plus qui avait dit ceci : « La vérité est d'abord et avant tout génitale. Le mensonge est de présenter cette vérité comme un scandale. » Et s'il était innocent, le drôle? La frontière qui sépare le consentement du refus était parfois si mince.

Entre désir et raison, les femmes envoient toutes sortes de signes, se disait-il. Il fallait savoir tirer sur le bon fil d'Ariane. Un sujet de préoccupation constant pour Anthony, qui lui barrait le front d'un pli aux heures sombres. Depuis le jour où sa mère n'était pas rentrée du marché, victime d'un malaise subit. Où il dut s'en remettre à la volonté des autres femmes.

À tante Anne-Sophie, partie de la commune du Gros-Morne pour s'occuper de lui en ville. À la voisine aux gros seins qui les lui plaquait sur le nez pour étouffer ses pleurs, le soir, quand son père s'absentait des nuits entières pour traîner dans les allées de La Savane. De plus en plus souvent, jusqu'à ne plus revenir. À ses cousines qui le traitaient de petit bâtard. À qui il volait des caresses en feignant le vertige. À toutes ses maîtresses d'école dont avait dépendu son existence comme il en eut chaque jour le sentiment, vivant dans l'anxiété de perdre leur attention. À Célia, surtout, à qui il devait d'être l'homme qu'il était devenu. Une femme merveilleuse. Que lui rappelait parfois Amy dont le silence persistait, électrons libres dans l'air qu'il respirait avec peine.

Ses pas s'arrêtèrent devant le miroir plein pied qui le séparait de l'entrée de la cuisine. Il y vit le rasoir qu'il avait repris pour l'aiguiser avant de le ranger. Ce qu'il pouvait être distrait ! Tant pis. Il s'en occuperait plus tard. Avec maladresse, il noua la ceinture de sa robe de chambre, en remonta le col et lissa la soie gris perle. Quelle erreur avait-il pu commettre pour être ainsi soumis à tant d'imprévus ? Comment les choses avaient-elles pu en arriver là ?

Il invoqua le destin et le somma de lui accorder une dernière chance. Ce qu'il fit en fixant ses yeux sur ceux de son reflet, comme s'il espérait rediriger vers lui-même le pouvoir qu'avait la pénétration de son regard sur les autres. Puis il fit glisser la lame du rasoir sur son front pour en effacer toutes traces de souci, et avança le maxillaire inférieur, volontaire.

Six heures cinq. Le rasage était parfait. La soirée aussi serait parfaite s'il arrivait à maîtriser la situation. Et à persuader Amy de retourner vers ses collègues avant l'arrivée de John. Lui restait moins d'une heure. Avec un sourire en coin, il bomba le torse avant de s'adresser un clin d'œil et d'éclaircir sa voix. « À vous de jouer, maestro ! »

# TANGO

# Cahiers de George

La jeune femme passe et repasse devant l'épicerie à la même heure. Si elle va quelque part ou si elle en revient, rien ne permet de le préciser. Peu importe la saison, je la vois sur son vélo entre 16 h 10 et 16 h 30. Jusqu'à ce jour, elle n'a pas dévié de sa trajectoire, selon la courbe statistique que j'ai pu établir.

On pourrait croire qu'une force invisible en détermine le mouvement. En hiver, son rythme est plus lent en raison du frein naturel de neige et de sel. Il s'accélère dès la fin mars. Elle porte alors un imperméable pour se protéger des éclaboussures. En tout temps, son front est plissé par des soucis qui lui donnent l'air absent, malgré le brouhaha qu'elle traverse et les obstacles à éviter sur son chemin. Après consultation des notes prises à son sujet, j'ai dressé la liste des invariants suivants : béret noir, cheveux bruns attachés sur la nuque en queue de cheval, écouteurs aux oreilles, peau blanche, acnéique, dos courbé sous un sac en toile bleu, mâchoire activée par un chewing-gum, aucun autre tic apparent, aucun bijou ni aucun indice sur ses origines sociales.

Compte tenu de la récurrence avec laquelle ces mêmes données sont apparues dans mon champ de vision au moment précis de ma pause-cigarette, il était à prévoir que l'imprévisible surgirait un jour ou l'autre de ce système en apparence bien régulé. En effet, le peu de fluctuations qui accompagnent les déplacements de la jeune fille m'ont amené à penser que celle-ci était la source d'un chaos potentiel, que je me suis mis à guetter. Cet après-midi, mon hypothèse a trouvé sa confirmation.

En ouvrant la porte arrière du restaurant, j'ai entendu la conversation téléphonique d'une femme avec son mari ou son amant. Un infidèle, ai-je pu comprendre avant qu'elle ne ferme son cellulaire pour se retourner vers moi. Je me suis avancé dans le stationnement, guidé par l'appel de son visage, qu'elle paraissait vouloir dissimuler à ma présence. Je l'avais surprise dans sa vulnérabilité.

Elle m'a tout de suite fait penser à l'antilope devant la hyène que j'avais vue la veille sur YouTube. Mais je m'en suis voulu de la comparer à une proie. Comme si la seule évocation de l'image pouvait avoir un impact sur ce corps qui frayait de près avec une menace, j'en avais l'intuition. Il me fallait réparer l'impair. Je lui ai donc offert l'hospitalité de mon bloc de béton, espérant qu'elle trouverait dans la conversation le répit dont elle semblait avoir besoin.

Force est de constater que les paramètres de mon regard s'en sont trouvés modifiés. J'ai toujours eu le souci d'appréhender avec objectivité ce qui se passe dans le petit laboratoire qu'est devenu ce tronçon de rue pour ma curiosité personnelle. Or, je crois que le simple fait d'avoir partagé mon expérience avec une autre personne a introduit un facteur incontrôlable qui a altéré ma perception. Voir les choses à deux, c'est un peu comme faire l'amour. Tout prend une valeur accrue. Bien plus, on se met à imaginer le plaisir à venir, de manière à influer sur le cours même des événements.

Son avant-bras frôlait presque le haut de ma cuisse. Elle avait roulé les manches d'un chemisier dont les pans flottaient sur des jambes aussi longues que celles de Jane Birkin. La rue n'était plus le seul centre de mon intérêt, je dois l'avouer. Toute mon attention était captée par cette douceur incarnée à proximité de moi. Je lui confiais mes réflexions et elle m'écoutait comme avec soulagement. Nous ne faisions qu'attendre en causant. Et il me semblait aller de soi que nous soyons là, ensemble, à contempler les passants.

Je me suis mis à souhaiter d'être témoin d'un événement dont le souvenir nous lierait à jamais. Ce qui s'est réalisé dans la minute qui a suivi, quand un homme est sorti de l'épicerie, de l'autre côté de la rue, et que la jeune femme au vélo a foncé sur lui. J'ai tout de suite cru que mon vœu était à l'origine de la catastrophe et que mon accompagnatrice en avait été le catalyseur. Car rien n'interdit de croire qu'en appelant le chaos pour me rapprocher d'elle j'étais intervenu dans l'ordre caché des choses.

Je n'étais pas ému par ce qui venait d'arriver ni par le sort de la jeune femme sauvagement invectivée par sa victime, scène que nous regardions : elle consternée, moi impassible. Je l'étais surtout par la présence de cette inconnue à mes côtés. J'aurais voulu la prendre dans mes bras, glisser ma main jusqu'au bas de son dos et coller mes lèvres sur les siennes, comme pour mieux atteindre le fond de son trouble. Mais je suis resté là, cloué sur place, à la regarder s'éloigner de moi pour regagner sa voiture.

Après qu'elle eut pris un virage à gauche pour quitter le stationnement, je suis retourné au travail avec une drôle d'idée en tête. En effet, je me disais que d'observateur j'étais devenu une donnée de plus dans le jeu du hasard orchestré par le Grand Horloger. J'avais malgré moi mis la patte dans les rouages d'une vie étrangère.

23 juin 2011

# Sushi bar

À l'heure du rendez-vous, il s'alluma une cigarette sous les néons bleutés en scrutant les plats derrière la vitrine. Des imitations de cire aussi fascinantes pour l'œil que les pin-up sur les pages lustrées de ses magazines. Habillées d'une seule feuille d'algue, des bouchées offertes sur une assiette rectangulaire concentraient un choix varié de chairs collées les unes contre les autres en un amalgame de couleurs : vert avocat, rouge thon, orange carotte, jaune œuf. Son regard suivit la courbe pulpeuse d'un oursin, puis caressa le dos d'une crevette plus fraîche que nature. Couché sur un lit de riz, le rose tendre du crustacé lui donnait des idées. Il ne fallait pas. Avec Caroline, il ne fallait plus.

Sur le trottoir, elle s'avançait vers lui, le corps moulé dans une robe jaune, aussi serrée qu'un rouleau maki. Une pièce de choix. Il avait bien le droit de le penser, puisqu'il était cuisinier. Une déformation professionnelle contre laquelle il n'allait pas se défendre. C'était d'ailleurs elle qui avait commencé. Ce soir-là de leur première rencontre, après qu'il eut accepté un dernier verre, ne lui avait-elle pas demandé s'il la trouvait appétissante ? Le reste avait suivi un enchaînement logique qui découlait de cette prémisse alimentaire. Elle avait une façon bien à elle de mettre la table pour satisfaire ses désirs. Et il savait l'assaisonner là où il fallait pour rehausser leurs nuits. Entre eux, il n'y avait jamais rien de fade. Si bien qu'à force de parler cuisine l'un et l'autre avaient réuni leurs vies autour d'un même garde-manger.

Durant des années, il avait joui d'un équilibre parfait entre ses amours avec Caroline et le restaurant italien où il travaillait. Jusqu'à ce qu'elle fasse la connaissance de ce type qui était venu desservir la table. George s'était fait un point d'honneur de ne jamais le rencontrer. C'était comme tout le reste, trop insurmontable pour être envisagé. La perfection, au dire de Caroline. Dans son enthousiasme des débuts, elle le lui avait décrit comme un intello de gauche élégant, poète et sportif, végétarien non-fumeur, passionné mais raisonnable, fidèle sans être jaloux. Il avait été inutile de lui faire remarquer ce qu'il y avait d'incompatible dans cette liste dont il ne partageait que deux des points : passionné et jaloux.

Anthony par-ci, Anthony par-là. En plus d'être poète, il avait une qualité suprême : lui, au moins, il avait de l'ambition. Caroline ne manquait pas l'occasion de justifier le besoin qu'elle avait eu d'aller chercher son bonheur ailleurs, de manière à lui rappeler ses torts. Les reconnaître n'avait été d'aucune utilité. Ni les efforts pour améliorer son cas. Car il n'était pas à la hauteur de la comparaison. C'était sans compter l'angoisse des nuits blanches qui lui creusait les orbites, quand il ne ronflait pas au point de lui donner des insomnies à elle. À l'époque où elle l'avait connu, son apparence négligée était une question de style qui lui conférait une désinvolture non dépourvue de charme. À l'approche de la quarantaine, sa tenue vestimentaire trahissait plutôt un laisser-aller chronique. Et les kilos en trop, l'effondrement précoce de son sex-appeal.

Tandis que Caroline était sous le charme de la perfection, il avait conservé l'avantage d'être son confident. Un moindre mal, se disait-il quand il voyait sa démarche à elle, plus légère. Son rire, plus éclatant. Le bleu de ses yeux, plus bleu qu'avant. Ce petit plus l'accompagnait à chacun de leurs rendez-vous. Mais pas ce soir-là, alors qu'elle s'approcha de lui avec un visage chagrin et qu'elle mit ses bras autour de son cou, s'abandonnant un peu comme pour y trouver refuge.

Et s'il avait de nouveau sa chance? Il se fit la réflexion en l'embrassant sur les joues et la maintint un temps serrée contre sa poitrine, comme avant. Il y avait peut-être une faille dans la perfection. Suffisait de trouver un moyen de s'y glisser. Pour faire valoir une constance qu'elle finirait bien un jour par reconnaître. Tout en entretenant cette consolation, il était conscient de son effet placebo. Car il savait son mal irréversible.

Il mit la main droite sur la courbe jaune de la hanche de Caroline, baissa le nez vers le champ de marguerites de son corsage. Elle se dégagea d'un bond. « Bas les pattes, George! Tu ne changeras donc jamais? » Il lui répondit de se calmer le pompon, de ne pas s'en faire pour lui, surtout. Qu'il était sur la bonne voie. Il avait mis au point une méthode qui consistait à perfectionner ses défauts. Avec de la persévérance, et sa collaboration à elle, il arriverait à tous les transcender par leur exorcisme. « *Même la pensée d'une fourmi peut toucher le ciel,* chère Caro. Proverbe japonais. »

Amadouée, elle revint tout près de son ex, glissa les doigts sur ses tempes grisonnantes. « Ce bon vieux George ! Un éternel adolescent dans un corps d'homme », se dit-elle en les faisant trotter jusqu'au lobe de l'oreille droite. Puis elle tapota l'anneau qu'elle lui avait offert, geste qui, autrefois, venait clore leurs contentieux. Il avait faim ? Pas elle. Seul lui importait de retrouver un peu de leur complicité. Mais valait mieux ne pas rester là. Une bande de francophones les avaient rejoints sur le trottoir, brandissant des fleurdelisés pour défier l'unifolié qui flottait à une fenêtre du restaurant. Ils étaient visiblement éméchés. C'était la veille de la Saint-Jean, elle l'avait oublié.

George aurait préféré rester là pour contempler la scène qu'il trouvait, au contraire de Caroline, plutôt cocasse. Comme les sushis, les Québécois le fascinaient. Adolescent, il avait bénéficié des programmes pour la promotion du bilinguisme, mettant tout en œuvre pour devenir un bon Canadien, d'immersion en immersion. C'est à Trois-Pistoles qu'il avait le plus appris le français. C'est aussi là qu'il avait eu à la fois ses premières expériences sexuelles, éthyliques et hallucinogènes. Ce sont les Québécois qui avaient fait son éducation, se plaisait-il à dire. Et leur langue était devenue pour lui synonyme de stimulus tous azimuts.

À sa grande déception, Caroline avait toujours

refusé de fêter la Saint-Jean avec lui. La Québécoise d'origine avait développé une allergie aux symboles de sa nation. Le 23 juin lui donnait des maux de tête et l'envie de fuir toujours plus loin vers l'ouest. Mais elle était en sa compagnie ce soir-là, s'égaya-t-il en lui ouvrant la porte du restaurant. Pure coïncidence, lui rétorqua-t-elle. Pas de quoi se prendre pour un mouton.

Ils retrouvèrent leur place habituelle au bar, isolés du chef et de ses couteaux par un présentoir en plexiglas. « Une bouteille de saké, s'il vous plaît. » Ces mots fusèrent à l'unisson, comme s'ils étaient sortis d'une seule bouche. George et Caroline croisèrent leurs index pour faire un vœu en se regardant dans les yeux. Lui ne trouva pas quoi souhaiter de mieux que de rester là en compagnie de sa Caro. Elle, en proie à la superstition, n'osa pas espérer ce qui risquait de ne pas se produire du seul fait de l'avoir désiré. D'autant plus qu'il y avait un chat peint à l'encre de Chine sur le mur d'en face.

Sitôt les gobelets de porcelaine déposés sur le comptoir en Arborite marbré, George mit cérémonieusement le sien dans le creux de sa main, leva bien haut l'alcool le plus puissant du monde, le priant de transmettre une part de sa richesse et de sa vitalité à tous les peuples minoritaires incompris. Avec Caroline, la question était épineuse, voire taboue. Mais il avait l'humeur borderline :

— Jamais compris pourquoi tu te faisais si peu solidaire des tiens. Désolé de te l'apprendre, chère, mais on appelle ça de la dénégation de soi-même.

— J'aime pas les nationaleux, fit-elle avec une

moue de mépris. Tout ce tapage autour d'eux-mêmes pour se prouver leur existence ! Pathétique. Rien d'autre à montrer qu'un nombril bien crotté, qu'il faut trouver beau à n'importe quel prix, en parler partout tout le temps. À table, au lit, chez les autres, surtout. Pour qu'on comprenne bien que *nous*, on n'est pas comme les autres.

— Pourquoi tu en fais des caricatures ? Ces gens de tout à l'heure étaient plutôt sympathiques. Des êtres spontanés, expressifs…

— Expansifs, tu veux dire.

— Mais vous, au moins, vous avez une culture !

— Ne me désigne pas comme si j'appartenais à une planète à part, fit-elle. Un individu sans culture, ça n'existe pas. Tout est culturel.

— O.K., nomme-moi un seul symbole de la culture canadienne.

— Heu… la police montée ?

— Erreur. Une création d'Hollywood tout droit sortie des westerns.

— Les Rocheuses, alors ?

— Mais encore…

— Les plaines, le castor, l'érable, le homard à l'Est, le grizzly à l'Ouest, les lacs et les forêts tant qu'à y être.

— Tu te perds en pleine nature. Rien à voir avec la culture, ça ! s'emporta George.

— Mais c'est dans le guide canadien ! Et puis… écoute, le moment est mal choisi pour parler politique.

Elle avait raison, comme toujours. Quel avantage pouvait-il trouver à cette discussion ? Il aurait dû se montrer sensible à ce qu'elle avait à lui dire et qu'elle traînait avec elle comme un boulet depuis son arrivée. Un fond masochiste semblait le pousser à se complaire dans le rôle d'un crétin de premier ordre.

Il eût été trop facile de rectifier le tir, de favoriser l'épanchement de Caroline par une attitude compatissante et de tirer profit de la situation. Il se lança plutôt dans le récit de sa journée, entraîné par l'irrésistible besoin de noyer le poisson, qu'ils finiraient par manger cru, de toute façon. Car le nom d'Anthony ne tarderait pas à surgir et à prendre toute la place entre eux. Il lui faudrait s'y résigner. Pour en repousser l'échéance, faire durer l'attention qu'elle lui prêtait, il raconta les potins des voisins (au cas où elle serait encore intéressée de savoir), les frasques de leur chat (elle y était tellement attachée!), sa nouvelle table d'hôte et, en primeur, la conduite scandaleuse de son patron. C'était plus fort que lui, il fallait qu'il insiste sur ce dernier point, même s'il savait que ce genre de commérage l'horripilait.

Caroline l'écoutait d'une oreille distraite, l'esprit baignant dans les vapeurs du saké qui les enveloppaient d'un bouquet tout en délicatesse. Elle savait gré à la culture japonaise de la caresse chaude dans sa gorge, du pouvoir lénifiant de l'alcool sacré sur le cœur de l'homme. La tête inclinée et les yeux mi-clos, elle se laissa porter par les sonorités familières qui faisaient taire la voix de l'inquiétude en elle, où s'intensifiait le ronron de George comme pour la remplir d'une présence bienfaisante.

Caroline accueillit avec un demi-sourire la description des infidélités de ce vieux cochon de patron avec l'apprenti cuisinier engagé par sa femme. Car il était rassurant que ce salaud demeure un salaud et que George trouve encore une satisfaction, quoique douteuse, à faire la chronique de ses frasques. Elle se raccrochait, ainsi, aux repères d'un monde connu où elle eût voulu que rien ne change jamais.

George fut interrompu par l'arrivée des soupes miso. Puis il capta l'attention de Caroline par un changement de ton qui annonçait la confidence :

— J'ai aussi fait une rencontre aujourd'hui, lâcha-t-il.

— Tiens ! Une nouvelle flamme !

— Pas ce que tu crois, non. Il y a longtemps que je ne m'occupe plus des femmes, tu sais bien. Trop épuisant. Mais il s'agissait tout de même d'une femme. Que je me suis contenté d'observer.

— Tu passes encore ton temps à espionner les gens dans la rue ?

— Pour mieux connaître mon prochain, Caro. Un travail de terrain pour documenter mon quartier. Je veux pouvoir témoigner de tout ce qui s'y passe. Où est le problème ?

— Un plaisir solitaire qui s'apparente à du voyeurisme, selon moi.

— Anyway ! Cet après-midi, je n'étais pas seul dans le stationnement. Il y avait aussi cette femme qui a regardé la rue avec moi. Par nécessité, il faut le dire. Parce que j'ai dû l'empêcher de prendre le volant de sa voiture. Elle semblait ébranlée. Il venait de lui arriver quelque chose. Je ne pouvais pas la laisser repartir comme ça.

— Dis plutôt que tu en as profité pour l'approcher en lui offrant une cigarette.

— Qu'est-ce que tu racontes ? Et comment peux-tu me connaître aussi mal ? Après tant d'années de sushis partagés !

Caroline n'entendait pas à rire. En posant sa question, elle avait gardé le visage tendu vers lui, comme si de sa réponse devait dépendre la suite du monde. Il eut envie d'embrasser les paupières de ses grands yeux où il reconnut des signes de détresse. Que lui arrivait-il donc ?

George protesta de nouveau, niant avoir voulu se lier avec une autre femme. Mais sa voix sonnait faux pour Caroline qui repoussa devant elle son bol de soupe encore intact. Le serveur s'en inquiéta et George en profita pour le prier de leur apporter du wasabi. D'urgence.

Tandis que Caroline s'épongeait le front avec sa serviette, des faisceaux de lumière dansaient autour d'elle. Le restaurant avait disparu. Elle ne percevait plus qu'une pulsation née du dedans qui allait en s'amplifiant vers le dehors. C'était comme un prolongement de son propre corps qui semblait vouloir s'échapper de lui-même. Elle se dit que ce devait être ça, la mort. Mais elle n'eut pas le temps de s'évanouir. Après lui avoir introduit une bonne dose de wasabi dans la bouche, George la força à prendre une rasade de saké. Elle était sauve.

## Première visite. 26 janvier 2010

Si on se voit souvent? Une fois par mois. Vous comprendrez que le portefeuille limite nos fréquentations. Le vol Miami-Toronto prend trois heures. À Montréal aussi, quand nos déplacements coïncident. La ville des miracles, comme il l'appelle. C'est là qu'on s'est connus. Pour le reste, ça se passe par courriel. Et au téléphone. On partage le même fuseau horaire. C'est un avantage. Ce qu'il me raconte? Tout et rien à la fois. Ses appels sont constants. Il est toujours là pour moi. Rien à lui reprocher. Mais il y a un « mais »… Quelque chose qui ne tourne pas rond. Dans sa voix à lui, j'entends comme un silence qui me donne des malaises. Comment expliquer ça? Sûrement qu'il me faudrait lâcher du lest. Cesser de me ronger les sangs. Pas facile de faire confiance à quelqu'un. Pourquoi? C'est justement pour ça que je viens vous consulter! Je me suis décidée parce que vous êtes d'origine française. Dans une ville comme Miami, c'est une chance de vous avoir déniché. Je m'imagine mal parler de ce qui m'affecte dans une autre langue que le français. Mais c'est Anthony qui a insisté pour que je voie un psy. Pour notre bien à nous deux. Parce que j'ai un problème. À la moindre contradiction, je m'énerve. Ça ne tourne pas rond chez moi, voyez-vous. Pas facile pour lui. Par exemple, vendredi dernier. Il me dit qu'il doit raccrocher. Qu'on l'attend pour aller au resto. Moi, je lui dis d'accord, à demain. Mais le lendemain venu, pas de nouvelles. Je me dis qu'il doit être occupé à quelque chose d'important. Je sors avec des amis. J'oublie. Le sur-lendemain, le téléphone sonne. Il est de bonne humeur. Il raconte le concert de vendredi et le resto de samedi en compagnie de quelques amis. Là, je m'énerve. Le resto, c'était vendredi, que je lui rappelle. Il s'est trompé, voilà tout. Il a dit *resto* au lieu de *concert*. Pourquoi faire un drame ? Pas de sa faute s'il mélange tout. On en vient à ne plus savoir où il a la tête, dans le réel, le rêve ou le roman qu'il est en train de lire. Il passe de l'un à l'autre sans s'aviser du changement de monde. Entre ce qu'il dit et ce qu'il fait, il y a aussi une zone floue. Ce cher Anthony ! C'est à se demander comment il s'organise pour prendre le train ou l'avion à l'heure. Pour être présent au bon cours le bon jour. Ou même pour aller chez le dentiste comme tout le monde. Tellement lunatique ! Je devrais savoir ça. En fait, je vois le diable partout. Mais non, je n'ai pas de visions ! Pas encore cinglée à ce point ! C'est une façon de parler. Je m'excuse. Je me suis mal expri-mée. Le problème est simple. Je n'arrive pas à me convaincre que ce que je crois être vrai est entièrement vrai. Chaque fois qu'il me dit quelque chose, c'est comme s'il y avait une part secrète rattachée à ce quelque chose qui me voulait du mal. Non, ça n'a pas toujours été comme ça. Au début, on s'écrivait surtout. C'était diffé-rent. Plus romantique, disons. Les doutes sont apparus plus tard. Ce qui est embêtant avec eux, c'est qu'ils rappliquent quand je m'y attends le moins. En plus de donner un goût de plomb à la nourriture. Manger devient parfois suspect. J'en ai des nausées. Mais que voulez-vous ? Les amours à distance sont faites d'insécurités. Anthony me le répète souvent. Il faut tordre le cou à la jalousie. Sinon, il n'y a plus rien qui tienne. Et il a bien raison. Il se demande aussi comment j'ai pu en arriver là, puisqu'il n'a rien à me cacher. Je suis trop délicate émotionnellement. Je n'ai d'ailleurs jamais pu maintenir une relation plus de deux ans. Je vois bien qu'il s'inquiète. Il pense que je cherche inconsciemment à me défaire de lui pour l'ajouter à la liste de mes ex. Je m'en veux de lui faire subir tout ça. Mais il y a une si grande part d'inexplicable. Sa façon de me dire les choses n'est pas habituelle. Jamais aucun détail sur ses journées et les gens qu'il rencontre. Quant à ses voyages, pas la peine d'en parler. Impossible de lui soutirer quoi que ce soit. Fort-de-France, Paris ou San Francisco, du pareil au même. C'est à croire qu'il demeure tapi dans sa chambre d'hôtel sans voir personne. Hors de chez lui, rien ne se passe. Il est comme ça, Anthony. Discret sur sa propre vie comme sur celle des autres. Seul l'essentiel l'intéresse. C'est pour ça qu'on peut avoir confiance en lui. Il sait garder les secrets. Vous en jugerez vous-même, mais moi je pense que je suis devenue parano. Et la chose est en train de saboter ma vie de couple.

## On ne peut chasser le brouillard avec un éventail

La main de Caroline chercha un objet de réconfort sur le comptoir. Elle alla du gobelet de saké au bout d'une paire de baguettes, s'attarda à un pan de la serviette pour ensuite caresser le boîtier du cellulaire posé devant eux. Elle s'apprêtait à prendre la direction de la bouteille de sauce soya quand George mit fin à son errance en refermant ses doigts sur elle. Il eut une pensée pour la cigarette qu'il aurait pu fumer si ce tête-à-tête avait eu lieu une dizaine d'années plus tôt. Alors qu'on était libres de s'intoxiquer en toute démocratie. Mais le moment n'était pas choisi pour s'absenter ne serait-ce que cinq minutes sur le trottoir. Elle allait à la dérive, il fallait lui tendre une perche.

— O.K., Caro. Je suis là. Tu peux tout me dire.

— T'inquiète… Je vais bien.

— Je ne t'ai jamais vue ne pas avoir d'appétit. Et tu étais au bord de l'évanouissement tout à l'heure. Tu appelles ça aller bien ?

— Laisse tomber.

Elle avait le ton sec du ressentiment que George connaissait trop bien.

— Ne me prends pas pour un imbécile, s'emportat-il. J'ai parlé de cette femme et tu t'es mise à pâlir tout de suite après. Il y a un rapport ?

— Aucun. Seulement… tu m'as menti, George. Ça me déçoit de toi. Je ne le supporte pas… En tout cas, pas aujourd'hui. J'avais besoin de me sentir en confiance ce soir. Pas de me faire raconter n'importe quoi.

— Mais je te dis *toujours* la vérité, très chère. Je ne peux donc pas être à l'origine du mal dont tu m'accuses.

— Je l'ai senti dans ta voix. Il se passe quelque chose. Tu n'es pas tout à fait le même, George.

— Tout faux ! Pour ton grand malheur, je suis et resterai toujours le même. Ce que tu m'as souvent reproché, d'ailleurs.

— Tu as offert une cigarette à cette femme, j'en suis certaine.

— Pourquoi pas ?

— Mais tu viens de me dire que tu ne l'as pas fait.

— Confusion. J'ai dit que je n'avais pas *approché* cette femme. Offrir une cigarette n'implique pas l'approche. Mais que me vaut cette petite crise de jalousie ? Attention, Caro ! Tu es en train de refaire de moi un homme heureux.

— C'est quoi, un homme heureux ?

— *Un homme heureux est un homme qui se contente de peu.*

— Charmant, ce proverbe. Mais dis-moi plutôt : qu'est-ce que vous avez fait, alors ?

— Heu… On a fumé, puis on a parlé de choses et d'autres.

— C'est bien ce que je disais, tu en as profité pour

72

lui faire ton baratin. Et tu lui as demandé son numéro de
téléphone.

— Caro! Mais qu'est-ce qui te prend? J'ai cherché
à la retenir, le temps qu'elle reprenne ses esprits avant de
remonter dans la voiture. Qui sait? Dans son état, elle
aurait pu avoir un accident. Cette femme n'avait vraiment pas l'air d'aller. Tu as devant toi un bon Samaritain.

— Un accident… Comme cet après-midi. Tu as
vu? Terrible…

— De quoi tu parles?

— Tu dois bien être au courant, ça s'est produit
juste devant chez moi.

— Pas très loin du resto, en effet. Curieux que personne ne m'en ait parlé. Grave?

— Une chose horrible. J'ai su que c'était une
femme en m'en venant ici.

— Une femme? À quelle heure c'est arrivé?

— Je ne sais plus exactement… Vers quatre heures
et demie. Mais pourquoi tu t'énerves? Tu crois qu'il
pourrait s'agir de cette femme que tu as approchée,
c'est ça?

— Arrête, Caro… Je ne l'ai pas *approchée*. Je l'ai
aidée.

— Bon, ça va! Tu ne me dois rien, après tout.

— Au contraire. Je te dois tout. Alors, si je peux
faire quelque chose pour toi, tu me le dis, d'accord? S'il
y a quelqu'un qui cache la vérité, ici, c'est toi. Alors,
raconte. Je t'écoute.

— Excuse-moi. Je n'ai pas le droit de te traiter
comme ça. Je suis un peu nerveuse ces temps-ci.

— Arrête de tourner autour du pot, Caro. Tu as un problème avec ton prince. Le conte n'est pas aussi charmant que tu l'aurais cru. Ça se voit.

— C'est rien, je te dis. Un malentendu.

— Un malentendu assez gros pour te couper l'appétit.

— Tiens ! En parlant de la bête ! Sûrement lui ! lança-t-elle en retirant ses doigts de la main de George pour agripper le cellulaire qui s'agitait sous un mode vibratoire.

Caroline prit connaissance du texto avec un jeu rapide du pouce, fébrile comme une fille à qui l'on donne enfin sa dose. Puis elle s'excusa quelques minutes, le temps de lâcher un coup de fil.

George trouvait bizarre qu'il n'y ait pas moyen de passer une soirée avec elle sans que l'autre rapplique. Et on lui dira après que son rival n'est pas jaloux ! Mais il était surtout préoccupé par ce qu'il venait d'apprendre. Caroline avait vu juste. Il ne se sentait plus tout à fait le même depuis qu'il avait rencontré cette femme. Quelque chose en elle lui avait fait du bien. Et il n'arrêtait pas d'y penser. Avait-elle été impliquée dans l'accident ? C'était possible. Elle venait de le quitter et lui de reprendre son travail quand c'est arrivé. George se dit qu'il lui faudrait en savoir plus sur cette histoire. Mais Caroline revenait déjà des toilettes où elle avait eu de bonnes nouvelles, s'il en jugeait par la légèreté retrouvée de sa démarche. Elle était même rayonnante. Cet homme-là savait parler aux femmes.

Caroline n'était pourtant pas d'une grande beauté,

mais elle attirait les coups d'œil concupiscents sur son passage. Tous étaient sensibles aux étincelles que produisait son corps, qu'elle hissa de nouveau sur le tabouret à côté de lui. Et il en tira une certaine vanité en la regardant manger sa soupe.

— Maintenant que tout semble au mieux, tu racontes à ton bon vieux George ce qui n'allait pas ?

— Toi, tu ne lâches pas le morceau facilement. Ça se voit que tu aimes cuisiner les gens.

— Enfin ! Ma Caro qui a retrouvé son humour ! Allez… Finies les cachotteries. Il s'est passé quoi ?

— Rien qu'un malentendu, je t'ai dit. Anthony m'avait caché qu'il devait héberger une amie chez lui pour quelques jours. Par peur de ma réaction. Tu comprends ?

— Non, je ne comprends pas.

— Fais pas l'idiot.

— S'il s'agit d'une amie, pourquoi ce type ne te la présente pas ?

— Ce type a un nom, George. Tu en parles toujours avec une distance méprisante.

— Anyway ! Tu ne t'es pas posé la question ?

— C'est un peu plus compliqué.

— Ah bon…

— …

— Caro, tu vas gober ça ?

— Gober quoi ?

— *L'amour est tout yeux et ne voit rien.*

— Proverbe japonais.

— Non, chinois.

— Tu préférerais peut-être me savoir malheureuse?

— Désolé. Mais *on ne peut chasser le brouillard avec un éventail.*

— Encore une chinoiserie.

— Non, une japoniaiserie.

— Très drôle. Mais je t'en prie… Cesse de me faire la morale avec tes recettes orientales. On devrait parler d'autre chose. Et passe-moi le menu, tu veux? La soupe m'a donné faim.

## Suite de la première visite

C'est comme une bête qui te traque et qui montre ses crocs quand tu t'y attends le moins. Il faut monter la garde pour la voir venir. Autrement, elle te bouffe la vie. La chose est plus forte que moi. Personne ne peut rien y faire. Pas même Anthony. Et c'est son impuissance à lutter contre elle qui le désespère. Il dit qu'il ne comprend pas d'où vient ce mal qui nous impose sa violence à tous les deux. Moi qui suis si douce. Le plus dur est de le voir souffrir à cause de ça. Surtout quand je pleure. Quand ça commence, ça ne finit plus. Si je crie? Non, pas mon genre. Rien que des larmes. Des torrents de larmes. Il ne peut pas supporter. Dépressive? Vous croyez? Ça expliquerait mes réactions excessives. Non, vous n'y pensez pas. Anthony ne se fâche jamais. Il est d'une patience à toute épreuve. Mais je vais finir par le perdre si je continue à délirer. C'est à cause de ce cauchemar que j'ai fait. Je n'en sors pas, on dirait. Que je vous le raconte? Bon, si vous y tenez. Après tout, c'est normal de faire ça chez un psy! Je vous en explique les circonstances. Ça vous aidera peut-être à l'interpréter. Anthony venait de m'appeler pour me souhaiter bonne nuit, fidèle à son habitude. Un moment délicieux. Malgré les kilomètres qui nous séparent, sa voix avait ce soir-là un trop-plein d'émotion dans le timbre. Il devait s'absenter. Une petite fête chez des amis à Toronto. Il me rappellerait à son retour. Mais il ne fallait pas m'inquiéter. Nous nous reverrions bientôt. Il avait l'impression de me toucher déjà. Si bien que j'ai eu l'illusion de m'endormir dans ses bras. Pendant mon sommeil, un visage s'est penché sur moi. Ce n'était pas le visage de quelqu'un, mais celui d'une ombre qui planait dans les airs. Ni bouche ni oreille ni aucun trait reconnaissable ne donnaient d'humanité à cette forme-là. Au milieu d'un large front, il y avait un seul œil à l'orbite démesuré qui tournait sur son axe, un peu comme les rouleaux des machines à sous qu'on attend de voir s'immobiliser pour savoir si on gagne ou si on perd. C'était mon sort qui se jouait là, devant moi. J'en avais la certitude. L'œil roulait et roulait pour enfin s'arrêter sur le cercle étendu d'un iris qui contenait la mer et le ciel sous une membrane transparente où défilaient, à une vitesse folle, les spécimens qu'on y trouve. Nuages, soleils, étoiles et lunes ; oiseaux de toutes les espèces ; bancs de poissons, méduses et crustacés aux pinces menaçantes. L'œil avait traversé le temps, lu tous les livres. Sous la pression des images qui s'accumulaient en lui, il s'est strié de petites veines rouges qui ont fait éclater le globe par où s'est échappé un liquide dans lequel je m'engluais, mangée par l'œil. Spécial, vous ne trouvez pas ? C'est bon, je continue. Jouant le tout pour le tout, je me suis mise à nager dans le but d'atteindre la pupille dilatée qui avait l'air d'une île où je me suis laissée dériver pour finalement m'y hisser, saine et sauve. Là, je n'ai pas eu le temps de reprendre mon souffle. Sur la surface noire obsidienne du sol, j'ai vu mon propre regard et, dedans, un autre œil qui me guettait. Un mauvais œil. J'ai compris que j'étais tombée dans le piège posé par le rêve. Que le mal était là, à l'intérieur de moi, où un sort m'avait été jeté. Il me fallait prendre garde. Mais il était trop tard. J'étais déjà sous surveillance. L'œil était partout. J'étais en lui ; il était en moi. Je me suis réveillée tout en sueur, comme vous pouvez l'imaginer. Et depuis, je me sens tout aussi perdue. Ça veut dire quoi, selon vous ? Vous ne savez pas ! Ce que, moi, j'en retiens ? Vous répondez à une question en posant une autre question. Typique des gens fuyants. Je n'aime pas ça. Parce que vous me trouvez agressive ? Mais oui, ça recommence. C'est le délire qui me reprend. Je suis désolée. C'est la chose dont je vous ai parlé. On ne sait jamais quand elle arrive. Je m'excuse. Vous m'avez énervée. D'accord, je me calme. Ce n'est pas grave. Oui, vous avez raison. Je ne peux pas m'empêcher de tout trouver louche. De l'insécurité ? C'est bien ce qu'Anthony se tue à me dire ! Mais une fois que je sais ça, je fais quoi ? Je fais poser une clôture Frost autour de mon cerveau ? Je suis désolée, je me suis encore emportée. Je ne recommencerai plus. Je m'excuse. Quoi ? Ce n'est pas normal de s'excuser ? Ah bon. Je n'avais pas remarqué que je m'excusais trop. Je vais essayer de le faire moins. D'accord. Je veux bien parler de notre relation. Vaut mieux faire ça, oui. Reconstituer le passé pour remonter à l'origine du cauchemar. Bonne idée. Quand on s'est connus, lui et moi ? Il y a deux ans. Non, je n'avais pas ce feeling-là. Mais je me souviens que je n'arrivais pas à croire totalement à son amour. Je n'en suis pas certaine. Il faudrait que je revoie nos courriels et les pages de mon journal. Oui, une habitude que j'ai prise. Chaque soir, je refais le récit de ma journée. Comme ça, tout n'est pas perdu. Que je relise ces pages-là ? Bon, d'accord. Si ça peut aider. Quoi, déjà fini ! Et on se revoit quand ?

# Tout bouge à Miami

*14 février 2008*. Face à moi, l'Atlantique. Il se colore en soirée selon la dominante du jour, tantôt indigo entre les nuances violacées de la mélancolie, tantôt rouge comme le choc des turbulences, et orangé en rappel du plaisir malgré tout, toujours à recommencer.

Pendant le séjour d'Anthony, plus rien ne me rappelait au quotidien de la femme d'avant. J'étais devenue cette inconnue qui ouvre les rideaux sur une autre vie après des heures de paresse au lit. C'est elle qui pressait les oranges chaque matin et qui souriait quand il l'enlaçait, l'haleine encore pleine des odeurs de la nuit. Qui le regardait ensuite fixer la mer comme un ailleurs qu'il cherchait à rejoindre. Attentive à ses moindres gestes. J'étais, et je suis encore, celle qui l'accompagne dans ses errances. Il est facile de s'oublier quand on parle le langage des corps. De devenir quelqu'un d'autre. On voudrait ne plus avoir à revenir aux mots. Pour ne pas rompre la félicité.

En novembre dernier, l'aventure devait pourtant rester sans lendemain. À Montréal pour quelques jours, j'avais été étonnée de reconnaître Anthony dans le hall du Delta où il était de passage pour une nuit. Nous ne nous étions pas revus depuis qu'il était en poste en Ontario. Dix années qui en avaient fait un célibataire endurci. Une belle occasion à prendre, un point c'est tout. Au lieu de quoi, il avait fallu que j'accepte son rendez-vous, peu de temps après. À Montréal encore. Être en sa compagnie dans cette même ville où nous avions tous deux fait nos études nous donnait l'illusion de la jeunesse retrouvée. Pourquoi nous en passer?

Jamais deux sans trois. En provenance de Fort-de-France, il avait choisi de demeurer en transit à Miami avant de regagner Hamilton. Une folie qu'il aurait été possible d'éviter avec un texto. La solution était simple : DÉSOLÉE CHÉRI. NE POURRAI PAS ÊTRE LÀ. UNE URGENCE. NE M'ATTENDS PAS. BON VOYAGE ! ☹ Forcer la main du hasard ne peut qu'attirer des ennuis. Il habitait dans un autre pays. Les amours à distance ? Très peu pour moi. Mais j'étais déjà en train de lui envoyer la main dans le hall d'arrivée des vols internationaux alors qu'il s'avançait vers moi, sac à l'épaule, ses deux yeux noirs fixés sur les miens. J'ai dit : « Enfin… te voilà. » Puis j'ai enfoui mon nez dans son cou, comme dans un nid que je n'aurais jamais dû quitter. Je voulais rester là, au petit bonheur la chance, n'en déplaise aux vents contraires.

Dix minutes plus tard, je virais à gauche, en direction de Miami Beach. Tout en regardant la circulation devant, je lui ai fait part de mon inquiétude. Il avait les traits tirés. Sûrement trop de travail. Il avait besoin de repos. L'endroit était propice, j'allais lui redonner la forme, m'a-t-il rassuré, tandis que nous remontions l'avenue Collins vers Surfside. Les édifices Art déco défilaient du côté de la mer. Anthony aimait leurs tons pastel qui se détachaient sur le bleu de l'air. Les bougainvillées, fleurs d'hibiscus et palmiers ondoyants lui rappelaient Fort-de-France. Il avait la douce sensation de revisiter un coin de son enfance, m'a-t-il remerciée au moment où je garais la voiture derrière les grilles en fer forgé.

Dans l'ascenseur qui nous conduisait au dixième étage, sa main a pressé la mienne. Sur le seuil de ma porte, ses lèvres ont remonté ma nuque. Et il a suffi de quelques minutes face à la baie vitrée du salon, où une déferlante roulait sur la plage, pour que sa poitrine cogne à la mienne et que le reste échappe à la ligne du temps, suivant l'élévation spiralée de deux mouettes virevoltant dans le ciel.

Sa main évoluait en territoire connu, ses doigts tout à leur rituel sous ma robe. Sans avoir vu venir, je me suis retrouvée avec les cuisses entées à lui. À travers sa pupille dilatée, je voyais le reflet de mon épiderme, son grain qui s'amplifiait au rythme de notre pulsation, pour devenir celui de l'écorce d'un palmier. Puis de cet arbre a jailli une lumière qui s'est brisée comme le ressac dans la mer. Foudroyée. Je l'ai été dès les premières heures de son séjour ici. Emportée par un coït extraordinaire.

Il en était pourtant à plier ses chemises, à les remettre dans la valise. Drôle de Saint-Valentin que cette soirée d'adieux. Je lui avais promis de ne pas évoquer la séparation. Il pense qu'un fil invisible nous relie, impossible à briser. Mais il me regarde parfois avec nostalgie, comme si ses pensées étaient tournées vers une incessante réminiscence. De quel parfum se rapproche-t-il quand il colle sa bouche sur mon épaule et qu'il me susurre de le rejoindre entre les draps? Serais-je déjà pour lui une illusion perdue? Je me demande aussi quelle couleur prendra la mer demain, lorsque Anthony ne sera plus qu'un petit point de rien du tout sur son horizon.

J'écris tout cela pour prendre une distance. Pour rendre plus supportable le doute qui a surgi au cours de cette soirée. Parce qu'il me faut décrire comment la réalité s'est mise à bouger d'une étrange façon. Tout a commencé après que le bol de salade a été déposé sur la table, à côté de l'assiette de fromages. Le vol d'Anthony était prévu aux petites heures du matin et tout était enfin prêt pour notre dernier repas. Mais le chianti résistait au limonadier. J'ai alors appelé. J'avais besoin d'un coup de pouce. Pas de réponse. J'ai ensuite rejoint Anthony dans la chambre où il faisait le mort sur le tapis, le sexe pointé vers le ciel qui s'étendait dans la fenêtre, la valise abandonnée à son fouillis, ouverte sur le lit.

Je me suis déshabillée à mon tour. Assise sur ses cuisses, je lui ai caressé le lobe de l'oreille avec ma langue. Ses mains se sont agrippées à mon dos et j'ai planté mes ongles dans les muscles de ses fesses pour mieux le retenir. Nous roulions l'un sur l'autre, soudés par la glu de nos sueurs mélangées, jusqu'à ce qu'Anthony pousse un gémissement presque de douleur. J'ai pris sa tête entre mes mains. Nous étions désormais fin seuls, comme les deux peaux d'un même chagrin, refusant de nous quitter.

J'ai insisté pour qu'il me suive sous la vapeur de la douche. Mais il préférait garder sur lui le parfum de nos corps. Avec une petite tape sur la fesse droite, il m'a poussée en direction de la salle de bain. J'allais me livrer au jet de la douche qui coulait déjà quand je me suis rendu compte de l'oubli. La serviette était restée dans la garde-robe du couloir, où je me suis dirigée en repassant devant la chambre dont la porte avait été fermée. Là, je suis restée figée sur place, sans plus respirer, à l'écoute de la voix d'Anthony qui me parvenait en échos sourds.

Puis, les mots se sont détachés plus distinctement, avec une tonalité qui m'était familière. C'était comme si Anthony s'adressait à moi tout en parlant à une autre personne. Elle lui manquait. Lui aussi, il pensait à elle. Et il acquiesçait à tout ce que disait cette personne avec une émotion dans la gorge qui trahissait une intimité certaine. J'ai pu aussi comprendre qu'il la rappellerait bientôt. Prononcé dans les graves, le reste de la conversation était inaudible, même si je pouvais deviner, aux modulations des syllabes, qu'Anthony s'attendrissait.

Indescriptible, la solitude dans laquelle m'a laissée son flegme après que j'ai ouvert la porte. En déclarant ma perplexité nulle et non avenue, il a balayé du revers de la main les interrogations qui fusaient de mon regard et, avec une moue de mépris, il a déposé son cellulaire sur la table de chevet. Je n'allais tout de même pas lui faire une scène! Un appel urgent, s'est-il contenté de répondre. Une amie très chère. Dont il aimerait que je fasse la connaissance. Un jour, peut-être. Quand je l'accompagnerais là-bas, à Fort-de-France.

Sismique, la secousse durait encore quand il m'a prise dans ses bras. Les « je t'aime » sont sortis de ses lèvres pour se poser sur mon épaule. Mais c'était plus fort que moi. J'ai dû me retourner pour voir s'il n'y avait pas quelqu'un derrière. Coupable de mon indiscrétion, j'étais prise au piège du doute qui a fait craquer la toile du tableau. Depuis son départ, il y a comme un décalage entre les mots et les choses qu'ils désignent. Tout chancelle autour de moi.

## Après quatre ans, même le malheur
## peut conduire au bonheur

Le serveur avait noté la commande de Caroline, satisfait que ces deux-là ne s'en tiennent pas à la soupe et au saké, comme il s'en était inquiété. La dame semblait avoir retrouvé l'appétit suffisant pour faire honneur au chef qui s'activait derrière son comptoir, tout à la perfection du geste, en synchronie avec le jeu de lames de ses exécutants au sérieux irréprochable. Comme si le goût se trouvait plus dans l'équilibre de la forme que dans la combinaison alchimique des ingrédients, se disait George, admiratif. Il y aurait eu une leçon à tirer de cet art de faire, mais il avait la tête trop lourde d'interrogations pour s'y attarder.

L'affaire qu'il avait sous le nez le taraudait. Cette histoire, pleine de lacunes, lui faisait voir de grands trous noirs où disparaissait sa Caro sous l'effet d'un attracteur étrange. En son âme et conscience, il ne pouvait plus assister, impuissant, au chaos qui s'emparait de la femme autour de laquelle il gravitait depuis bientôt quatorze ans.

Sashimis hamachi et masagos atterrirent devant eux, suivis des futomakis california et des hosomakis shiitake. Tantôt à l'article de la déprime, Caroline se trémoussait d'aise après avoir reçu un simple coup de fil d'Anthony. Maintenant qu'elle attaquait un sushi avec ses baguettes, George opta pour un interrogatoire en bonne et due forme :

— Qu'a-t-il bien pu te dire pour te rendre si belle ?

— Me chanter la pomme ne te servira à rien.

— La vérité, Caro… Qu'est-ce qui t'a fait changer d'humeur ?

— Tu te prends pour qui ? L'inspecteur Barnaby ?

— En personne, acquiesça George à qui le jeu plaisait. Je cherche seulement à venir en aide à une victime qui refuse de collaborer.

— Parce qu'il y a eu un crime ? Où sont les traces de sang ?

Caroline se mit à tâter sa poitrine et son ventre, poussant la moquerie jusqu'à examiner ses aisselles, à la recherche d'hypothétiques trous de balles. La paume des mains tournées vers le haut, elle prouva par là que l'enquête ne reposait sur aucun élément de preuve. Quoique ses bonnes intentions fussent ridiculisées, George ne s'avoua pas vaincu pour autant. Il durcit même le ton en empruntant la voie de la provocation.

— Et s'il avait une maîtresse ?

— Impossible.

— Pourquoi donc ? Ce ne serait pas un cas isolé.

— Parce que je le saurais !

— Et comment pourrais-tu savoir s'il couche ou non avec cette femme qui est chez lui ?

— *Primo* : s'ils avaient une quelconque *affair,* il

ne l'abandonnerait pas ce soir pour aller au concert avec John.

— Ce bon vieux John. Toujours là quand on a besoin de lui. Comment va-t-il ?

— *Secundo* : il m'a clarifié la situation. Un peu tard, j'en conviens. Il s'y est pris maladroitement, c'est tout ! Depuis quatre ans que ça dure. Je ne vais quand même pas remettre en question une relation établie sur du solide pour une méprise !

— Qui est-ce qui m'a un jour lancé, furax, que tous les hommes étaient des menteurs ?

— Il est l'exception qui confirme la règle. Tandis que toi… tu ne nieras pas appartenir sans réserve à ton espèce. Et pourquoi, dis-moi, faire une tempête dans un verre d'eau ?

— Parce que je te sens de plus en plus vulnérable, Caro. Ce type te vide. Jamais là. Toujours en transit, d'une ville à l'autre. Tu t'épuises à l'attendre.

— Tous les soirs, il me dit son amour. Depuis notre première Saint-Valentin. Je m'en souviens parfaitement.

— Moi aussi. Nous étions ici même. Et tu as passé tout le temps du souper à attendre son appel.

— Et il m'a téléphoné dans la soirée. Il ne supportait pas que nous soyons séparés justement ce jour-là. Je suis la seule étoile à pouvoir le guider dans son errance. C'est encore ce qu'il m'a dit tout à l'heure. Pourquoi aurait-il besoin de me mentir en inventant des choses comme ça ?

— Charmant ! Et si je t'avais balancé un truc pareil, tu m'aurais cru ?

— Comment aurais-je pu? Le romantisme n'est pas donné à tout le monde!

— Anyway! C'est une illusion de bonheur que ton poète te donne. Des mots, rien que des mots. Dans les faits, l'homme est-il vraiment là pour toi?

— Ne t'en déplaise, mon cher, il est avec moi en pensée. Contrairement à d'autres, qui ont des absences prolongées tout en étant toujours là, au quotidien.

— Un zéro. J'accuse le coup et j'encaisse.

— C'est toi qui l'as cherché. Allez… Cesse de voir le mal partout. Mon poète, comme tu dis, n'a rien de suspect.

— Facile à prouver. Suffit de le filer pour en avoir le cœur net! Laisse-moi seulement une petite semaine, et je te reviens avec un rapport détaillé. Détective Barnaby, à votre service!

— Trop drôle! Mais inutile de s'étendre là-dessus.

— Pourquoi pas?

— Parce que je viens à l'instant de lui donner mon accord, si tu veux tout savoir. Nous allons nous marier.

**De :** aleblanc@hotmail.com
**À :** Anthony Wiltor
**Date :** ven. 2007-11-30 19:02
**Objet :** RE: Un poème pour toi

Je ne te remercierai jamais trop pour cette belle nuit que nous avons passée. Malgré la froide grisaille de Montréal, tes gestes attentionnés m'ont gardée bien au chaud.

Le cadeau de ton poème m'a beaucoup émue. C'est un bel hommage à celui de nos corps. Mais je ne sais pas si je mérite ces sentiments trop grands pour moi. Tu me dis que tu m'aimes. Te rends-tu seulement compte de la gravité qui accompagne ces mots que tu prononces avec tant de facilité ? N'empêche. Depuis que je les ai entendus, je marche sur leur velours.

Je me demande seulement comment nous ferons pour entretenir ce moment de grâce, comme tu l'appelles. Toi au Nord, moi au Sud. Nous sommes si loin l'un de l'autre. Peut-on croire à l'impossible ?
Amy

**De :** tonywiltor@yahoo.ca
**À :** Amy Leblanc
**Date :** ven. 2007-11-30 20:30
**Objet :** Re: RE: Un poème pour toi

Ta bouche, tes mains sur mon corps… le ravissement de ma vie. J'entends encore ta respiration sur laquelle je rythme maintenant mes heures. Dire « je t'aime » ne suffit pas à exprimer la force qui nous lie. Nous ne nous sommes pas quittés ce matin de novembre. Je suis encore là avec toi sur le trottoir de l'hôtel et, au réveil, quand je prends ma tasse de café. La nuit, surtout, quand tu m'ouvres tes bras. Je célèbre la promesse de notre rencontre.

Voici encore ce que me dicte ta voix. Un autre poème, comme un long fleuve qui nous contient. Des mots qui viennent de toi et qui retournent vers toi.

*Lèvres de terre sur neige*
*novembre*
*et la mort en veilleuse*
*sur nos murs — non rien*
*ici ne prétend*
*ne s'épuise à vouloir*
*pour rien l'ivresse*
*en technicolor*
*épilogues du ciel*
*comme dans un film*
*que j'aime*
*la fin de l'homme*
*est tout à l'espace*
*qu'elle éclaire*
*ce que je vois dépend*
*de l'image au-dedans*
*quand ta main s'ouvre*
*en péninsule*
*clarté subite de l'ombre*
*parmi les ombres*
*ce qu'elle appelle arrive*
*nuée de papillons blancs*
*autour de ma tête*
*alors l'invisible*
*doublure trop grande à la vie*
*ourle la peau des solitudes*
*rassemblées*
*derrière un même visage*
*peu importe l'origine*
*du rêve, les noms des villes*
*ils sont nus plus que nus*
*sur la surface des commencements*
*novembre*
*ou le chiffre de notre rencontre*

## Si tu n'as plus aucun argument,
## trouve un Shoppers

Un fracas de vaisselle vint troubler l'atmosphère du sushi bar, suivi d'un gémissement animal qui se modula en un trémolo dans les graves pour se terminer par une mitraille de petits cris acérés. Quelqu'un venait de casser quelque chose dans la cuisine et se faisait réprimander en japonais. Il n'y avait pas pire faute que de rompre l'harmonie du travail, expliqua George à Caroline, qui fixait ses grands yeux sur les portes battantes les séparant de la catastrophe comme si elle s'attendait à en voir sortir un terroriste aux allures de Godzilla.

Un silence de plomb tomba sur la clientèle, puis des cliquetis de baguettes se firent entendre parmi quelques rires étouffés. Dans le bruissement des voix qui reprenait graduellement de l'intensité, rien n'avait eu lieu. Pourtant, un homme venait d'être humilié. George imaginait le laveur de vaisselle expulsé par la porte donnant sur la ruelle, tandis que Caroline avait ramené ses yeux sur lui et l'interrogeait sur un tout autre sujet :

— Tu ne dis rien ?

— Que faudrait-il que je dise ? Anyway ! Tout est rentré dans l'ordre. La volatilité est la condition même de la stabilité ! Tu es bien placée pour le savoir…

— Quel air tu as! On dirait que mes bonnes nouvelles t'ont fait l'effet d'une fin de party. Tu es mon meilleur ami, George. Je tiens à ce que tu sois mon témoin. Tu ne peux pas me refuser ça. Et il est temps que tu rencontres Anthony. Après tant d'années, ton attitude à son égard est ridicule.

— Attends! Tu me parles de mariage, là?

— De quoi d'autre? C'est ce que je viens à l'instant de t'annoncer.

— Elle est sérieuse, cette blague?

Caroline feignit d'ignorer l'arrogance de la question, qu'elle attribua au tempérament jaloux de George.

La boutade l'avait toutefois atteinte dans une zone non protégée d'elle-même, où les humeurs s'entrechoquaient en un mélange explosif du sensible. Sous son faciès boudeur se dissimulait une profonde irritation contre laquelle elle lutta en décortiquant avec le bout de sa baguette le futomaki qui trempait dans la sauce soya.

George l'obligeait à affronter ses propres idées sur le mariage. L'amour avait-il besoin d'autre preuve que lui-même? Le contraindre sous serment ne l'amenait-il pas à fuir? De toute évidence, le baguer comme un canard trahissait un déficit de confiance total. C'est ce qu'elle avait soutenu pendant des années. Ses arguments contre la domestication de l'amour étaient implacables, et George l'avait compris, qui avait choisi, à l'époque, de lui conter fleurette sur l'air de Brassens. « J'ai l'honneur de ne pas te demander ta main. Ne gravons pas nos noms au bas d'un parchemin. » Comment était-elle partie de ceci pour en arriver à cela?

Caroline lui en voulait d'avoir ouvert cette plaie d'inconfort. Qu'elle s'apprête à agir contre ses convictions la mettait dans une mauvaise posture, à l'image de l'innommable bouillie qu'était devenu son futomaki. Faire diversion lui sembla la seule issue possible.

— C'est fou comme le temps passe vite! Déjà neuf heures et demie, George!

— Je confirme l'exactitude de cette information, compte tenu de notre position sur le méridien de Greenwich.

— C'est que… le Shoppers d'en face ferme dans trente minutes.

— Tu ne vas quand même pas me fausser compagnie une deuxième fois! Tout à l'heure, c'était le téléphone. Et maintenant, une course à la pharmacie.

— Please…

— Pourquoi tout d'un coup maintenant? Qu'est-ce qu'il y a de si urgent que tu ne peux pas remettre à demain? Une manœuvre pour mieux me déstabiliser, Caro. Voilà ce que c'est. Je te connais trop bien. Quand tu te mets à bouger, c'est qu'il y a anguille sous roche.

— Tout faux, inspecteur Barnaby. Tu penses trop. Les apparences ne sont pas toujours trompeuses. Et si j'avais besoin, tout simplement, de renouveler mon parfum? J'en ai vidé le flacon cet après-midi. Impossible de vivre sans.

— Parce qu'il s'agit d'une urgence, si je comprends bien. Serais-tu dépendante à ce point d'une substance qui, je te le rappelle, est cancérigène?

— Ah non! Suffit la morale!

Caroline n'avait pas à justifier ce qu'il était juste d'appeler une addiction. Le parfum était sa seconde peau, une protection contre la solitude. Sans son aura, qui lui donnait une présence accrue, elle avait cette curieuse impression d'être nue parmi la foule.

George vit le bleu des yeux de Caroline s'étendre comme un ciel où les nuages s'accumulaient chargés de foudre. Pour neutraliser toute menace d'orage, il inclina le torse, huma l'arôme concentré sur sa nuque blonde, lui attribua trois étoiles avec un sifflement de connaisseur face à un grand cru. « Mon trésor », lui souffla-t-il à l'oreille. « *Trésor* tout court, profiteur ! » le rabroua-t-elle en rectifiant le nom du parfum. D'une main, elle attrapa son sac à main pour ensuite se glisser au bas de son siège et disparaître à travers les clients sans réservation agglutinés à l'entrée du restaurant.

George n'ignorait pas que le fameux *Trésor* était un cadeau de l'autre. Il y avait donc un peu de cet homme-là sur le cou de Caroline. Y mettre le nez lui avait donné l'illusion de se rapprocher de son rival. Était-ce ce qui avait provoqué pareille secousse électrique ? Partie des testicules, elle était montée jusque dans le haut du ventre. Et il s'étonnait d'en avoir tiré un plaisir qui le maintenait encore dans un état second, comme si leurs muqueuses s'étaient touchées dans une expérience olfactive partagée. Son excitation n'était pas étrangère au souvenir des épaules frôlées dans les vestiaires des garçons après le sport, à la peur de l'irréversible. Pourquoi ne jamais avoir cherché à passer de l'autre côté, vers cet inconnu de poils et de muscles ? À cause de l'amour qui le portait vers la femme, du côté des sentiments, se disait-il en remplissant son gobelet de saké.

L'attirance brute qui venait de le saisir n'appartenait pas à l'ordre des sentiments. Ça n'avait presque rien d'humain. C'était une pulsion émergeant de l'informe. Une bête sans tête ni cœur. Mais il n'hésiterait pas à le faire. Si plaquer sa barbichette sur la gueule d'Anthony pouvait le libérer de l'emprise que Caroline avait sur lui, il était prêt à y investir toute sa libido. En faisant corps avec lui, jusqu'à s'incruster dans sa peau, il arriverait peut-être à se convaincre de l'existence bien réelle de celui qui lui avait ravi son bonheur. Car il se devait d'être franc avec lui-même. Serait-il encore sous le charme de Caroline si ce grand absent n'était pas toujours fourré entre eux?

Il était naïf de croire que leur couple eût échappé à la fatalité de l'ennui. George pouvait le voir sur le visage de la femme assise à une table située près de lui. Elle faisait face à son amant attitré, de longue date s'il en jugeait par le vide qu'il y avait dans son regard. L'un et l'autre semblaient mal à l'aise de devoir poursuivre la conversation après les deux ou trois anecdotes échangées pendant le repas. La femme se mit à vérifier son maquillage dans un miroir portatif, puis pianota des doigts sur la table. Pendant ce temps, l'homme sortit son cellulaire de la poche de son pantalon. Il composa un numéro et le porta à son oreille, soulagé d'avoir trouvé une pose. Car il n'y a pas pire embarras que d'avoir l'air seul dans un endroit public, surtout lorsqu'on est accompagné.

George remercia intérieurement Caroline. En se

liant avec un autre, elle les avait sauvés du désintérêt qui dort dans chaque couple comme une petite mort à retardement. Vu sous cet angle, il s'en était somme toute bien tiré. Puis il se mit à imaginer la suite des choses. Après avoir goûté au mariage, Caroline finirait bien par le regretter. Il la voyait les bras tendus vers lui et le regard lubrique, l'implorant de la désennuyer. Le fantasme était bon. Et il se dit qu'il serait encore meilleur avec une cigarette. Alors qu'il levait les fesses de son tabouret pour se diriger vers la sortie, son attention fut captée par une photo, piquée sur le mur jouxtant la caisse.

Un beau minois en noir et blanc encadré par deux tresses. Des taches de rousseur sur les pommettes saillantes. George était convaincu d'avoir déjà vu ce visage-là, même si ce n'était pas tout à fait le même. Au travail, pendant sa pause. La jeune fille était dans la rue, avec un type louche. Il s'en rappelait parce qu'il l'avait noté dans un de ses cahiers. Elle n'avait pas ce demi-sourire d'enfant sage, mais les traits tendus et creusés, comme si le visage avait pris de l'âge prématurément. Pas de doute, c'était bien elle.

Au-dessus de la photo, le mot *Recherchée*. En dessous, il y était écrit qu'une récompense de 50 000 $ était offerte pour toute information permettant d'arrêter et de condamner la ou les personnes responsables de la disparition de Cindy Poliquin. Elle était née le 30 novembre 1990. Yeux : marron. Cheveux : brun roux. Taille : 5 pieds 4 pouces. Poids : 120 livres. Signes particuliers : francophone et grain de beauté sur la joue gauche. La jeune femme avait été vue pour la dernière fois le 24 septembre 2010. Elle portait un chemisier rouge, des leggings noires et des verres fumés. Cindy avait un piercing au nez et un autre au nombril. Les autorités craignaient pour sa sécurité. Quiconque pouvait fournir des renseignements sur sa disparition était prié de communiquer avec la Police provinciale de l'Ontario au numéro 1 800 indiqué.

George en oublia son envie de fumer. Il avait reposé les fesses sur son siège, frappé par l'évidence qu'il était un témoin potentiel. Son quotidien venait du coup de rejoindre le fait divers. Il était de sa responsabilité de tout rapporter à la police. Caroline pouvait bien partir avec qui elle voulait en voyage de noces. Il avait d'autres chats à fouetter.

# La liste de Wallerstein

Il était habillé en civil. Ce qui rendait les gens plus coo-
pératifs. L'uniforme a un effet répulsif sur la personne.
C'est ce qu'il put conclure du vide qui se faisait autour de
l'équipe de patrouille dans la file d'attente. Comme à ses
débuts. Rien n'avait changé. Le refill de café au Tim Hortons, une manière de garder les réflexes à *ON*. Pour ne
pas somnoler entre les calls. Des femmes battues, dans la
majorité des cas. Les problèmes conjugaux sont les
mamelles de la criminalité. Abolir le couple, une mesure
de prévention qu'il faudrait penser à examiner sérieuse-
ment. Parce que c'était ça, le plus dur. Il essaya de ne pas
y penser, mais le souvenir de cette femme lui revenait
comme une tache.

Il n'avait jamais pu l'effacer. La thérapie de groupe
offerte par le Service de soutien psychologique n'en était
pas venue à bout. Ni l'alcool. Ni les anxiolytiques. Trop
incrustée, la tache. Après toutes ces années, il se revoyait
encore lui plaquer le Taser sur les côtes. On lui avait
donné l'ordre de l'immobiliser. Il avait d'abord refusé.
Mais elle était incontrôlable, la démone. Avec du sang
partout. Son conjoint l'avait agressée pour la ixième fois,
elle s'était défendue à coups de masse. Le premier l'avait

assommé. Les autres lui avaient fait éclater la tête sur le carrelage de la cuisine. Les voisins avaient trouvé que ça résonnait plus fort que d'habitude. Ils s'étaient décidés à appeler, quoiqu'ils eussent préféré ne pas être mêlés à cette histoire. Surtout, ne pas avoir à côtoyer l'uniforme.

Dur. Pour le moral, il y avait les Timbits, des petites douceurs qui compensaient les malheurs trop grands pour être commentés. On n'a pas idée de ce que les flics subissent au quotidien. La misère qu'on ne veut pas voir, c'est eux qui la ramassent. C'est ce qu'il avait souvent essayé d'expliquer. Mais il y en avait toujours qui se croyaient mieux que les autres. Et que proposaient-ils pour protéger l'homme de l'homme ? Tous des hypocrites. Il aurait bien voulu les voir à la place des deux agents qui avaient l'air de chiens galeux parmi les justes. Derrière son comptoir, seule la caissière leur souriait, qui était bien obligée de le faire si elle tenait à son certificat de l'employée du mois.

Il n'avait pas choisi l'uniforme. On l'avait recruté dans un parc. C'était la belle époque. Il avait les cheveux longs et l'illusion d'une relative tolérance. Suffisait de se tenir dans le bon sens du vent. On lui avait d'abord offert de quoi payer son loyer en échange de renseignements sur les allées et venues des jeunes comme lui. Puis, il avait fait la même chose comme dealer et parmi les putes. La taupe avait creusé son terrier, qui s'était élargi chaque fois davantage, multipliant les entrées dans le monde interlope. Jusqu'à ce qu'elle se retrouve sur les bancs de l'école de police avec une prime qui ne se refusait pas.

Sa famille n'avait rien vu venir. Son père ne manquait d'ailleurs pas une occasion de s'épancher sur ce ratage. Le professeur de philosophie ne lui pardonnait pas d'avoir brisé son rêve de le voir briller à l'université. Car il aurait pu terminer ses lettres, embrasser une carrière plus noble. Ingrat comme métier. Encore plus depuis que l'indice de tolérance était à zéro. Les pauvres étaient encore plus pauvres, les gangs plus organisés, la violence plus violente.

Calme, posé, réfléchi. Voilà le portrait que ses collègues s'accordaient à faire de lui depuis qu'on l'avait affecté aux enquêtes criminelles. Ce qui n'avait pas toujours été le cas. Dans son secteur, Michael Wallerstein était aussi reconnu pour ses interventions musclées. Rien pour améliorer l'image de l'uniforme auprès des citoyens, il devait le reconnaître. Mais il n'était pas du genre à tendre l'autre joue après l'insulte. Que l'on défie son autorité le mettait en rogne. Pour calmer le jeu, le commandant de la Police provinciale de l'Ontario l'avait promu au rang d'inspecteur. C'est ainsi qu'il s'était retrouvé dans ses nouvelles fonctions, bénéficiant du coup de la considération dont l'uniforme l'avait privé. Parce que les rapports avaient changé. Et que personne n'est immunisé contre le malheur, pensa-t-il. Quand leurs filles manquent à l'appel, les hypocrites vous lèchent les bottes pour que vous les aidiez à sortir de leur cauchemar.

L'homme respectable qu'était devenue la taupe sirotait son café depuis les premières lueurs matinales. Dos appuyé contre la fenêtre, il surveillait l'entrée d'un immeuble, mission qu'il s'était donnée pour amorcer ce qu'il appelait la phase exploratoire de l'enquête. L'affaire avait commencé le 29 septembre 2010, après qu'un technicien des services photographiques eut identifié une jeune fille dont la disparition venait d'être rapportée. La veille, il avait été chargé d'analyser la bande vidéo d'un Big Bear Food Mart de la ville de Hamilton où avait eu lieu un vol à main armée. En examinant en boucle la séquence où apparaissait le suspect pour en faire le portrait-robot, son attention avait été attirée par une cliente aux verres fumés qui sortait une minute seulement avant qu'il ne fasse son entrée.

Tout l'autorisait à croire qu'il s'agissait de Cindy Poliquin. Elle avait deux longues tresses qui tombaient sur le devant d'un chemisier rouge et portait des leggings noires. Les images avaient été captées par la caméra du dépanneur le 24 septembre, à 22 h 32 et 8 secondes. Elles la montraient en train d'acheter un paquet de Marlboro pour ensuite prendre un appel sur le cellulaire auquel elle ne répondait plus le lendemain, selon ce que la mère avait déclaré lors de sa déposition.

Dans l'après-midi du 30 septembre, Wallerstein posa les questions d'usage aux employés du Big Bear Food Mart. Il était à parier que Cindy avait emprunté une des portes d'un immeuble du quartier. Laquelle ? La réponse lui fut donnée sur un plateau d'argent peu après qu'il eut affiché un avis de recherche à l'entrée du Tim Hortons avoisinant le dépanneur. Il n'avait pris qu'une bouchée de son muffin aux noix quand quatre adolescents au fond de culotte pendant entre les jambes vinrent se coller comme des mouches à la photo de la jeune fille. L'inspecteur s'approcha d'eux et, en un rien de temps, fut informé que Cindy avait pris la direction de l'immeuble d'en face.

Les garçons étaient assis à une table avec d'autres amis, reluquant les caissières, quand Cindy leur était apparue de l'autre côté de la fenêtre donnant sur la rue. Ils s'en souvenaient très bien parce qu'elle leur avait fait un clin d'œil, puis avait mouillé son majeur entre ses lèvres, pour le leur tendre en levant le bras bien haut. Ce qui avait fait remonter son chemisier pour laisser voir le piercing qu'elle avait au nombril. Un pétard, disait l'un. Une salope, ajouta un autre. Tous étaient d'accord. Elle marchait comme quelqu'un qui est bourré.

Wallerstein dressa ensuite une liste provisoire des locataires dudit immeuble en recopiant les noms inscrits sur l'interphone, aux côtés des numéros d'appartements. Après vérification, aucune des quinze personnes n'avait d'antécédents judiciaires. Son intention était de les interroger dès qu'il aurait établi un ordre de priorité. Chose certaine, il commencerait par les femmes, qui sont plus bavardes et cachent moins leurs émotions, pour resserrer son étau au fur et à mesure que se préciseraient ses soupçons. C'était sa méthode : la causerie d'abord. Mais il lui fallait au préalable se familiariser avec la tanière du loup. Voir qui sort, qui entre. Se faire aux visages depuis son observatoire où il était assis, peinard, avec une tasse de café à la main. Une chance, ce Tim. Autrement plus confortable que la banquette de la voiture.

Le soleil déclinant du 1$^{er}$ octobre faisait des cercles

104

sur la table où reposait la liste qu'il avait agrémentée, pendant la journée, de codes de lui seul connus. Il n'était pas sitôt installé à son poste qu'un homme en complet fripé par une nuit blanche avait ouvert la porte principale de l'immeuble en titubant. À six heures pile. Peu après, trois costauds en sortirent pour entrer au Tim et passer ensuite à côté de lui en se dirigeant vers la caisse. Des travailleurs de la construction avec un air de famille, du genre peu discrets. Ils demandèrent des Timatin avec un fort accent polonais. Wallerstein cocha le nom de Zajackowski sur sa liste, locataire du numéro 14.

Une demi-heure plus tard, un jeune couple fit son apparition, avec un enfant d'environ cinq ans, manifestement en retard. La femme avait encore les cheveux mouillés et faisait manger un yaourt au petit en marchant. Au cours de la matinée se succédèrent, dans l'ordre, un homme en uniforme de Postes Canada ; une femme en fauteuil électrique ; une joggeuse avec la taille des mangeuses de Corn Flakes et un Asiatique au cou tatoué d'un dragon que l'inspecteur associa au numéro 4, T. Zhuang. Puis vint un homme dans la trentaine sans caractéristique particulière, promené par un berger allemand, et une autre joggeuse du même âge avec un surpoids considérable sur lequel l'exercice ne semblait avoir aucune incidence. L'heure du dîner se déroula dans l'ennui total, sans que Wallerstein note quoi que ce soit.

À 13 h 30, un jeune homme à lunettes rondes poussa la porte violemment, avec son vélo sur l'épaule. Deux autres, dans la vingtaine plus avancée, avaient échangé des livres qu'ils avaient tirés de leur sac à dos après s'être assis en Indiens sur le gazon. Une jeune fille au jean moulant, avec un string rouge qui dépassait, était venue les rejoindre, pour ensuite les accompagner en direction de l'arrêt d'autobus. Des étudiants qui connaissaient peut-être la disparue.

Il commençait à avoir des fourmis dans les jambes quand il vit entrer une femme avec un gros sac sous le bras. Son beau visage s'anima en croisant celui d'un homme qui sortait et qui la salua en lui tenant la porte. Une chose pareille ne se faisait plus de nos jours. Trop risqué. Car la frontière était mince entre la galanterie et le harcèlement. Le geste devait certainement venir d'ailleurs, comme le laissait présager la couleur de la peau de l'homme. Un basané aux cheveux frisés, pas loin d'être crépus. Il repéra sur sa liste les noms qu'il avait marqués d'une étoile. Deux d'entre eux avaient déjà été cochés. Restait l'Arabe, Kalil Abdellaoui, locataire du numéro 11. Un Hispano, Juan Pablo Morales, du numéro 1. Le concierge, tout probablement. Et l'autre, du numéro 7. Wiltor, un nom étranger, ça aussi. Anthony Wiltor.

# 7 980 octets et des poussières

Journée harassante. Comme dans *harissa* quand on en a trop mis et que ça irrite. Comme dans *lassante* aussi, parce que c'est ce que la réunion avait été pour Amy. Irritable à force d'être lassée, elle finirait par le devenir si elle continuait à brider ses envies de congédier la routine. De se perdre dans le paysage. Dans la toundra avec les Inuits, la forêt lacandone avec les zapatistes ou dans tout autre lieu de résistance. S'il n'y avait pas la mer pour lui donner sa petite dose quotidienne d'ailleurs, elle aurait déjà cent ans, un râtelier dans la bouche et les yeux tournés vers le dedans.

Laide à souhait. C'est comme ça qu'elle aurait dû naître. Protégée des autres par un camouflage permanent sur lequel glisse le regard qui cherche à éviter le sort du commun. Adolescente, elle l'avait souvent désiré. Dans sa tourmente, elle eût voulu être cette étudiante dont personne ne se souvient et qui reste à l'abri des convoitises. Neutre. Il y en avait toujours une dans chaque groupe. En ouvrant la porte du réfrigérateur, Amy avait en tête la grande brune dans son cours sur Beauvoir. Pas d'une intelligence remarquable. Une présence soutenue, toutefois. Une écoute amie qui repose de l'exigence de réussite à tout prix des premiers de classe. Amy n'arrivait pas à se souvenir du nom de cette fille. Normal, c'était une laide. N'empêche qu'elle échappait aux assauts de ses compagnons auxquels les autres étaient soumises, ne redoutant qu'une chose : être congédiées du jour au lendemain, regagner la masse indifférenciée des personnes seules. La beauté est l'esclave de cette peur-là.

Les beaux visages pleurent, enflent, fendillent et s'affaissent. On dit ensuite qu'ils ont dû être beaux. Ce qu'ils ont perdu demeure ce qui les distingue. Amy appartiendrait bientôt à cette catégorie des ex-belles femmes qui éveillent l'intérêt pour ce qui transparaît en elles d'un passé de conquêtes amoureuses. Dans cinq ans, ce qui était encore des grains de beauté s'appellerait des taches de vieillesse, prélude à la fin du corps. Mais il y aura toujours des amateurs de ruines, se dit-elle, avant de passer en revue le contenu du frigo.

Fraises, jus de canneberges, tofu, lait de soya, huile de lin, légumes variés, yogourt avec probiotiques, lait de chèvre, pas de beurre, pas de saucisson, pas de Cheez Whiz ni rien de ce qui est médicalement inacceptable. Elle claqua la porte, composa le numéro du Tropicana. On lui demanda ce qu'on pouvait faire pour elle. Amy répondit que c'était pour une livraison. Une pizza all dressed, avec un extra pepperoni. Douze pouces. Un coke. Diète. Puis elle confirma à la réceptionniste l'adresse qui était apparue sur son écran lorsqu'elle avait pris l'appel. Pas de meilleur Judas que le numéro de téléphone. Il levait l'anonymat sur les délinquants de l'alimentation. Une liste de tous les accros au fast-food devait dormir quelque part dans le ventre d'un ordinateur central. Amy trouvait une satisfaction certaine à venir grossir les statistiques. Pour opposer une résistance à l'idéologie de la santé qui exacerbe les culpabilités. Commander une pizza était une action non acceptable. Une manière bien à elle de s'encanailler. Elle en avait les moyens : 1 mètre 80, 63 kilos. La taille parfaite d'après le dernier numéro de *Vanity Fair*.

C'était une chance qu'Anthony ne la voie pas faire. L'amour à distance avait parfois du bon, ne put-elle s'empêcher de remarquer, en se servant un gin tonic. Il était à cheval sur les principes. Jamais d'écarts au code nutritif. Un vrai ayatollah des bonnes habitudes. Ce qu'il fallait pour sauver l'âme de l'Amérique, selon lui, c'était une liposuccion. Trop de chair et pas assez de muscles. Ses enfants, engraissés comme du bétail. Bref, ils vivaient dans une société d'élevage dont les gènes, en mutation, seraient porteurs d'un véritable holocauste. Anthony ne manquait pas non plus de cynisme.

Au début, Amy avait eu le sang glacé face à la dureté dont il faisait preuve envers ses semblables. Mais elle ne doutait plus du caractère factice d'une telle attitude depuis qu'elle avait découvert qu'un grand émotif se dissimulait sous une froideur hautaine. C'était là une façon de se distancier de sa colère contre une culture de l'abondance où il avait choisi de vivre, quoique ce fût en témoin d'un pur gaspillage.

Anthony était en réalité d'une extrême sensibilité. Pour cette raison même, il était incompréhensible qu'il ne lui ait pas donné de nouvelles. Depuis cette première nuit de Montréal en novembre, il n'avait pas laissé passer un jour sans lui envoyer quelques vers en rappel de leur rencontre. Amy lui avait d'abord donné la réplique avec détachement. Le ton de ses courriels, en *moderato*, s'était ensuite accordé avec la vibration intime de la poésie d'Anthony. Ce qui leur avait valu de se revoir une deuxième fois, en janvier. Tout à l'*allegro* de leurs échanges, Amy avait été prise de vertige par leur arrêt soudain, le nom d'Anthony n'apparaissant plus sur son écran depuis au moins cinq jours. Finie la musique. Comme si la mer s'était vidée de son sel, le ciel de son bleu, la mouette de son cri.

Un être sensible comme Anthony ne pouvait pas ignorer l'inquiétude de se trouver ainsi plongé dans le vide. Pour amortir la chute, il lui avait fallu obtenir une aide, ne seraient-ce que quelques mots de lui. « Qu'y a-t-il à comprendre derrière ce silence ? lui avait-elle écrit. Où es-tu ? Fais-moi signe. » Ce à quoi il avait répondu, trois jours plus tard, arguant qu'il venait de rentrer de voyage, qu'il n'y avait jamais eu de silence, sinon l'illusion du silence. Car il n'avait pas cessé de lui parler en silence, et que, dans ce silence, il veillait partout sur elle. Ils pourraient bientôt renouer avec ce dialogue qui lui était cher et qui lui avait manqué. Elle était, lui assurait-il, la seule étoile qui puisse le guider dans son errance. Il n'avait pas l'intention de la perdre de vue.

Pourtant, une autre semaine s'était écoulée sans qu'il se manifeste. Du haut de l'édifice qui donnait sur une mer exceptionnellement calme, Amy n'avait d'yeux que pour l'écran de son ordinateur. C'est de là que la présence d'Anthony s'était échappée pour envahir la réalité. Là encore que s'était déroulée sa vie des derniers mois, l'essentiel de ses émotions, encodées, se trouvant stocké dans des millions de puces électroniques. L'arrêt du flux de la communication laissait du coup entrevoir à Amy l'aspect virtuel de sa propre existence, car celle-ci n'avait eu de sens qu'en fonction des courriels d'Anthony. Elle se résumait, somme toute, à un nombre d'octets parmi d'autres.

Le calcul effectué, si l'on attribue une moyenne de 95 octets par message, multipliés par 84 courriels envoyés de novembre à février, cela faisait une quantité de 7 980 octets, soit 7,8 Ko et des poussières parmi la masse indéfinie de Mo en circulation. Quelques bits de plus ou de moins ne changeraient pas grand-chose au total. Et elle en tirerait au moins la dignité d'avoir fermé la boucle.

Ce soir-là, après un deuxième gin tonic, elle emprunta au poète un langage qui avait fait d'eux des personnages au fil des mots. Car c'est bien ce qu'était devenue leur aventure : une petite fable dont elle s'était mise à écrire la conclusion.

**De :** aleblanc@hotmail.com
**À :** Anthony Wiltor
**Date :** ven. 2008-02-01 19:55
**Objet :** Il s'en est allé

Son amour était trop grand pour lui. Il s'en est allé par les petits trous de ses absences pour ensuite monter jusqu'aux nuages et retomber dans la mer de la première poésie.

Souvenir du jour où, l'hiver, il rêvait du roulis de ses vagues à elle. Où il déposait sa passion là où elle saurait la renouveler, innombrable à son passage.

Mais elle se trouvait si près de lui qu'il en a détourné le regard, fuyant déjà vers un autre rêve.

Tout est déjà oublié. Ton Amy

Avant même de se relire, elle avait rendu la suite de l'histoire irréversible en un seul clic. Impossible d'intercepter le message avant son arrivée à destination comme au temps des diligences. Lui vint à l'esprit l'erreur fatale de Nathalie, son amie d'enfance. Plutôt que de faire parvenir le lieu et l'heure d'un rendez-vous à son amant, elle avait sélectionné l'adresse de son mari. Dans le cyberespace, le dieu Hermès pouvait jouer des tours. Paranoïa oblige. Le sentiment de femme éconduite qui lui avait fait rédiger son dernier message était alors potentiellement l'affaire de tous. Et si elle l'avait envoyé par inadvertance à un collègue de travail ? Une vérification fit redescendre la flèche de l'angoisse. Le courriel avait été envoyé au bon destinataire.

Maintenant qu'elle avait brisé l'attente, le présent s'ouvrait devant elle comme un possible insoupçonné. Elle retrouverait l'insouciance que lui avait ravie la passion d'Anthony. Elle appellerait d'abord Manuel pour renouer avec leur légèreté. Profiter de l'ombre des parasols pour lire à la plage les dimanches. Passer les nuits de canicule avec les amis, attablés aux terrasses de South Beach. Cette douceur de vivre que l'imagination lui laissait entrevoir, elle doutait toutefois de pouvoir en jouir tant son corps se trouvait entravé par quelque chose de lourd qui s'était logé dans sa poitrine.

Amy avait pensé qu'une douche lui ferait du bien. Que le poids serait emporté dans le tourbillon des eaux sales. Pendant dix bonnes minutes, elle laissa la vapeur monter. Le temps qu'il fallut pour dégager ses voies respiratoires et libérer son souffle tout en s'en remettant au souvenir de ses ancêtres mi'kmaqs. Elle se revoyait, enfant, dans la maison de son Neguac natal. Bercée par un père qui l'avait pourtant mise en garde contre les hommes. Il les connaissait bien. Il leur avait fait confiance quand on lui avait promis un permis de pêche en échange de ses années de service. Et il avait travaillé pour eux pendant plus de trente ans. Rien que des profiteurs et des menteurs, avait-il fini par répéter à qui voulait l'entendre.

Un soir qu'il rentrait de Chez Bob plus soûl que d'habitude, les mains appuyées contre le bardeau de cèdre pour garder son équilibre, il lui avait dit : « Ma petite fille ! Va seulement… va seulement là… où il y a de l'amour. » Lorsqu'elle lui avait demandé comment savoir où était l'amour, il avait ajouté qu'elle saurait. Oui, le moment venu, elle saurait le reconnaître là où il se trouve. S'il avait de grandes ailes pour l'amener très loin, il avait aussi le souci de la ramener près des siens, pour ne pas qu'elle oublie le chemin qui la maintient au centre de sa force. « Parce que tu ne dois jamais te perdre en le suivant », avait-il marmonné en lui plaquant un bec mouillé sur le front, juste avant de tomber sur les genoux, ronflant déjà.

Amy avait considéré son père comme un pauvre fou. Tant d'années plus tard, ses paroles prenaient enfin tout leur sens. Car elle s'était bel et bien perdue dans la suite des promesses d'Anthony. Et elle ne savait plus comment revenir sur ses pas pour retrouver ce que son père appelait la force et qui n'était peut-être pas autre chose que la paix du cœur.

De retour au salon, dans son vieux peignoir, elle avait un air de Zachary dans la tête. *Ici l'amour manque de lumière / Dans ma maison étrangère / j'apprends à vivre / J'apprends à vivre sans voir clair / les yeux assombris.* Elle fit défiler la liste des disques gravés sur son ordinateur, à la recherche de cette chanson-là qu'elle voulait entendre à ce moment précis. Après un double-clic, la voix de Zachary s'éleva des haut-parleurs, en écho avec la plainte intérieure d'Amy, qui y trouva une source de réconfort, un autre gin tonic aidant. L'épisode aurait pu se clore sur cette note d'accalmie, si ce n'avait été un imprévisible bruissement, avertisseur de l'entrée d'un message dont l'icône apparut dans le coin inférieur droit de l'écran.

Après deux semaines de silence complet, il avait fallu une vingtaine de minutes à Anthony pour lui répondre.

**De :** tonywiltor@yahoo.ca
**À :** Amy Leblanc
**Date :** ven. 2008-02-01 20:13
**Objet :** RE: Il ne s'en est pas allé

Mon Amy, ma sœur, de quel amour blessée ? Il ne s'en est pas allé, même s'il a dû te paraître bien lointain. Il lui fallait prendre du temps pour réfléchir et s'assurer lui-même qu'il n'était pas victime d'un mirage. Non, cet homme que tu as aimé ne laissera pas son rêve orphelin. Il ne s'est pas défait de ce grand amour. Quand il pense à elle, il revoit les mêmes rives de son corps couché au pied de l'océan qu'il voudrait pouvoir regagner sans plus tarder.

Ne t'enferme pas dans la méprise. Ne me laisse pas dans l'oubli. Mais laisse-moi plutôt te rejoindre là où tu es.

À toi pour toujours, Tony

Amy relisait le message pour une troisième fois quand on sonna à la porte. Dans l'interphone, elle entendit la voix du livreur du Tropicana. Elle appuya sur le bouton qui ouvrait la porte de l'édifice. Anthony était de retour ; sa faiblesse pour la teneur calorique du fast-food, une affaire du passé. Elle paya le livreur, prit le coke, mais lui fit cadeau de la pizza, le laissant, incrédule, avec la boîte au carton graisseux dans les bras.

La main sur la porte ouverte du frigo, Amy resta figée là, le visage éclairé par la lumière jaune qui s'échappait de l'intérieur. Un mot d'Anthony et elle ne savait plus de quoi elle avait envie. Elle se trouvait de nouveau perdue, ne ressentant plus qu'une immense fatigue. Que s'était-il passé ? Tout n'avait été qu'une exagération de son esprit. Un simple cauchemar dont elle se réveillait, abasourdie. Comment pouvait-elle se mettre dans un état pareil ? Pas normal. Elle devrait peut-être penser à consulter. Elle en parlerait avec Anthony. En attendant, il fallait manger. Tout compte fait, elle s'en tiendrait à une salade.

## Maradona et autres bagatelles connexes

Wallerstein en était à causer avec Morales depuis une bonne heure quand il se prit à admirer sa faculté de louvoyer. Le Chilien l'obligeait à valser entre ses réactions au dernier match de soccer, ses opinions sur la nouvelle cuisine et le commentaire prolifique de la météo passée, présente et à venir, tout comme de la vie en Amérique À du Nord en comparaison de celle de son pays d'origine. Il fallait rectifier le tir pour le ramener au profil des locataires, et ce, malgré la conviction de ne pouvoir en tirer quoi que ce soit qui aille au-delà des évidences. Le sexagénaire était passé maître dans l'art de semer son interlocuteur tout en balayant l'air de sa main droite, où il manquait deux doigts, signe qu'il avait su résister un minimum aux interrogatoires des sbires de Pinochet. Devenu concierge de cet édifice dès son arrivée au Canada en 1974, il s'était depuis consacré à se mêler de ses affaires.

Dans le hall d'entrée, une caméra veillait à la sécurité. Au total, quatorze appartements numérotés de un à quinze, le 13 étant manquant et le 9, à louer depuis plus de deux mois. Dans l'ensemble, il y avait de tout. Des jeunes et des plus vieux, des pâles et des foncés. Au premier étage ? Celle du 2, en fauteuil roulant. Au 3, un jeune couple avec un enfant. Pas plus de cinq ans, lâcha Morales avec l'air de dire qu'il venait de livrer un secret d'État. Un homme seul au 4. Un Asiatique. Rien d'autre à déclarer à son sujet, si ce n'est que le tatouage qu'il avait dans le haut du cou lui rappelait une fille. C'était en 1986. Il l'avait connue pendant la Coupe du monde du Mexique où il avait pris ses premières vacances. Elle avait aussi un dragon. Mais sur la fesse. Et elle avait du chien, cette Mexicaine. Comme Maradona, d'ailleurs. Au sommet de sa gloire à l'époque. Quel joueur ! Qui ne se souvenait pas du but du siècle ? Contre l'Angleterre. D'un bout à l'autre du stade Azteca, il avait mené le ballon jusque dans l'autre camp. Tout seul. Et… GOAL ! Avec la fougue retrouvée de sa jeunesse, Morales s'éleva sur la pointe des pieds, brandissant le poing dans l'air pour marquer la victoire, puis fut ramené sur le plancher des vaches par la mine patibulaire de l'inspecteur.

Il continua de deviser sur les résidants de l'immeuble, sans trop faire de remplissage. Au dernier étage se trouvait le studio d'une jeune fille, face au cinq et demie de deux étudiants qui avaient l'habitude de faire la fête et d'inviter beaucoup d'autres jeunes, surtout les fins de semaine. S'en plaignaient les trois ouvriers polonais, qui vivaient à côté avec leur mère, et le type qui était resté au numéro 15 après que sa femme l'eut quitté. Pas facile. Privé de ses deux enfants, le pauvre. Quant à celui que Wallerstein avait vu entrer dans l'édifice aux petites heures du matin, il était barman dans un pub du centre-ville. Il dormait le jour dans son appartement presque vide du deuxième étage et ressortait le soir. Morales ne pouvait pas dire s'il était parfois accompagné. Mais il lui garantissait que la caméra de sécurité pourrait le renseigner à ce sujet. Avec un clin d'œil, il ajouta que son voisin en saurait peut-être davantage, les murs n'étant pas très épais.

Au numéro 6? Un employé de Postes Canada et sa femme, une ménagère qui s'aventurait dehors uniquement pour faire son jogging et ses courses. Sur ce deuxième palier, trois autres personnes vivaient seules:

Au numéro 7, un monsieur très bien, professeur d'université. Sympathique. Quelqu'un sur qui on peut compter. Le locataire parfait.

Au numéro 8, une vieille dame en lutte contre le cancer. Clouée à domicile. Une infirmière venait régulièrement en prendre soin. Charmante, d'ailleurs.

Au numéro 10, un étudiant très sérieux qui tachait les murs de la cage d'escalier en trimbalant son vélo sur son dos. Il ne semblait vouloir parler à personne. Très renfermé.

Morales se fit plus prolixe à propos du numéro 7, qui connaissait par cœur les noms des joueurs de la FIFA. On pouvait même l'interroger sur les détails de leur vie. Il en savait des choses! Il fallait voir comment il décrivait les meilleurs moments de la carrière de Maradona. Ce qui arrivait quand il prenait le temps de s'envoyer un petit coup de rhum. Depuis qu'il était dans l'immeuble, il lui rapportait chaque année une bouteille de son île natale, dont Morales avait oublié le nom.

Comme lui, c'était un homme du Sud. Avec cette différence qu'il avait réussi. Mais pas snob pour autant.

L'inspecteur n'avait pas idée à quel point les gens pouvaient parfois le prendre de haut. Mais pas M. Wiltor. Toujours avec le sourire. D'une politesse irréprochable. À la question posée au sujet des fréquentations du professeur, Morales répliqua sur un ton sec qu'ils ne s'entretenaient jamais de ces choses personnelles. Puis il se frappa le front avec la paume de la main. Comment avait-il pu oublier ? Un tuyau qui coulait au 11. Il fallait l'excuser. Quant à la fille sur la photo, il était vraiment désolé. S'il l'avait vue, il s'en souviendrait. Impossible, donc, de dire qui elle était venue visiter. Encore une fois, la bande vidéo lui serait utile à ce sujet.

Wallerstein en doutait. Les témoins du Tim Hortons l'avaient confirmé dans leurs dépositions au poste de la localité. Au moment où elle avait passé le seuil de l'immeuble, Cindy était seule. Et l'angle de la caméra ne permettrait pas de révéler sur quel bouton de l'interphone elle avait appuyé pour qu'on lui ouvre la porte du hall d'entrée. Une raison de plus de pester contre ces charlatans patentés qui faisaient de la sécurité un business. Leurs revenus étaient proportionnels à l'augmentation du taux de criminalité. Ils avaient donc intérêt à ce que la sécurité soit réduite au minimum. D'où le peu de sérieux avec lequel ces agences installaient leurs gadgets cheap. Mais leur foutue caméra pourrait au moins lui indiquer si la présumée victime était ressortie de l'immeuble. Et, si oui, dans quel état. Il aurait alors quelques indices sur ce qui s'était passé durant la soirée.

Ou pendant la nuit entière. Car tout portait à croire que Cindy avait un petit ami dans ce lieu où elle avait peut-être même offert des services sexuels.

Il s'en fit la remarque : les jeunes filles d'aujourd'hui ne sont pas des enfants de chœur ! Mettre la main sur le cellulaire des petits anges révèle souvent des choses étonnantes. Et ce n'est pas parce qu'elles ont encore des nattes qu'elles ne montrent pas leur cul de temps en temps. Pour des vêtements griffés. Une balade en voiture. La dose jusque-là distribuée comme du bonbon. Les témoins du Tim Hortons ont été formels sur ce point. Cindy était habillée TRÈS sexy. La lolita a un potentiel de pute, il ne faut pas se le cacher. Et on dira après qu'elle ne voulait rien attirer du tout ! Les faits sont les faits, malgré ce que les parents peuvent affirmer sur le comportement régulier de la disparue.

La frustration de Wallerstein venait de l'interdiction qu'il avait de dire tout haut ce qui n'était pourtant pas qu'une vérité de la police. Car en son âme et conscience, tout un chacun en arrivait au même constat. Décolleté + G-string = je veux qu'on me baise ! N'en déplaise aux féministes qui ne manqueraient pas l'occasion de le mettre au pilori s'il devait un jour avoir le courage de la franchise. C'était d'ailleurs décidé. La prochaine fois qu'on le chargerait de faire de la sensibilisation à la violence dans les écoles, il s'attaquerait de front aux racines du mal. L'hypocrisie avait assez duré.

Il s'imaginait, haut perché, haranguant une foule d'étudiants. Oui, il pourrait le prouver. Il y a un lien de cause à effet entre la tenue des victimes et les agressions sexuelles. Pour les prévenir, il fallait montrer aux femmes à se protéger contre elles-mêmes. Oui, le mal existe. Et les victimes ne font que lui prêter flanc en adoptant une mode affriolante créée par des hommes et pour les hommes. S'habiller comme une salope, c'est encourager la violence !

Satisfait de son discours, Wallerstein entendait déjà les applaudissements de la foule. Mais pour l'heure, il avait une affaire à résoudre. En poussant un long soupir, il se dit qu'il y avait toujours des brebis égarées qui se précipitaient, tête basse, dans les pattes du loup. Tout ce qu'on lui demandait, au fond, c'était de prendre la bête au piège et de rendre justice aux victimes. Pas de changer le monde ! Avec dépit, il consigna dans son iPhone ses premières impressions. « Morales. Coopération nulle. Malaise notable au sujet de la vie privée du numéro 7, Anthony Wiltor. À confronter plus tard avec plus d'informations. »

Il interrogea ensuite l'Asiatique, qu'il considéra comme un suspect intéressant, compte tenu de ses activités dans l'import-export. Ses papiers étaient en règle. Mais ce genre de commerce, tout ce qu'il y a de plus légal, sert parfois de couverture. Entre les lampes, les montres et les articles érotiques fabriqués en Chine, il n'était pas rare que se glissent des jeunes filles, la marchandise pouvant varier de nature. Zhuang avait toutefois un alibi de taille. Au moment de la disparition de Cindy, il était sur le vol de la compagnie taïwanaise Eva Air, où il avait passé quatorze heures, pour atterrir à l'aéroport Pearson le jour suivant à 20 h 55.

En témoignait sa carte d'embarquement. Quoiqu'il se promît de tenir l'homme à l'œil, mieux valait poursuivre l'enquête auprès des étudiants qui connaissaient peut-être Cindy de l'université où elle était inscrite depuis deux ans.

Après Morales et Zhuang, il allait maintenant s'entretenir avec Abdellaoui, un autre basané en son genre. Et qu'on n'aille pas l'accuser de faire du profilage racial, se dit-il en appuyant sur le bouton de l'ascenseur pour accéder au troisième.

# Deuxième visite. 16 février 2010

Bonjour. Oui, ça va. Comme d'habitude. Tenez. Je préfère vous donner l'argent avant. Si ça ne dérange pas.
Après, ça me déprime. Quand on va au cinéma ou chez
le médecin, on paie avant. Vous accepteriez, vous, de
débourser de l'argent pour un mauvais film ou un diagnostic de cancer ? Moi, je ne sais pas encore pourquoi je
débourse. Je m'excuse. Je ne devrais pas dire ça. N'empêche que vous payer après me fait sentir plus seule que
jamais. Ça me donne l'impression d'être le client d'une
pute. Il y en a qui paient seulement pour ça. Pour parler.
Triste. En réalité, c'est moi la pute. Parce qu'il n'y a que
moi qui donne. Je vois que vous prenez des notes. Et je
me demande ce que vous avez retenu de la dernière fois.
Les soupirs ? Qu'est-ce qu'ils ont, mes soupirs ? Trop fré-
quents ? Les gens ne soupirent pas comme ça d'habitude.
Ah bon. Je ne m'en rendais pas compte. Et ça voudrait
dire quoi ? J'ai une vie bien remplie. Mes amis diraient :
compliquée. Pas le temps de m'ennuyer. Pourtant…
Oui, vous avez raison. Il y a une langueur qui est toujours
là. Comme si j'attendais quelque chose en permanence.
Un je-ne-sais-quoi qui tarde à venir. La fin de ce quelque
chose-là, peut-être. Je n'y avais pas prêté attention, mais

maintenant qu'on en parle, ça me paraît évident. Il m'arrive souvent de penser qu'une situation est terminée quand elle ne fait que commencer. Je me suis même déjà imaginé la fin de ma relation avec Anthony quand nous n'en étions encore qu'aux préliminaires. C'était peu après notre rencontre. J'étais sans nouvelles. Plutôt que de lui communiquer mon inquiétude, j'ai conclu à la rupture. Encore aujourd'hui, à chacun de ses silences, je me dis : « Ça y est ! C'est fini ! Aucun doute. Car il sait bien… il aurait pu… mais il a préféré ne pas… occupé à… parce que je ne compte pas, au fond. » N'y tenant plus, je laisse un message dans sa boîte vocale. Un piège que je me tends. Si je n'avais aucune raison de désespérer de son appel, je viens du coup de m'en donner une. Pourquoi tarde-t-il à me répondre ? Je consulte aussi mes courriels. Rien. J'attends. Et même en sachant que je finirai tôt ou tard par entendre sa voix, j'anticipe son silence. Parce que je passe mon temps à attendre non pas son appel, mais son non-appel. La catastrophe est toujours déjà là. J'en vois les signes partout. Tout comme ceux de la fin entre nous. Et j'attends ce moment qui peut arriver du jour au lendemain, mais qui n'arrivera peut-être jamais. C'est insensé ! D'autant plus qu'Anthony ne manque pas une occasion de réaffirmer ses sentiments. Il m'a d'ailleurs offert un beau livre qui célèbre le couple comme approfondissement de l'amour. Le message est clair ! D'ici quelques années, j'aurai trouvé un poste près de chez lui. Nous finirons par vivre ensemble. Du moins, rien n'interdit de le penser. Si ce n'était ce problème de confiance qui me rend la vie impossible. Non. Mon père était un homme aimant. Il avait ses faiblesses, mais il ne m'aurait pas abandonnée. Jamais. J'étais son espoir, qu'il disait. Mort d'une cirrhose du foie. Ma mère a fait ce qu'elle pouvait avec ce qu'elle avait. J'ai grandi en Acadie, dans une famille pauvre mais qui se tient. L'Acadie? C'est un peu compliqué à expliquer. Moi, je viens du Nouveau-Brunswick. Vous ne connaissez pas non plus? Une province de l'est du Canada. Oui, on parle l'anglais. Mais on est francophones. Bizarre, je sais. Mais ce que je veux dire, c'est que je ne vois rien dans mon passé familial qui pourrait nous aider. Gratter les gales de l'enfance ne révélera pas de blessure grave. Oui, vous avez raison. Ça doit bien venir de quelque part, ce sentiment que j'ai d'être trahie. Disons plutôt que j'ai peur d'être trahie. Ce n'est pas la même chose. Je voudrais tant pouvoir lâcher prise. Me défaire du délire qui me met dans de beaux draps! Comme le mois dernier, dans un café de Toronto. J'avais deux heures à tuer avant de prendre l'avion pour rentrer chez moi. Nous venions de nous quitter après quatre jours de pur bonheur. J'étais tout en confiance, absorbée dans la lecture du livre dont je viens de vous parler. Quelqu'un est passé à côté de moi en laissant une odeur. Celle du parfum qu'Anthony m'avait offert pour Noël. Je me suis mise à examiner les femmes du café en me demandant laquelle avait pu laisser cette trace. Et c'est là que le délire a commencé. J'ai quitté ma table pour m'approcher, en douce, de l'une puis de l'autre, narines ouvertes. Sans succès, vous pouvez bien l'imaginer. La délicatesse de Lancôme se dégage dans la proximité. Rassise à ma table, je ne pouvais pas m'empêcher de penser que chacune de ces femmes, de la plus jeune à la plus vieille, pouvait être l'une des mystérieuses amies d'Anthony, son « harem » comme il l'appelle pour blaguer. Il est si avare de commentaires à leur sujet. Parti prendre un café avec Caroline. Au cinéma, avec Patty. Avec Dorothy, faire des courses. Jamais un mot sur elles. Poser des questions me fait sentir coupable. Je ne voudrais pas qu'il me croie jalouse. Vous comprenez? Que je fasse leur connaissance serait une bonne chose, en effet. Nous en avons discuté. Anthony n'y voit pas d'urgence. Le temps que nous avons pour être ensemble est limité. Et nous préférons le passer dans l'intimité. Ça aussi, vous comprenez, n'est-ce pas? Bon. Toujours est-il que ce jour-là, à Toronto, mon attention s'est fixée sur une des femmes du café que j'ai commencé à dévisager. Une blonde, toute menue. Ses grands yeux bleus ont eu l'air interloqués par mon sans-gêne, puis se sont laissé distraire par le serveur qui apportait le repas. Une salade. Le détail a de l'importance. Car Anthony ne jure que par le vert. Les omelettes et les soupes aussi. C'était plus fort que moi. J'ai continué à la regarder. Tout, chez elle, me rappelait Anthony. De la manière dont elle tapotait son cellulaire et du pain qu'elle trempait dans sa vinaigrette jusqu'au *Monde de la musique* qu'elle a sorti de son sac. Je venais tout juste d'en renouveler l'abonnement pour Anthony. Quant à son chemisier violet, c'était un Jacob. Je ne pouvais pas me tromper. J'en avais un pareil, mais blanc. C'est lui qui me l'avait offert. Les signes étaient là. Je ne pouvais pas ne pas les reconnaître. Puis je l'ai vue déposer sa serviette de table, se lever, se diriger vers moi. Je commençais déjà à rassembler mes affaires pour me pousser de là quand l'odeur du parfum m'a figée sur place, confirmant mon intuition première. La femme aux grands yeux bleus m'a demandé si on se connaissait. J'ai répondu que je l'avais prise pour quelqu'un d'autre. Elle m'a quand même invitée à me joindre à elle. Je lui semblais bouleversée. J'avais peut-être besoin de parler. Moi, je me suis sauvée sans demander mon reste. J'avais un vol à prendre. J'étais désolée. Voilà où le délire peut me mener! Aujourd'hui? Je garde l'impression d'un rendez-vous manqué. Et le regret de ne pas lui avoir posé la question. Le connaissait-elle? J'ai raté ma chance d'enrayer le doute que je traîne avec moi depuis. Quand je fais face au silence d'Anthony, c'est son visage à elle que je vois maintenant. Une parfaite inconnue! C'est à cause de Lancôme. Le fameux *Trésor* de Penélope Cruz. Vous connaissez? Non, je ne le porte pas. Ça m'indispose d'imposer mon odeur aux autres. Je m'en asperge seulement quand je suis avec Anthony. Pour ne pas le désoler. C'est sa petite perversion, si vous voyez ce que je veux dire. Si ça lui plaît tant, pourquoi l'en priver? Mais je vous raconte n'importe quoi. Ce qu'il faut savoir, c'est ce qui s'est passé quand j'ai ouvert le coffre rouge qui contenait le flacon. Parce que j'ai eu l'impression que ce cadeau était, en réalité, destiné à quelqu'un d'autre. Comment expliquez-vous une chose aussi curieuse? Tout est toujours double avec moi. Vous avez un diagnostic pour ça? J'ai cherché sur le web, mais je n'ai rien vu qui convienne. Oui, je sais. L'âme humaine est un véritable labyrinthe.

Difficile de s'y retrouver, parfois. Avec le temps… je veux bien! Mais je dois annuler le prochain rendez-vous. Pour aller le voir, justement. Oui, je vous appelle à mon retour.

*Le doute est le commencement de la sagesse*

Tout à ses pensées, George releva la tête au moment où Caroline regagnait son tabouret, un sac du Shoppers à la main. Souriante, elle entreprit de lui faire une lecture commentée de la carte des desserts. Gâteau au thé vert. Succulent. Yōkan. Une pâtisserie à la pâte de haricots rouges. Comme le daifuku, d'ailleurs. Un gâteau de riz avec une fraise au centre. Bananes au lait de coco perlé. Ne s'en souvenait-il pas ?

C'était la fois où ils n'avaient pas pu attendre d'arriver à la maison. Où il l'avait entraînée dans les toilettes. Non, elle ne referait plus une chose pareille. Il était si fringant dans les débuts. Mais les bananes avaient fini par perdre leur effet aphrodisiaque, ne put-elle s'empêcher d'ajouter, en s'excusant de la boutade avec un clin d'œil. Une petite vengeance bien méritée, il devait en convenir.

Elle opta enfin pour le kashiwamochi. Parce que c'était nouveau et qu'elle avait le goût de l'inconnu. Lui, pour les bananes à valeur sentimentale. Il commanda aussi du thé vert au serveur qui emportait les assiettes vides. Inquiétée par les sourcils froncés de George, et le croyant froissé, Caroline attendait une explication.

— C'est la fille, lâcha-t-il en indiquant de la main la direction de la caisse. Celle de l'avis de recherche qui est affiché là. Sur le mur.

— Je sais… Pas facile d'être insensible à tous ces drames qu'on nous montre partout. Tu as vu les images à la télé hier ? Des protestants qui lancent encore des cocktails Molotov sur des catholiques en Grande-Bretagne. Les guerres de religion ne finiront jamais. On ne peut rien y faire ! C'est comme cette fille. Certainement morte à l'heure qu'il est. Victime d'un autre genre de guerre. Tu ne te fais quand même pas du souci à cause de ça !

— Je sais qui elle est.

— Quoi ! Tu la connais ?

— Non, mais je l'ai déjà vue dans le quartier. Une prostituée.

— Quand ? Ça pourrait peut-être aider les flics de savoir.

— Il y a quelques mois, peut-être. Bien après sa disparition, en tout cas. Je pourrais retrouver la date précise dans mes cahiers.

— Tes cahiers ! Quels cahiers ? Tu veux dire que tu as écrit des choses qui concernent cette fille que tu ne connais pas ! Dans un journal ?

— C'est-à-dire que je prends en note des observations sur ce qui se passe dans la rue. Je fais ça pendant mes pauses au restaurant. Une fois chez moi, je les transcris dans un cahier.

— Des notes ? Toi ! Tu veux devenir écrivain ?

— Je ne veux rien du tout. Et je ne prétends pas

écrire. Je consigne seulement la vie du quartier. Nuance ! Je décris ce qui arrive au quotidien et ce qui me passe par la tête. C'est comme un catalogue de choses que je vois ou que je pense.

— Mais on ne fait rien pour rien. Ça doit bien te servir à quelque chose !

— Dans ce cas précis, ça permettrait peut-être de sauver une vie. Sinon, c'est pour garder des preuves.

— Des preuves de quoi ?

— Des preuves de l'existence.

Devant la moue perplexe de son interlocutrice, George sentit le besoin d'adopter un ton didactique qu'elle ne lui connaissait pas.

— Nous sommes convaincus que notre existence est bien réelle alors qu'elle ne l'est qu'à partir du moment où nous entrons dans le regard des autres. Sans quoi, il n'y a rien, Caro. Pas de salut dans le néant de nous-mêmes. Maintenant : comment entrons-nous dans le regard des autres ? Là est la grande question. Son importance dépasse d'ailleurs le cadre de nos simples existences. Mon intuition est que la réponse se trouve dans l'approfondissement du présent. J'y ai été longtemps aveugle, trop obnubilé par ce que les lendemains pouvaient me réserver ou par les blessures du passé. Mais il n'est pas trop tard pour être attentif au quotidien. Entre ce qui a eu lieu, ce qui aurait pu ne pas avoir lieu et ce qu'on aurait voulu voir arriver mais qui n'a pas eu lieu, je cherche la clé du hasard. Pour calmer les vertiges que ça donne parfois de vivre. Bref, mes cahiers servent à ça.

— Rien de moins.

Il se contenta d'opiner de la tête, gêné de s'être laissé emporter à trop parler.

En dix années de vie commune et quatre d'amitié, jamais George ne lui avait parlé de cette manière ni même n'avait laissé croire qu'il pût le faire. Caroline n'avait rien compris de son explication et elle se sentait trahie. La découverte de son jardin secret la mettait en face d'une personne étrangère à celle dont elle avait cru tout savoir.

Un long silence accompagna l'arrivée des desserts alors que la lumière se faisait plus tamisée autour des clients qui s'attardaient dans le restaurant. Caroline tapota son cellulaire pour se donner une contenance. Dans sa voix, il y avait un reproche :

— Très zen, tout ça. Je te savais voyeur. Pas philosophe. Pourquoi tu ne m'as jamais raconté ? Je suis ton amie ou pas ?

— Tu m'as toujours pris pour un crétin. Sache qu'il n'est pas nécessaire d'être exceptionnel comme ton poète pour avoir une vie intérieure. La contemplation est donnée au commun des mortels. Je suis mortel, et surtout très commun, donc je contemple. Je TE contemple.

— Cesse de t'en prendre à Anthony. La jalousie ne convient pas à la raison du philosophe.

— Ne prends pas tes désirs pour mes réalités, ma chère. Loin de moi l'ambition de devenir raisonnable. Et tu n'as d'ailleurs pas de leçon à me donner. Pas besoin de te rappeler que tu étais toi-même dans tous tes états il y a à peine deux heures. À jaloux, jalouse et demie.

— Ne sois pas injuste. Jamais, je le répète, je n'ai eu l'occasion de me plaindre de cet homme-là auparavant.

— Tu es sûre de ça ? J'ai de bonnes raisons de penser le contraire.

— Pourquoi toujours me couper l'herbe sous le pied avec ton pessimisme chronique ? Je te le demande en toute franchise : c'est quoi, ton problème ?

— Ce n'est pas que je veuille à tout prix obscurcir ton bonheur. Je n'ai rien contre ce type…

— Anthony, son nom.

— Comme tu voudras, Caro. Je disais donc que le problème, c'est que tu te mens à toi-même en voulant coûte que coûte voir la vie comme une comédie musicale. Parce qu'elle a aussi des angles morts d'où peut un jour surgir ce que tu te refuses à regarder en face.

— Mais de quoi tu parles ? On ne peut pas se mettre à douter constamment de tout !

— *Le doute est le commencement de la sagesse.*

— Fous-moi la paix avec tes proverbes ! Qu'ils soient japonais ou chinois, tu t'en sers pour éviter de répondre directement aux questions.

— Qui est le plus heureux ? Celui qui sait ou celui qui ne sait pas ?

— Arrête, je te dis ! Si au moins tes appréhensions étaient fondées sur quelque chose ! Tous ces doutes pour rien, mon pauvre George !

— Détrompe-toi, ma belle. J'ai des preuves qui pourraient être embarrassantes.

— Inspecteur Barnaby, je vous écoute !

Les yeux de Caroline fixaient son gobelet de thé,

133

comme pour y lire un mauvais présage dans les marbrures laissées au fond. Ceux de George se firent plus doux en même temps qu'il lui livrait la vérité :

— J'ai déjà eu l'occasion de vous observer, vous aussi… L'automne dernier.

— Parce que tu m'as espionnée ?

— Vous vous êtes trouvés dans ma zone, Caro. Juste au moment où j'allumais ma première cigarette. Ce que j'y ai vu ne cadre pas avec le scénario de la parfaite entente à laquelle tu veux faire croire. Et je n'ai pas besoin de consulter mes cahiers. C'est encore tout frais là, insista-t-il en portant l'index et le majeur sur sa tempe, puis sur son cœur.

— On peut inventer n'importe quelle histoire à partir de simples apparences.

— Laisse-moi alors te décrire ces apparences. Tu pourras en tirer tes propres conclusions.

Il lui raconta qu'il les avait vus arriver ensemble à l'épicerie et qu'Anthony l'avait laissée entrer seule. Celui-ci était resté à la porte pour passer un coup de fil. Quand elle était ressortie, ils avaient eu une altercation. Elle s'était mise en colère. Puis Anthony était reparti de son côté. C'était un jour de pluie. Drôle de hasard, parce qu'il ne s'aventure habituellement pas dehors dans ces conditions-là.

Caroline l'avait écouté, la bouche grande ouverte. La scène éveilla de nouveau en elle un désarroi qu'elle avait balayé de son esprit comme elle avait coutume de faire avec tout ce qui allait à l'encontre de son intérêt immédiat. Après un temps de crispations, elle passa aux aveux : « Il était enthousiaste à l'idée d'apprêter le souper lui-même. Nous devions passer la soirée chez moi. Mais il a tout à coup changé d'attitude en m'attendant sur le trottoir de l'épicerie, comme tu l'as vu. Il a ensuite voulu rentrer chez lui. C'était insensé ! Mais il avait une conférence à rédiger. Il était désolé. Il avait oublié. C'est pour ça que je me suis énervée. Il ne pouvait pas me faire une chose pareille ! Lui ne comprenait pas que je puisse ne pas comprendre. Il disait que c'étaient ça, les exigences de son métier. Que l'inspiration était là, qu'il devait en profiter. Et qu'il n'allait pas mettre son travail en péril pour un caprice de ma part. Bref, j'étais en colère. Tu as eu raison, George, de le croire. Quant à ce que tu viens de dire, ce n'est pas pour améliorer les choses. Car je me souviens, maintenant, que son cellulaire a sonné pendant que nous marchions vers l'épicerie. Il a consulté l'afficheur pour ensuite le glisser dans la poche de sa veste. Mais je ne savais pas qu'il avait fait un appel pendant mon absence. Tu en es bien certain ? Si oui, ça voudrait peut-être dire que l'inspiration a le dos large. »

Caroline était visiblement ébranlée. George n'en espérait pas tant.

# Mon nom est légion

*Les amants ont passé une douce fin de soirée au bar du coin, en compagnie de quelques amis, charmants comme toujours. Elle a bu trop de bière et il a dû la soutenir pour éviter qu'elle n'aille dans tous les sens. Elle était à l'abri de l'imprévu sous la pression de son bras à la musculature peu commune chez un intellectuel. Sur le lit, elle a défait son corsage, écarté les cuisses. Il est venu très vite. Et ils se sont endormis. Le matin, tout allait de soi : le léger mal de tête (dans son cas à elle), les comprimés d'Advil, le café et l'amour encore, mieux cette fois. Dans la chambre, ils s'attardent maintenant à feuilleter le journal. Lui, le sexe encore humide sous le drap ; elle, à plat ventre, vêtue d'un soutien-gorge fuchsia, s'apprêtant à faire les mots croisés.*

CAROLINE
*(avec la pointe de son Bic en l'air)*
Compositeur romantique né en 1873. Onze lettres. Premier mot vertical. Pas besoin de te dire que si tu me trouves ça, je te serai redevable toute la journée. Tu peux gagner gros.

ANTHONY

*(qui lance un regard las par-dessus la monture de ses lunettes Armani)*

Si je te donne la réponse, ma chérie, promets-moi seulement que tu ne vas pas interrompre ma lecture toutes les cinq minutes. Ce genre de jeu m'ennuie. Tu sais bien…

CAROLINE

*(la bouche en cœur)*

Please…

ANTHONY

*(conciliant)*

Rachmaninov. Mort en 1943. Tu ne te souviens pas ? Nous sommes passés devant sa maison l'année dernière. À Beverly Hills. 610, Elm Drive.

CAROLINE

Mais oui ! Grâce à moi ! Dire qu'il a fallu que j'insiste pour aller te rejoindre là-bas. Autrement, tu n'aurais rien vu. Je parie que tu serais resté dans la chambre d'hôtel en attendant d'aller donner ta conférence. Je te promets d'ailleurs quelque chose de mieux pour la prochaine fois. Tu ne pourras pas refuser.

ANTHONY

*(tapotant la fesse de Caroline avec sa main gauche)*

Tu t'aventures sur un terrain glissant, ma chérie. Mieux vaut que tu finisses de remplir tes petites cases.

CAROLINE

*(s'assoit sur ses talons, le dos bien droit et les poings sur les hanches, autoritaire)*

N'essaie pas d'éviter le sujet. C'est décidé, tu m'accompagneras au chalet de mes parents en juillet. Je leur ai promis. Nous avons droit à des vacances. Il est d'ailleurs temps que tu découvres le Québec profond. Le chant du huard sur le lac à la brunante. Les mouches noires. L'Abitibi de Richard Desjardins. Le bar de Rouyn que fréquentait Louis Hamelin. Un peu d'exotisme te fera du bien. Tu vas adorer. Tu pourras même te vanter d'avoir suivi les traces d'écrivains célèbres.

ANTHONY

*(ironique)*

Ah oui? Comme qui?

CAROLINE

Comme Émile Ollivier et Margaret Atwood. Rien de moins. Avoue que ça t'impressionne!

ANTHONY

N'importe quoi! Qu'est-ce qu'ils seraient allés faire là-bas?

CAROLINE

Je n'ai pas ton érudition. Je ne peux pas te dire comment ils ont échoué dans cette nature-là. Mais ils ont dû en être inspirés. Ça pourrait aussi t'arriver. Il n'y a pas que le béton pour stimuler l'intelligence.

ANTHONY

En juillet, ne t'en déplaise, chère oublieuse, je me fais
moine.


CAROLINE

Mais il va bien falloir que nous finissions un jour par
prendre des vacances ensemble !


ANTHONY

Un vieil ours avec la tête toujours fourrée dans ses livres,
c'est le genre d'homme avec qui tu as choisi de partager
ta vie, Caro. J'ai besoin d'être seul pour arriver à me
concentrer. Ce qui est impossible le reste de l'année avec
les étudiants et tous ces engagements. Tu sais bien… Dès
le début, j'ai pourtant été clair là-dessus. La poésie est
mon unique contrainte. Elle est la seule qui puisse te faire
concurrence. Et tu étais disposée à accepter ce ménage à
trois, il me semble.


CAROLINE
*(interloquée)*
Moi ?


ANTHONY

Tu m'as pourtant assuré que tu y trouvais un avantage.
Que ça te laissait plus de temps pour toi. Pour voir tes
amis. Moi, au moins, je te laisse respirer. Contrairement
à l'autre, là. Le travailleur manuel… Comment as-tu pu
sortir avec un type pareil ?

CAROLINE

Ne fais pas semblant d'oublier son nom. George. Il s'appelle GEORGE. Et ce n'est pas un imbécile. Mais un excellent cuisinier qui en sait plus que toi sur le chapitre des sciences. Tu serais étonné. Pas un intello, mais il se débrouille. Il lit tout ce qui lui tombe sous la main.

ANTHONY

Parce que tu lui trouves tout à coup des qualités ! Un impulsif qui ne comprenait rien à rien, si mon souvenir est bon. Ton indépendance le rendait jaloux. Tu me disais aussi que tu avais retrouvé, avec moi, l'espace vital qu'il t'avait grugé. Et maintenant, tu t'en plains ! Avoue que tu n'es pas facile à suivre.

CAROLINE
(qui se rapproche de lui, à quatre pattes, simulant une chatte affectueuse)
D'accord. Nous sommes tous les deux très occupés. Et il est vrai que je m'accommode sans problème de tes absences. Mais il s'agit seulement d'être *ensemble* un petit mois par année. Dans une maison de campagne où tu pourras même t'isoler entre les quatre murs d'un joli bureau avec une grande fenêtre qui donne sur une forêt ancestrale.

ANTHONY
(faisant mine de reprendre la lecture du journal)
Ça veut dire quoi, « être ensemble » ?

CAROLINE
*(sur le qui-vive)*
Ne sois pas méchant !

ANTHONY
*(ricanant)*
Mais je suis méchant ! Blague à part, comment peux-tu me demander quelque chose que tu ne sais pas définir toi-même !

CAROLINE
Si tu me le demandes, je ne peux pas t'expliquer ce qu'être ensemble peut vouloir dire. Mais je sais tout comme toi ce que nous ressentons lorsque ça arrive. Nous sommes alors tous les deux liés au lieu qui est LE NÔTRE, comme la feuille à l'arbre, l'oiseau à son nid. Sans souci du lendemain. Tout entiers au présent qui coule entre nous. Et ce que je n'arrive pas à comprendre, c'est que tu résistes à une chose aussi simple. Pourquoi ? Où est le mal ?

ANTHONY
Tu viens en quelque sorte de définir ce qui s'apparente au mariage. Tu ne veux quand même pas qu'on en vienne là !

CAROLINE
Mais…

ANTHONY

*(ramène les lunettes sur son front pour donner plus de franchise à son regard, fixé sur celui de Caroline)*

… mais tu es l'amour de ma vie, quoique je n'arrive pas à te le montrer de la façon que tu le souhaiterais. J'en suis désolé. Écoute, chérie… En ce moment même, nous sommes ensemble l'un pour l'autre. Nous lisons NOTRE journal, nous buvons NOTRE café. Je suis avec toi dans des draps qui sont LES NÔTRES. Pourquoi gâcher ce précieux moment avec une histoire de chalet ? Je me ferai un plaisir d'y aller l'année prochaine, puisque tu y tiens tant. Mais pas cet été. Je n'avais pas prévu ça. Allez ! Sois patiente et cesse de voir des problèmes là où il n'y a que luxe, calme et volupté. Profitons du présent qui nous est offert. Tu veux ?


*Il enlève ses lunettes pour les déposer sur la table de chevet, soulève le drap, exhibe tout souriant le résultat de leur petit différend, gonflé entre ses cuisses. Il le prend dans sa main, en trempe le gland dans le café tiède et sucré. De l'autre main, il se soulève sur le côté de manière à s'offrir en délice à la bouche de Caroline. Mais celle-ci se laisse glisser hors du lit et reste assise sur la moquette, lui tournant le dos. Elle regarde tomber la pluie, pareille à une tristesse qui lancine.*


CAROLINE

J'ai compris. Inutile d'en rajouter. On ne peut rien contre les hommes qui bandent tous les matins. Et on ne peut pas non plus en vouloir au ciel de pleuvoir. Je resterai donc ici avec toi. Mes parents comprendront.

ANTHONY
(d'un bond, est sur ses deux pieds)
Pas question ! Tu as prévu aller au Québec, tu iras. Comme chaque année, d'ailleurs. Je ne vois pas de quel droit je te garderais ici avec moi. Tant de femmes se plaignent de ne pas pouvoir faire ceci ou de devoir faire cela pour satisfaire aux humeurs de leur conjoint. Mais toi, tu n'es pas de celles-là, ma chérie. Non ! Ne fais pas ça ! Ne nous entraîne pas dans le piège de l'insatisfaction que tous les couples finissent par se tendre à eux-mêmes. En aucun cas je ne voudrais devenir un frein à ton indépendance. Parce que je ne suis pas dupe. Le jour où tu ne te sentiras plus libre, non seulement tu ne seras plus celle que j'ai connue, mais je sais aussi que je te perdrai. Tu iras donc là-bas, retrouver tes parents. De toute façon, j'ai un avion à prendre en juillet. Une autre invitation que je n'ai pas su refuser.

CAROLINE
(sursautant)
Mais tu ne m'avais pas dit ça !

ANTHONY
(se rassoit sur le lit et regarde son sexe pendre en ramollissant)
Pourquoi je te l'aurais dit puisque tu ne devais pas être ici ?

CAROLINE

*(sur ses pieds à son tour, arpente la chambre en faisant de grands gestes avec ses bras)*

Tu ne me dis jamais rien de là où tu vas, de là d'où tu viens. Tu es tellement secret qu'on pourrait croire que tu as une double vie. Toujours un prétexte pour qu'on ne soit pas ensemble. Tout à l'heure, c'était un rendez-vous avec la poésie. Maintenant, c'est un avion. Qui me dit que tu ne travailles pas pour la CIA ? À moins qu'il n'y ait une femme et des enfants qui t'attendent quelque part ? Je t'en prie, cesse de te conduire comme si tu avais constamment quelque chose à cacher. Ça donne l'impression que tu passes ton temps à mentir. Ce n'est pas toi, ça ! Dis-moi que ce n'est pas toi…

ANTHONY

*(avec lassitude)*

Mais la voilà, la vérité ! Bien trouvé ! Chaque fois que je prends l'avion, c'est pour faire l'amour. Et si je reste chez moi ? Certainement pour desserrer plus à mon aise la bride de mes instincts démoniaques.

CAROLINE

*(s'assoit sur le lit à ses côtés)*

Cesse de jouer au diable. Ce n'est pas drôle.

ANTHONY

*(démontrant un intérêt plus vif pour le tour que prend la conversation)*

Oui ! C'est bien ça ! Tu as enfin compris qui je suis. Mon nom est légion. Dans chaque ville, une conquête !

CAROLINE
(le sondant du coin de l'œil)
Pourquoi pas ? Qu'est-ce qui me dit que je ne suis pas en train de me faire berner comme il arrive chaque minute à des milliers de femmes sur la planète ?

ANTHONY
(coquin)
Toi ! Jalouse !

CAROLINE
(outrée)
Mais c'est toi qui as commencé !

ANTHONY
(prend les mains de son amante dans les siennes en l'attirant contre lui)
Pardonne-moi. Je suis incorrigible… Mais comment peux-tu imaginer que je puisse gérer émotionnellement les difficultés d'avoir une maîtresse ? Il faut être un homme à femmes pour ça. Avoir les reins assez solides, si tu vois ce que je veux dire… Tiens, laisse-moi te raconter quelque chose, puisque tu aimes que je te dévoile mes petits secrets. Il n'y a de cela pas très longtemps, une fille est venue sonner à ma porte, le soir, vers onze heures. Elle affirmait avoir suivi un de mes cours.

CAROLINE
(*accusatrice*)
Parce que tu lui avais donné ton adresse ?

ANTHONY
Qu'est-ce que tu vas croire ? Je ne me souvenais même pas de l'avoir vue dans mes classes ! Bref, je ne sais pas comment elle a pu me retracer, mais elle était là devant moi et elle voulait que je la reçoive. Selon toi, si j'avais eu la faiblesse de mes collègues, crois-tu que j'aurais refusé d'en profiter ?

CAROLINE
Qu'est-ce que tu as fait, alors ?

ANTHONY
Je l'ai remerciée d'avoir pris la peine de venir me saluer. Puis j'ai refermé la porte. Quoi d'autre ? Ai-je la tête d'un type qui aime les complications ?

CAROLINE
(*se lève, attrape un jean sur une chaise et l'enfile*)
Bizarre que tu ne m'aies jamais raconté ça. Pourquoi ?

ANTHONY
(*perdant sa contenance*)
Mais c'est justement ce que je viens de faire ! Et toi, pourquoi tu te rhabilles ? Qu'est-ce qui te prend ? Nous étions si bien, là, ENSEMBLE. Tu n'as même pas fini tes mots croisés !

CAROLINE

*(la tête émergeant de son pull en laine jaune, avec de la rancune dans les yeux)*

J'ai besoin de bouger. À défaut de pouvoir prendre des vacances, tu m'accompagneras peut-être à l'épicerie. Ça me donnerait l'illusion qu'on forme un couple normal. Et comme je suis une femme raisonnable, je pourrai me contenter de quelques pas dans la rue.

ANTHONY

*(retirant son slip Calvin Klein de sous le lit)*

Que tu as la mémoire courte ! Que faisions-nous à Beverly Hills en juin 2009 ? Ce n'étaient pas des vacances, ça ? Parmi toutes les femmes de mauvaise foi que je connais, tu es la plus tenace et la plus irrésistible. Je ne peux rien te refuser. Je t'accompagne donc avec plaisir pour faire les courses. Un bol d'air ne nous fera pas de tort. Tu m'aides à trouver mon chandail ?

CAROLINE

*(du corridor menant au salon, avec une voix déjà lointaine et insidieuse)*

Tu l'as peut-être égaré… chez l'une de tes maîtresses.

ANTHONY

*(dans un grand éclat de rire qui résonne sous les hauts plafonds de l'appartement, il se dirige vers elle, les bras ouverts)*

La plus drôle aussi ! Je t'adore ! Viens que je te dise quelque chose. Allez… ne te fais pas prier. C'est une surprise. Je voulais te l'annoncer à Noël, mais j'ai envie de le faire tout de suite. Pourquoi pas ? Viens là. Mets ta tête sur ma poitrine. Ne bouge pas. Écoute… Tu es prête ? Bon… Eh bien, voilà : j'ai réservé deux billets pour Paris. Une longue semaine pour nous seuls. À la fin juin, juste avant ton départ pour l'Abitibi.

CAROLINE
(*incrédule, puis mielleuse*)
Espèce de cachottier ! J'aurais dû me douter de tes manigances. Tu es infernal ! Mais tu n'es pas un mauvais diable, après tout. Peut-être même le plus gentil des salauds.

ANTHONY
(*passe la main sur son front*)
Tu t'énerves pour rien à voir le mal là où il n'y a que pur plaisir. Tout serait plus simple si tu pouvais t'en remettre à moi. J'aurais dû te faire signer un pacte quand nous nous sommes rencontrés. Tu te souviens de ça, j'espère.

CAROLINE
(*se dégageant de son étreinte pour marcher vers une des fenêtres du salon, rayonnante sur le fond de la grisaille du dehors*)
Comment pourrais-je l'oublier ? Tu me mènes par le bout du nez depuis ce temps-là ! Mais excuse-moi pour tout à l'heure. J'ai été insupportable. Ça n'arrivera plus. Du moins, pas jusqu'à la prochaine fois. C'est promis.

# Cahiers de George

Il ne faut pas sous-estimer les ruses du hasard. Même le dimanche, quand tous se reposent de leurs habitudes en s'adonnant à d'autres habitudes, il trouve encore matière à nous étonner. Tout a commencé par le divorce du chef cuisinier des fins de semaine. Si les conséquences de son penchant pour les filles étaient prévisibles, le diagnostic de dépression qui s'ensuivit le fut moins pour le patron du resto, qui m'a téléphoné ce matin. Il voulait sa table d'hôte pour les trente réservations du soir, prêt à vendre sa mère pour que je le sorte du pétrin. J'ai donc accepté le remplacement à pied levé, non sans avoir bénéficié d'un net avantage pour négocier une prime.

En m'habillant en vitesse, je me suis amusé à penser que j'étais le battement d'ailes d'un papillon qui avait été provoqué par la tornade conjugale de mon compagnon de travail. Dans cette conjoncture inédite, où j'avais un rôle capital à jouer, je me suis aussi dit qu'il fallait être attentif au moindre détail qui pourrait influer sur la suite des événements. J'avais encore en tête un article du *Courrier international*. Plusieurs passages étaient durs à comprendre. Je les avais recopiés pour pouvoir mieux les méditer. Je conserve dans ce cahier le Post-it d'un de ceux que j'ai dû lire et relire pour arriver à en décoder le message.

il est à la
fois malaisé
et <u>dangereux</u> de
repousser les <u>risques</u> non décelés
dans les queues de distribution
de probabilités et de laisser ces risques
d'<u>événements extrêmes</u>,
à fort impact et faible
probabilité, disparaître
du champ d'observation

Les mots que j'ai soulignés, *dangereux, risques, événements extrêmes,* laissent croire qu'il s'agit d'un avertissement. L'auteur ne veut pas seulement dire que tout ce qui est observé, même l'anodin de l'anodin, a un impact sur ce qui nous arrive. Il cherche à attirer notre attention sur le fait que la moindre banalité peut être un facteur de danger, que chaque détail contient les germes d'une catastrophe.

C'est ce que j'avais à l'esprit alors que je m'apprêtais à sauter dans l'inconnu de cette journée. Je me suis surpris à être fébrile, car j'étais curieux de ce que je pourrais observer pendant ma pause-cigarette dans les conditions encore inexpérimentées d'un dimanche. Et je n'ai pas été déçu, malgré la pluie qui tombait.

Dans le stationnement, il n'y avait qu'un chat noir, tout ébouriffé. De sous le toit du balcon où il s'était abrité, il m'observait en train d'observer, perplexe. Il ne savait pas que mon imperméable vert est à toute épreuve. J'y suis demeuré au sec même si c'était la flotte dans mes espadrilles. Nous étions donc deux à nous trouver dehors. Dans la rue, des gens entraient dans le café ou l'épicerie et en sortaient. Mais les visages se cachaient sous des parapluies. Pas de visages, pas de vie qui vaille, on dirait. Sans eux, il n'y a pas d'histoires possibles.

Assis sur mon bloc de béton, j'ai fumé une première cigarette sans que rien ne se passe. J'ai ensuite vu une tache jaune avancer et j'ai su que ce détail-là aurait de l'importance. Le jaune était celui d'un chandail de femme sous un parapluie rouge à pois blancs. Cette silhouette me procurait une sensation agréable. Elle est demeurée pressée contre une veste d'homme un long moment sur le trottoir. Puis elle s'est échappée de sous le parapluie pour ouvrir la porte de l'épicerie, me laissant entrevoir ses traits dans l'intervalle. Au bout du chandail jaune, il y avait l'inespéré et l'inattendu : le visage de mon bonheur perdu.

Caroline était arrivée au bras de l'élégance même. Tombant sur sa veste, un foulard beige relevait les teintes claires d'un tweed gris. Aisance et facilité. Ces mots décrivent parfaitement l'aspect général de l'homme, soucieux des apparences. Le hasard avait mis cet individu sur mon chemin, quoique j'aie trouvé jusque-là moyen de l'éviter, au plus grand désenchantement de Caroline. J'en étais tout abasourdi. Ce que je n'avais pas voulu voir s'imposait à mes yeux à l'avant-plan de la réalité, comme un incontournable de mon existence. Mais lui ne savait pas qu'il était visible.

Une fois Caroline à l'intérieur de l'épicerie, il s'est glissé sous la corniche, puis a fermé le parapluie en faisant une grimace au ciel, le cou rentré dans les épaules. Il a fourré une main dans la poche de son pantalon dont la jambe tombait sur une de ces bottes aux bouts pointus à la mode chez les jeunes. De l'autre, il tenait un cellulaire collé à son oreille. Une urgence, puisqu'il avait laissé Caroline faire les courses seule. Une contrariété aussi, à en juger par le pli qui lui barrait le front et qui lui donnait l'air menaçant d'un masque de guerrier africain. Le menton volontaire, la bouche crispée, il semblait exprimer un désaccord, résister à quelque chose que son interlocuteur (ou interlocutrice?) cherchait à lui imposer. Libérée de la poche, sa main s'agitait en signe d'exaspération. Ce qui m'amène à faire une première observation : l'homme est nerveux et peut faire preuve d'hostilité.

Les bras chargés de victuailles, Caroline a posé le pied sur le seuil de la porte qu'il n'avait pas lâchée des yeux pendant les dix minutes de son absence. Au même moment, il a refermé le boîtier du cellulaire, qu'il a fait disparaître. Tout sourire, il l'a accueillie près de lui sous la corniche, comme si de rien n'était. Deuxième observation : l'homme n'est pas clair malgré sa petite gueule de monsieur bien. Cette dernière remarque manque peut-être d'objectivité dans sa formulation. Je l'assume. La transcription des événements comporte une part d'affects impossible à neutraliser dans ce cas particulier. Car je ressens encore le point au cœur que m'a donné la vue de Caroline penchée sur lui pour l'embrasser.

Elle a ensuite sorti de son sac à provisions une courge spaghetti qu'elle lui a mise sous le nez et qu'il a repoussée avec dédain. Comme en lui disant qu'il s'en excusait mais que le souper qu'elle lui proposait n'était pas pour lui. Les yeux de Caroline se sont agrandis. Elle a reculé d'un pas, en échappant la courge qui a éclaté au sol. Tout son corps exigeait quelque chose que l'autre lui niait en bougeant la tête de gauche à droite. Ils étaient manifestement dans un cul-de-sac émotionnel. Les paroles de Caroline glissaient sur l'entêtement de son amant à lui opposer ce qu'on eût dit une volonté de partir, car il jetait des coups d'œil furtifs à sa montre.

Caroline lui a tourné le dos pour contenir ses pleurs dans le mouchoir qu'il lui avait tendu. On ne devait pas s'attendre à moins de la perfection. Galanterie oblige. Mais il ne cachait pas sa gêne en regardant autour de lui pour s'assurer que personne n'était témoin de la scène. Troisième observation : l'homme est plus préoccupé par le regard d'autrui que par ce qui lui arrive. Il peut aussi faire preuve d'un détachement peu commun. Car j'ai noté que la peine de Caroline semblait provoquer chez lui de la lassitude. En lui parlant, il avait même l'air ennuyé d'un fonctionnaire contraint à faire des heures supplémentaires.

Avec ostentation, il a de nouveau vérifié sa montre

153

et, dans un enchaînement de gestes mécaniques, il s'est rapproché d'elle pour lui donner un baiser sur le front. Puis il s'est éloigné avec le parapluie, non sans avoir au préalable récupéré son mouchoir. Caroline a bien tenté de faire quelques pas pour le rattraper. La pluie l'en a découragée. Elle est restée plantée là, sous la corniche. Rien ne m'interdisait de faire semblant de passer par là. De m'arrêter devant elle et de m'exclamer en levant les bras : « Quelle coïncidence ! » Mais j'avais une table d'hôte à préparer.

Une dernière observation s'impose : l'homme a un double visage. Quant à savoir quel sera l'impact de cette donnée pour le moins inquiétante sur la vie de Caroline, là est le cœur de l'énigme.

7 novembre 2010

## Milieu d'une énième visite. 16 novembre 2010

C'est comme vous dites. Troublée… Je ne pensais pas que ça pouvait se voir. Inquiétant… Je suis devenue asynchrone. Depuis mon retour, je n'arrive pas à être flush avec le présent. Et ça me fait mal jusque dans le corps. Au ventre. Un déchirement continu. C'est parce que je me dédouble. Une partie de moi est restée là-bas, à essayer de comprendre. L'autre est revenue, comblée. Les deux se disputent la première place. Cette guerre-là m'épuise. Même quand je dors… Assiégée, oui. Jour et nuit. C'est ça… en crise. C'est gentil à vous de m'avoir prise sans rendez-vous. Une urgence, je ne peux pas le nier. On dirait que les choses m'échappent, et ça me fait paniquer. Chez lui, j'allais bien. Du moins à la fin. Il ne voulait plus me laisser partir. En attendant le taxi, nous avons refait l'amour. Dans le corridor. J'avais la tête sur ma valise. Il allait si profond en moi. C'était à croire qu'il n'en reviendrait pas. Quand j'y pense, je retrouve la même sensation de plénitude. La même certitude d'être au bon endroit au bon moment. D'avoir réussi à dénouer mon destin dans le sien. J'ai de la chance, vous savez. C'est ce que je me disais dans le vol du retour. Mais le malaise m'a prise à l'aéroport de Miami. Pendant l'atterrissage. Plus on descendait, plus le mal montait, comme un rappel de mon arrivée à Toronto, cinq jours plus tôt. Je revenais d'un colloque à Bruxelles. Dans la grisaille pendant toute la semaine. Retrouver mon chez-moi. Le soleil et la mer. Je ne pensais qu'à ça. Quand tout à coup, l'impondérable qui surgit. Pas question de faire escale à Montréal. Une alerte à la bombe, que j'ai su plus tard. L'aéroport, en état d'alerte. Bref, l'avion a été redirigé sur Toronto. C'est le ciel qui avait décidé de notre rencontre. Je n'avais plus qu'à me terrer quelques jours chez Anthony. Me déclarer malade au travail. Parce qu'on ne peut pas aller à l'encontre des astres. Et que j'étais soulagée de m'en remettre enfin à une raison supérieure à la mienne. Je lui annonçais mentalement la bonne nouvelle. « Ferme les yeux. Ne bouge pas… Ouvre maintenant… Non, tu ne rêves pas… Je suis là… » J'étais tout près du bonheur. Mais il y avait aussi la pluie qui rendait tout triste. Et je ne pouvais pas m'empêcher de penser à cette pluie comme à un mauvais présage. À la joie qui ne va pas sans son contraire. Je crois que le malaise a germé là, dans ma tête. Avant même que la réalité ne confirme le présage. Rien que d'en parler, ça m'empêche de respirer. Ça vous dérange si je vous tourne le dos ? Ce serait plus facile. Sinon, je m'embrouille. Alors… une fois sur le tarmac, je compose le numéro d'Anthony. Pas de réponse. Dix minutes plus tard, c'est lui qui me rappelle pendant que j'attends mes bagages. Avec une voix que je ne lui connais pas. L'inflexion en fading. Une voix pas claire, tout en méandres. Mais qu'y a-t-il ? Quelque chose de grave ? La voix coupe court à mes questions. Tranchante. Ce n'était pas prévu. Impossible d'aller me chercher à l'aéroport. En réunion avec des collègues. À Toronto. Oui… un dimanche. Pas question que j'aille le rejoindre là où il est. Pas prévu, ça non plus. Il a l'air contrarié. Et il répète que tout ça n'était pas prévu. C'est la seule chose qu'il trouve à me dire… Je… Excusez-moi… Je ne suis pas sûre de pouvoir continuer… Une prochaine fois, peut-être… Quand ça commence à pleurer, ça n'arrête pas… Je… Vous avez un kleenex? Désolée… C'est plus fort que moi… Bon, d'accord… Ce n'est pas grave… Vaut mieux que je m'habitue. Ça peut m'arriver n'importe quand. N'importe où. Suffit que je pense à lui… D'accord… Je poursuis quand même… Deux heures plus tard, le taxi me dépose à son adresse. Anthony m'ouvre la porte, cordial. Mais il n'est pas encore revenu de là où il était. Ses manières s'adressent à une étrangère. Au mieux, à une amie qu'on dirait lointaine. Sa bouche ne me parle pas. S'en échappent des phrases toutes faites. Je les reçois l'une après l'autre comme des gifles, figée dans l'entrée de l'appartement. Cet homme n'est plus le même. Ses bras ne s'ouvrent pas. Ses yeux ne me voient pas quand je cherche un réconfort en m'avançant vers lui. Son corps, une ombre qui fuit. Il s'excuse de devoir s'absenter de nouveau pour faire les courses. Et je suis laissée là, chez lui, avec le sentiment de ne pas être la bienvenue… Ce qui me faisait croire ça? Son extrême gentillesse. Une froideur derrière chaque geste. Heureusement, ça n'a pas duré. Au moment de se mettre au lit, il est redevenu celui d'avant. Ou je me suis mise à le percevoir comme avant. Peu importe. Ce retour à la normale ne s'est pas fait tout seul. Il a d'abord fallu en venir à l'affrontement. Il m'était déjà arrivé de penser qu'Anthony avait quelqu'un d'autre dans sa vie. Vous vous souvenez? Nous en avons déjà discuté. Eh bien, ce soir-là, c'était devenu une certitude. Au point de me risquer à crever l'abcès. Lui, d'habitude si posé, en parfaite maîtrise de lui-même. Jamais un mot plus haut que l'autre. Sa colère ne tarissait pas. Je ne peux pas tout vous répéter. Disons seulement qu'il préférait mettre un terme à notre relation plutôt que de ne plus pouvoir miser sur la confiance qu'il y avait entre nous. La jalousie, il ne supportait pas. Il avait déjà donné. Une amante de jeunesse, à l'affût de la moindre de ses erreurs. Avec les griffes toutes sorties, prête à bondir dans la querelle. Il parlait, il parlait et il parlait. Comme il ne l'avait jamais fait. De ce passé qui lui avait appris à se méfier des femmes. Échaudé, il avait pourtant fini par s'abandonner à l'amour que j'étais en train de trahir. Comment pouvais-je lui faire une chose pareille? Ne me restait plus qu'à faire mes excuses. Mais mon histoire ne s'arrête pas là. Et vous allez maintenant comprendre pourquoi je vous la raconte même si elle doit mortellement vous ennuyer. Comment faites-vous? Moi, je ne pourrais pas. Écouter des histoires de cœur toute la journée, de quoi vous dégoûter de l'homme. Ne me dites pas le contraire. Attendez… Je me retourne pour continuer. Je préfère vous faire face pour voir votre réaction. Bon… Je reprends où? Ah oui… Je le prenais pour qui? Un coureur de jupons? À son âge, il n'y voyait pas d'intérêt. À preuve: toutes les avances qu'il devait repousser. Les

poètes sont très demandés, vous savez. Une de ses étudiantes l'aurait même poursuivi jusque chez lui pour
sonner à sa porte un soir, tard. Vers onze heures. Et c'est
là que la chose prend un tour singulier. J'ai d'abord
trouvé curieux qu'Anthony insiste tant sur un événement qu'il m'avait caché en donnant une profusion de
détails. Il demeure en général plutôt vague sur ce qui lui
arrive, comme si les lieux et les gens qu'il rencontre
avaient une importance relative, et qu'il était superficiel
de s'y attarder. Cette fois-là, par contre, il m'a rapporté
presque mot pour mot sa conversation avec l'étudiante
qu'il avait dû congédier. Il me semblait qu'il lui était capital de me faire comprendre que cette fille n'avait pas
passé le seuil de sa porte. Pourquoi ? On pourrait attri-
buer sa subite volubilité à l'état d'énervement dans
lequel je l'avais mis. Ce qui cloche n'est pas là. C'est seulement dans le vol en direction de Miami que la chose
m'est apparue suspecte. Anthony a bien précisé qu'il
avait été harcelé par cette étudiante à la fin du mois de
septembre. Mais je me suis rappelé qu'il était alors en
visite chez les siens. À Fort-de-France. J'ai cessé de regarder la mousse des nuages dans le hublot pour feuilleter
mon agenda. J'avais prévu lui rendre visite pendant cette
période. Ce que j'avais noté à la date prévue et biffé par
la suite. Mon voyage avait été empêché par son départ
précipité. Une tante très malade. C'est après avoir fait
cette vérification dans mon agenda que le malaise a
commencé. Au moment même où l'avion amorçait
sa descente sur Miami, comme je vous le disais tout à
l'heure. J'ai senti une crampe au ventre qui ne m'a pas

lâchée depuis, malgré les analgésiques. Oui… Je suivrai votre conseil. J'irai voir un médecin. Mais j'ai bien peur qu'il ne puisse rien faire pour moi. Anthony pense qu'il s'est trompé. Il aurait dit « septembre » au lieu de « novembre ». Comme de raison, ce ne serait pas la première fois qu'il confond les dates. Il n'a aucune notion du temps. Mon intuition ? Elle me dit que seule une réponse DÉ-FI-NI-TI-VE à la question que je me pose sans cesse pourrait m'enlever ce mal. Qu'est-ce qu'il y a qui ne tourne pas rond dans cette histoire ?

## Une petite rougeur,
## entre autres choses intéressantes

Au moment où les portes allaient se refermer, son beau visage lui sourit. Elle avait accéléré le pas pour se glisser à l'intérieur de l'ascenseur à sa suite. Haletante, elle remonta une mèche noire qui lui chatouillait le front. Sur le sac qui pesait sur son épaule, le logo de l'Hôpital général de Hamilton. Wallerstein se dit qu'il devait s'agir de l'infirmière dont Morales lui avait parlé. Il fit une croix mentale sur le troisième étage où il avait eu l'intention de se rendre. Elle venait d'appuyer sur le bouton du deuxième, et son instinct lui commanda de profiter du hasard qui lui avait envoyé cette charmante entrée en matière.

Son trench était ouvert sur une jupe de collégienne qui lui battait les cuisses au-dessus des genoux. De quoi envier la douleur des malades. Il s'étonna de cette pensée impromptue, car il y avait longtemps que le désir ne l'inquiétait plus. Le stress du métier, sans doute. Un dommage collatéral, avait-il expliqué à sa femme qui ne savait plus comment s'y prendre pour lui faire oublier les détails sordides du sexe qu'il consignait tous les jours. Les hommes commettaient des bassesses pour obtenir cette chose-là ! Il en était resté avec un sentiment nauséeux, le même qui avait accompagné sa première émission de sperme.

Il avait neuf ans. De cela, il s'en souvenait. Du pantalon vite remonté aussi. Et de la petite croix qui scintillait au-dessus de lui. Quant aux circonstances entourant l'événement, il n'arrivait pas à en reconstruire la moindre parcelle. L'odeur, elle, lui revenait. Surtout au moment de se pencher sur le cadavre des victimes. Il éprouvait alors un malaise qu'il savait lié à une aversion pour tout ce qui pouvait rappeler la blancheur grisâtre du liquide séminal. La peau des morts avait cette teinte-là.

Cette fois, c'était différent. Il n'y avait aucun motif valable au haut-le-cœur qui le fit chanceler et trouver un appui avec sa main droite sur le mur du corridor. L'infirmière à laquelle il avait emboîté le pas se retourna et constata son trouble. Elle se disposait à lui prêter assistance quand il laissa échapper le badge qu'il avait sorti de la poche de son veston. Après l'avoir ramassé à ses pieds, elle l'examina, stoïque, et le lui remit avec une raideur dans le geste qui lui signifiait le retrait viscéral de l'empathie dont elle venait de faire preuve à son égard.

Pareil refroidissement n'était pas inhabituel pour Wallerstein. Tout le défi était là, dans l'art de rétablir le climat propice à la confidence. Sur ces entrefaites, une porte s'ouvrit, encadrant le visage d'une vieille dame qui interpella l'infirmière. Hélène. C'était son nom. Profitant de la coïncidence, il mit en application une technique d'approche infaillible. Les épaules courbées, il fit mine d'avoir une douleur au ventre. Il leva ensuite vers la vieille dame un regard piteux qui lui disait « Je pourrais être votre fils ». La corde du sentiment maternel était facile à faire vibrer. S'ensuivit une série d'actions qui, tel un mécanisme bien rodé, le mena dans la cuisine où on le pria de s'asseoir à table pour faire passer le mal.

Un foulard noué en turban sur la tête de la dame trahissait la violence de la chimiothérapie sur un corps frêle. Malgré l'état de faiblesse dans lequel la maintenait la maladie, ses mouvements gardaient la précision du rituel alors qu'elle lui préparait un thé qui allait lui faire du bien. C'est du moins ce qu'elle lui assurait. L'inspecteur l'en remercia. Il allait déjà mieux et s'excusait de s'être imposé d'une pareille façon. Mais maintenant qu'il était là, il voulait leur montrer quelque chose.

Wallerstein jeta devant lui la photo de Cindy, comme on met cartes sur table. Il la poussa ensuite du doigt vers Hélène, qui s'en empara en silence. Puis, en réponse aux interrogations qui fusaient du noir de ses yeux, il s'exécuta avec un sérieux qui, il n'en doutait pas, allait faire autorité.

— Cette jeune personne a été vue pour la dernière fois à la porte de cet immeuble. Depuis, ses parents sont sans nouvelles. Ma présence ici a comme objectif de leur redonner une raison de croire aux chances de la retrouver. Vous comprenez? J'ose donc espérer que vous n'hésiterez pas à me faire part de vos observations. Comme vous le savez, le moindre détail peut être déterminant dans le cours de l'enquête.

Ses propos eurent l'effet escompté. Le beau visage

d'Hélène s'imprégna d'une compassion mêlée de respect. Wallerstein menait la partie. Elles n'avaient ni l'une ni l'autre reconnu la fille, mais elles étaient fin disposées à collaborer. Des francophones comme la disparue, à en juger par leur accent. Elles ne pouvaient qu'être solidaires de sa cause.

Sur la liste des locataires, Wallerstein avait souligné les noms des hommes dont il ferait ses principaux suspects, parce qu'il lui fallait bien commencer quelque part. L'expérience lui avait appris qu'il était inutile d'arraisonner qui que ce soit sans avoir sondé la rumeur. Suffisait ensuite de manier l'allusion pour laisser entendre aux individus interrogés qu'on en sait plus à leur sujet qu'on veut le montrer. Le degré de paranoïa provoqué était en général proportionnel à leur sentiment de culpabilité. Rien toutefois qui permette de tirer des conclusions, la méthode n'étant pas approuvée par ses supérieurs. Mais on n'obtenait rien sans sortir des sentiers battus. Et le bavardage donnait des munitions. Il y avait toujours quelqu'un prêt à se mêler de la vie des autres pour lui livrer de précieuses informations. On avait tort de lever le nez sur le potin qui, même faux, masque souvent quelques vérités bonnes à découvrir.

Des étudiants, la vieille dame ne pouvait rien affirmer, parce qu'elle n'y prêtait plus attention. Depuis quinze ans qu'elle résidait dans l'immeuble, plusieurs avaient emménagé puis déménagé, laissant la place à d'autres, d'éternels nouveaux qui ne prenaient plus la peine de dire bonjour. À l'exception d'un jeune franco. Un Maghrébin, croyait-elle.

— Serviable. Toujours prêt à porter mes sacs, précisa-t-elle en déposant la tasse de thé sur la table. Vous prendrez bien un biscuit?

— Volontiers, répondit l'inspecteur, tout à son aise. L'étudiant… Ce ne serait pas un dénommé Abdellaoui?

— Pas la moindre idée. Du chinois, ces noms arabes! Et il y a des mois que je ne sors plus de chez moi. Est-il encore locataire? Je ne sais pas. Avec tous ces étrangers qui vont et qui viennent. Plus grand monde qui se connaît de nos jours!

— Vous avez bien raison. Mais sans vouloir abuser, j'aimerais vous poser une autre question. Y a-t-il quelqu'un, dans cet édifice, qui vous a paru avoir un comportement bizarre?

— Non. J'ai peur de ne pas pouvoir vous être utile. Il y a bien cet homme du troisième. M. Taylor. Si gentil lorsqu'il est arrivé il y a trois ans, avec sa femme et ses deux petits. Son dernier venait à peine d'apprendre à marcher quand il s'est retrouvé seul. Pas très avenant, dès le début. Puis il s'est mis à me traiter de vieille folle un jour que je l'ai croisé dans le hall d'entrée. Allez savoir pourquoi! Il m'a crié de ne pas le regarder comme ça. Comment? Je ne sais pas. Je le regardais pourtant normalement. Puis sa femme est partie. Il la battait. Je peux vous l'assurer. Cet homme est un monstre.

— Nos services n'ont reçu aucun appel qui pourrait nous le confirmer. Comment vous en êtes-vous aperçue?

— Entre femmes, ces choses-là se savent. Elle n'en

165

menait pas large, M^me Taylor, quand je lui ai demandé ce qui lui était arrivé à l'œil. Elle était tombée, apparemment. Sur le coin d'une chaise. Mais c'est à voir la façon dont elle a baissé la tête en me répondant que j'ai compris. Un monstre, je vous dis. Pas étonnant qu'il se promène maintenant avec un berger allemand. Qui s'assemble se ressemble.

— Soyons direct : vous croyez qu'il aurait pu s'en prendre à une jeune fille ?

— Je n'ai jamais dit une chose pareille. C'était seulement pour répondre à votre question. Voyez-vous, notre concierge, M. Morales, veille à choisir des gens bien. On peut lui faire confiance. Mais ce Taylor a quelque chose de tordu qui lui aura échappé. C'est tout ce que j'ai voulu dire.

La belle Hélène se contenta d'acquiescer quand il fut question de se prononcer sur la honte comme symptôme de la femme battue, laissant la parole à sa patiente qui reprenait de la vigueur. La conversation semblait avoir des vertus thérapeutiques, au même titre que les biscuits à la canneberge et le thé vert dont Wallerstein prit une lampée. Il remercia son hôtesse du réconfort qu'il y trouvait, ce qui acheva de lui délier la langue.

Elle se félicitait d'avoir échappé au mariage. On ne savait jamais quand les hommes pouvaient devenir des monstres. C'était une réalité courante, dont on parlait même à la télévision. Avec un raclement de gorge, l'inspecteur crut bon de modérer le blâme contre son sexe.

— Vous en épargnerez bien quelques-uns… Que faites-vous du dalaï-lama, par exemple ?

— Je vous le concède. Il y a des hommes d'exception. Prenez mon voisin d'en face. Un être civilisé, celui-là, qui rachète à lui seul les brutes de son espèce. Avec tout le respect que je vous dois…

— Et il s'appelle comment, ce monsieur?

— D^r Wiltor. Un étranger, mais stable. Nous nous connaissons depuis une dizaine d'années. Très attentionné. C'est lui qui s'occupe de descendre mes ordures au sous-sol. Chaque semaine, quand il n'est pas en voyage. Pouvez-vous croire? Un homme qui parle bien. Un lettré. Et qui sait faire preuve de délicatesse. N'est-ce pas, Hélène?

Plutôt que de répondre, l'infirmière fit disparaître ses mains sous la table et baissa la tête. Sur ses joues, une rougeur singulière la rendait encore plus belle. Et Wallerstein crut y déceler le soupçon de honte nécessaire pour conclure au pouvoir de séduction de celui auquel il ne put s'empêcher de s'intéresser comme on jauge un rival.

En ne la quittant pas des yeux, il continua à s'adresser à la vieille dame qui se levait pour remettre l'eau à bouillir. Était-il marié? Elle fit signe que non.

— Vous ne lui connaissez donc pas de liaison? insista-t-il avec un malin plaisir en notant le tressaillement des narines de l'infirmière.

— Si vous y tenez… Après tout, il n'y a pas de mal à raconter ça. Eh bien, je crois qu'il a une petite amie… Je ne pourrais pas l'affirmer à cent pour cent, mais l'autre jour il m'a présenté une femme qui ne l'accompagnait pas pour la première fois. Elle venait des États-Unis. Plus jeune. Élégante comme lui. Ils m'ont semblé faire une belle paire, si vous voyez ce que je veux dire…

— Il ne vous a pas précisé qu'elle était son amante ?

— Pas le genre du D$^r$ Wiltor d'exprimer les choses de façon – comment dire ? – si… vulgaire. En homme distingué, il ne parle pas de sa vie privée.

— Tout de même…

— La discrétion avant tout. C'est ce qui est appréciable de nos jours.

Sur ce, la belle Hélène se leva pour s'éclipser dans le couloir menant à la salle de bain. Une envie trop subite pour ne pas paraître suspecte à Wallerstein. Mais il jugea qu'il en savait suffisamment pour se retirer. Non, il ne prendrait pas d'autre thé. Il se sentait beaucoup mieux. Oui, il repasserait pour la tenir au courant.

Lentement, il se dirigea vers l'ascenseur pour revenir sur ses pas après que la vieille dame eut refermé la porte derrière elle. La curiosité lui imposait une petite visite à ce Wiltor. À la hauteur du numéro 7, il appuya sur le bouton de la sonnette. Puis une deuxième et une troisième fois. Au moment où il repartait bredouille, une voisine à la grosse poitrine lui jeta un œil glauque avant de déposer ses sacs d'épicerie au pied de la porte jouxtant celle de l'absent. Il n'allait pas laisser passer cette autre occasion d'aller à la pêche.

— Dites, madame, vous savez si votre voisin est parti pour longtemps ?

— Mais pourquoi je le saurais ?

— Parce que vous le connaissez peut-être.

— Sachez que je n'ai rien à voir avec ce genre d'homme.

— Que voulez-vous dire ?

— Je ne veux rien dire du tout !

— Mais oui, vous avez parlé d'un genre d'homme en particulier…

— Je me mêle de mes affaires, moi, monsieur.

— Toutes mes excuses, madame. Et sa femme ? Vous savez quand elle rentrera ?

— Encore faudrait-il savoir de quelle femme vous voulez parler.

— Vous voulez dire qu'il en a plusieurs ?

— Mais pourquoi voulez-vous à tout prix me faire dire des choses ?

Elle avait les yeux exorbités, la bouche et le teint du poisson rouge, une croupe de cheval dans un pantalon moulant de jeune fille, sans compter le timbre aigu de la perruche effarouchée qui faisait déjà regretter à Wallerstein d'avoir fait pareille prise.

Tandis que certains étaient payés à ne rien faire dans les universités, d'autres s'échinaient pour joindre les deux bouts. Son mari travaillait à la poste. Un bon travail. Mais le gouvernement se croyait tout permis. Coupures sur coupures. Elle avait pourtant voté pour Harper… Comment pouvait-il leur faire ça ? Il aurait dû commencer par s'attaquer aux véritables problèmes. Avec tous ces étrangers qui profitent du système, comment voulez-vous que les gens honnêtes s'en sortent ?

L'inspecteur opta pour le retrait stratégique. Il la fixa du regard tout en adoptant la démarche du crabe le long du corridor qui le mena jusqu'à l'ascenseur. C'est ainsi qu'il échappa au flot de récriminations dont le débit s'accéléra. Exit pour un autre étage. Derrière les lourdes portes métalliques, il se dit qu'il repasserait.

# Le bonheur se cache dans les restes

George chercha de nouveau à s'emparer de la main de Caroline, qui lui échappa, effleurant l'Arborite avec son revers, pour se refermer sur le gobelet de thé qu'elle fit disparaître en son creux. Tout est tellement fragile, pensa-t-elle, en même temps que ses doigts s'y réchauffèrent. On n'est jamais assez protégé contre les amis qui nous veulent du bien.

Elle aurait dû se douter que George finirait par la prendre au piège. C'était sa manie de jouer avec les incertitudes. Parce qu'on n'a pas le droit à l'erreur, lui aurait-il sûrement expliqué. Une façon bien à lui de régler ses comptes avec les injustices de la vie. Et de taquiner la naïveté qui, chez elle, l'avait pourtant charmé à une époque où il croyait encore en quelque chose. Pas méchant, George. Sans avoir voulu la prendre pour cible, il avait tout de même fait mouche. Bien avant elle, il avait vu la tromperie. Sa honte.

Parmi les clients repus, Caroline se sentait obscène dans sa robe jaune. Si l'homme qui était assis à ses côtés au bar avait cherché jusque-là à lui signifier son intérêt tout en donnant la réplique à sa compagne, il ouvrait cette fois sur elle un œil choqué par sa déconfiture. En portant le gobelet à ses lèvres, elle venait d'échapper du thé. Les marguerites blanches de son corsage étaient perdues, flétries par les taches verdâtres qui s'incrustèrent dans le tissu.

George n'en était pas à une catastrophe près. Il épongea les dégâts du mieux qu'il put.

— Que ton Anthony soit mêlé à des affaires peu claires et qu'il les règle dans ton dos n'implique pas *nécessairement* qu'il te soit infidèle… Ça peut seulement vouloir dire qu'il n'est peut-être pas aussi parfait qu'il en a l'air. Allez, détends-toi… Occupe-toi plutôt des restes de ce … kashi… machin… C'est quoi, le nom de ton dessert ?

— Ka-shi-wa-mo-chi. Je ne sais pas pourquoi, mais on dirait que la pâte a pris un goût amer, fit-elle en poussant son assiette vers George qui n'y prêta d'abord pas attention, distrait par la bouchée de bananes au lait de coco qui lui brûlait la langue.

— Hum… Chaud ! Attends que je prenne un peu d'eau… Pas de chance. L'amour est nul. Retour à la case départ ! Mais on joue à quoi, là ? Écoute… Tu ne vas quand même pas en faire un drame ! Puisque vous allez vous marier… Le mieux est que tu l'appelles ce soir pour lui faire part de notre conversation et…

— Un salaud. TOUS des salauds, coupa Caroline en dévisageant l'homme, qui fit dévier son regard vers le décolleté de sa légitime.

— Nous y revoilà ! Mais comment peux-tu dire des âneries pareilles ! Et l'autre type, là-bas, qu'est-ce que tu crois qu'il doit penser ? Une belle salope, celle-là, qui me trouble avec le galbe de ses jambes tout en faisant semblant de rien face à son copain. Parce que tu crois que je ne vous vois pas aller tous les deux depuis qu'on est ici ?

— …

— Tu ne peux pas t'empêcher, Caro. On dirait que c'est vital, chez toi, ce besoin de cruiser. T'est-il déjà arrivé de sortir sans avoir à l'idée de séduire quelqu'un ?

Elle leva ses grands yeux sur lui, doublement prise au piège. Et l'esprit de George se perdit alors dans leur bleu où l'eau formait une grande étendue qui le ravissait. Il n'y avait aucune vague à l'horizon. Que la confiance retrouvée de la mer en accalmie. Car Caroline s'abandonnait enfin à son raisonnement à lui.

George avait vu juste. L'idée qu'aucun homme ne puisse un jour la remarquer dans un resto lui était insupportable. Séduire ou ne pas séduire. Là n'était pas la question. Parce qu'il n'y avait rien à peser dans la balance. Le problème était plutôt de continuer à séduire pour pouvoir encore être en mesure de se poser des questions ensuite. Sinon, c'était la mort dans l'invisibilité. Pas pour rien que les femmes finissent par teindre leurs cheveux rouge raisin ou orange fauve. Pour figurer au tableau en persistant dans cette tache de couleur. Rester visible ou disparaître de l'ordre des choses, voilà quelle était la véritable alternative donnée au corps.

Séduire n'avait pas d'autres fins que de réaffirmer un droit à la vie qui s'effile plus le temps file. C'est pourquoi Caroline s'accrochait aux apparences, comme pour subsister en elles. Car le chaos avait toujours été là, dormant dans chaque cellule. Bercé au rythme des rencontres, il n'attendait que l'arrêt de leur flux pour gagner du territoire, s'imposer dans son être en puissance et déclarer le corps fantôme.

Elle avait l'intuition de tout cela. Mais il lui était impossible de mettre des mots sur ce qui demeurerait pour George un inexplicable de l'inconstance féminine. En réalité – et comment lui faire comprendre? – c'était la peur qui lui commandait de plaire, et non la vanité comme il le croyait. Caroline lui disait tout cela avec les yeux qu'elle gardait dans les siens pour sceller l'affection qui les avait toujours liés, par-delà l'impossibilité de franchir la barrière de l'incompréhension qui sévissait entre les sexes.

Pendant des années, elle était demeurée au centre du regard de George. Pourquoi lui avait-il fallu quitter ce monde-là? De réconfort. Ni blanc ni noir. Plein d'une transparence lumineuse. Au lieu du labyrinthe dans lequel elle s'était égarée, seule parmi les ombres qui s'accumulaient autour d'elle.

George essuya d'un doigt la larme qui coulait sur sa joue tandis qu'elle fermait les yeux. Avec ses baguettes, il prit ensuite un morceau du dessert dont elle ne voulait plus et mangea en silence. Le kashiwamochi n'avait rien d'amer. La pâte, légèrement sucrée, lui laissa une rondeur suave au palais. Et il se dit enfin qu'il était bien inutile de prétendre à autre chose qu'au petit bonheur d'être assis là à manger les restes de Caroline, témoin privilégié des bouleversements de sa vie. Il la trouvait si belle dans sa catastrophe.

De : tonywiltor@yahoo.ca
À : Amy Leblanc
Date : dim. 2009-06-07 22:17
Objet : La patience seule

---

Amy, mon impatiente,
Ton silence me pèse. Ne me laisse pas avec cette désagréable impression de te harceler. Et, je t'en prie, accepte seulement de m'entendre. Je ne mérite pas d'être puni pour une simple déconvenue. Je regrette de ne pouvoir être avec toi ce mois-ci. Mais nous passerons une semaine ensemble en juillet, je te le promets. Et tu viendras me voir en août, comme convenu.
Depuis ton dernier passage ici, ta présence, immatérielle, habite chaque centimètre carré de l'appartement. Ton parfum plane encore dans tous les lieux où tu as fait don de ton corps. Je t'y retrouve à volonté.
Comment peux-tu seulement douter de mon amour ? Tu es trop injuste.

La patience seule est notre alliée. Tony

De : aleblanc@hotmail.com
À : Anthony Wiltor
Date : mer. 2009-06-10 23:20
Objet : RE: La patience seule

---

Mon très cher,
Tu as raison. J'ai voulu te punir de m'avoir fait miroiter ta venue pour ensuite changer tes plans et privilégier ta carrière. Je ne fais pas partie de tes priorités, c'est tout ce qu'on peut en conclure. Mais tu ne mérites pas, en effet, que je t'accuse de quoi que ce soit.

Depuis que tu m'as annoncé la mauvaise nouvelle, les nuits sont dures. Au réveil, j'ai le corps fourbu par les rêves. Me revient cette phrase comme une petite musique : « Tu me fais du bien, tu me fais du mal. » Tu te souviens ? C'était dans *Hiroshima mon amour.*

L'amour n'est plus un jeu ; il reprend ses droits en lâchant des dragons qui surgissent de toutes parts. Il faut m'en remettre à cette violence en moi, une fois pour toutes, briser le cercle des luttes inutiles. Il me faut aussi t'écrire. À toi, que je sais là, avec la force qui me manque. Je t'écris pour que tu prennes ma main dans la tienne. Elle tremble, mais ça ira. Apprends-moi la patience. Fais-moi du bien, malgré tout.

Ta toute déçue, Amy

**De :** tonywiltor@yahoo.ca
**À :** Amy Leblanc
**Date :** mer. 2009-06-10 23:30
**Objet :** Re: RE: La patience seule

---

Tu ne peux pas savoir les tourments que m'a donnés l'attente de ta réponse. Pendant deux jours, je n'ai presque rien pu avaler. Mais tu es là, de nouveau près de moi, je le sais parce que je le sens.

Pourquoi ces mauvais rêves ? Comment ai-je pu troubler ce calme qui veillait sur nos nuits ? Toi qui as pourtant su me paver la voie du bonheur, aurais-tu peur de te retrouver sans repères ? Non, l'amour n'est pas un jeu et je ne le prends pas à la légère. Tu n'as pas à t'en inquiéter.

À mon tour, je serai ton guide. Mes épaules sont solides. Tu peux y reposer tout ton corps. Laisse-toi aller vers ce nouveau monde dont nous inventerons la carte au fil de nos rencontres. Oublie le mal. Fais-toi du bien.

Ton Tony

# Vin, porc et sincérité

L'ascenseur montait. Debout face aux portes en métal, les mains dans les poches et le torse bombé d'importance, Wallerstein se félicita de ce début d'enquête qui lui avait permis d'aiguiser ses réflexes. Il aimait s'attaquer à l'inconnu, matière brute de l'énigme à résoudre. Alors qu'il se trouvait au seuil des possibles, il en éprouvait une jubilation certaine.

Pour exercer son flair, il tenait à faire lui-même les premières approches. Ce qu'il recueillait de chacun de ses échanges, de la plus banale à la plus relevée des informations, trouvait toujours une place dans le puzzle qui, peu à peu, révélait des pans entiers de l'histoire qu'il cherchait à reconstituer. Et il tirait des interrogatoires une satisfaction personnelle qui brillait déjà dans sa gangue à ce stade où tous étaient des coupables potentiels, sauf les personnes du sexe féminin dont il avait d'emblée biffé les noms sur sa liste.

Selon la courbe statistique établie par les services de police canadiens, il était peu probable qu'une femme s'en prenne à une autre femme, à moins que celle-ci ne soit à la solde d'un réseau organisé ou complice d'un pervers sexuel. Pour le reste, quarante-huit pour cent des victimes étaient séquestrées par leur amant. Une première piste à suivre ! Quoique les parents de Cindy aient affirmé ne pas lui connaître de petit ami, Wallerstein était confiant d'en trouver un parmi les étudiants de l'édifice. Entre jeunes, on se connaît. Du moins y en a-t-il toujours un qui connaît quelqu'un qui connaît l'autre.

Les portes s'ouvrirent sur Morales. Il avait l'air satisfait de ceux qui, armés d'un tournevis, d'une clé à molette ou d'un siphon, réussissent à repousser les avancées du chaos dans le quotidien. Tout en bloquant une des portes de sa main gauche, il poussa de l'autre son attirail dans l'ascenseur et laissa entendre, dans un long soupir, qu'il méritait une bonne bière après ce corps à corps avec la tuyauterie de l'édifice. Totalement désuète, celle-là. Mais le propriétaire s'en fichait pas mal. Un irresponsable qui était bien chanceux de l'avoir à son service. Sans lui, c'eût été la catastrophe.

Morales s'enquit si tout se déroulait comme l'inspecteur le souhaitait et, avant même que la réponse ne lui parvienne, disparut derrière les portes qui se refermèrent au tintement d'une cloche électronique. Son iPhone en main, Wallerstein donna suite à ses notes enregistrées. Il précisa que le concierge n'avait pas inventé de prétexte pour lui fausser compagnie. Un tuyau qui coule est un tuyau qui coule. Et il y avait eu réparation. On pouvait donc s'y fier.

Après une consultation mentale des noms masculins de sa liste, il lui avait paru évident qu'il perdrait son temps au numéro 14. Les trois ouvriers du Tim Hortons ne seraient pas encore revenus du chantier. Des travailleurs illégaux, c'était à parier. Comme il fallait s'attendre à ce que la mère de ces Polonais ne parle que le polonais. Quant au « monstre » de la vieille dame, il le réservait pour plus tard. Le profil de Taylor était asymptomatique. Trop méchant pour servir de couverture à un criminel.

Depuis qu'il avait mis le pied dans l'immeuble, c'était plutôt le nom d'Abdellaoui qui lui faisait signe. L'étudiant vivait au numéro 11. Comme dans le 11 du 11. Qu'il s'agît d'un Arabe n'était peut-être pas une coïncidence. Wallerstein ne put s'empêcher d'y voir un coup de pouce du hasard. Car la pratique lui avait appris à être sensible à l'agencement des choses. Dans leur proximité, il n'était pas rare de trouver l'indice des indices sur lequel pouvait s'appuyer la déduction qui lui ferait remonter le cours des événements jusqu'à leur source. Pas de doute, se disait-il, il y a là un bon filon. Puis, il enfonça avec son doigt le bouton de la sonnette du numéro 11.

Lui apparut un grand brun avec une tête à la James Brown. Vêtu d'un seul bermuda à fleurs, il avait de larges épaules sur un corps élancé, atteignant presque les deux mètres. Une forte pilosité lui recouvrait les bras, la poitrine et les jambes. S'en dégageait une odeur âcre non identifiée, un mélange d'ail, d'huile d'olive et de sueur qui remua Wallerstein, tandis que l'autre le fixait des yeux avec un charme animal. « Bonjouououu… » fit le locataire en étirant la dernière voyelle pour la faire chanter dans l'air, comme s'il respirait de contentement à voir un homme sur le pas de sa porte – peu importe lequel. Le plus étonnant est qu'il ne perdit pas sa sympathie naturelle après avoir examiné le badge du Service des enquêtes criminelles qui lui avait été présenté. Une réaction peu commune, pouvant laisser croire qu'il s'agissait peut-être, malgré son jeune âge, d'un professionnel de la dissimulation.

Le grand brun confirma son identité. Il s'appelait bien Abdellaoui. Kalil Abdellaoui. À la question : « D'où venez-vous ? » Il répondit : « De nulle part. Je n'ai pas bougé de la journée. » À la suite d'une précision apportée sur la question, à savoir de quel pays il était, il ajouta : « Canada ». Pour Wallerstein, c'était clair. Il s'agissait d'un petit malin qui s'amusait à tester sa patience en faisant du slalom entre les mots. Non sans lui avoir laissé entendre par les flèches de son regard qu'il n'appréciait pas le jeu, il réaffirma son autorité en se faisant plus insistant :

— Où étiez-vous avant de venir habiter ici, en Ontario ?

— Vous voulez dire : où je suis né ? Sinon, avant, j'étais à Montréal, et avant Montréal, il y a eu Paris, et avant Paris…

— D'où vous venez, oui…

— D'Alger. Mais je suis citoyen canadien depuis cinq ans. Je viens d'ici maintenant.

— Âge ?

— Vingt-cinq ans. Toutes mes dents. Vacciné. Célibataire. Mais pas pour longtemps ! Ma douce et moi, on attend que j'obtienne le diplôme pour officialiser la noce. La corde me pend déjà au cou. Vous ne voyez donc pas? Je suis un homme presque mort...

Kalil fit mine d'expirer sous l'effet d'un étranglement puis lâcha un grand rire en réponse au cri de protestation qui venait de l'intérieur de l'appartement. La comédie était en réalité dédiée à la jeune fille que l'étudiant tenait à présenter à Wallerstein, poussant la désinvolture jusqu'à lui indiquer le chemin du salon.

C'était un autre genre de Cindy. Même visage d'enfant, même allure sexy. De son épiderme transpirait une confiance en la vie qui avait peut-être entraîné la disparue à commettre des imprudences. Elle s'appelait Charlyne et elle s'apprêtait à trancher une pointe de la pizza qui reposait sur une table basse, au milieu des restes de nourriture de la veille, livres, vieux journaux et tasses au fond douteux. Kalil dévissa le bouchon d'une bouteille de rouge.

Seize heures quinze. Au dire de la pétillante hôtesse, l'inspecteur tombait à point pour partager leur déjeuner. Il allait refuser le verre qu'on lui tendait, quand il se ravisa pour le bien de l'enquête. Et parce que c'était aussi, pour lui, l'heure de l'apéro. Pourquoi s'en priver? Le grand Maghrébin porta un toast au nouveau venu, auquel fit écho l'enthousiasme de Charlyne qui le regardait, béate, tandis qu'il trempait les lèvres dans son vin. La petite était manifestement sous le pouvoir de l'animal, qui l'attira contre lui en l'attrapant par le cou et plaqua sa bouche sur la sienne avant d'ajouter à son adresse, comme pour clore une conversation interrompue par l'arrivée de Waller-stein : « Et à toi pour toujours. »

Qu'il soit évident que l'étudiant bluffe en matière de fidélité était une chose somme toute habituelle chez ces gens-là. Tous des polygames, dans les faits. Sa propre sœur l'avait appris à ses dépens. Il l'en avait pourtant avertie : c'est culturel, chez eux. Son expertise lui avait valu d'être traité de sale flic raciste. Mais le mari de sa sœur était un bon musulman. Il fallait lui donner ça. Un professionnel qui avait une tête sur les épaules. Avec des principes. Abstraction faite de son goût pour les femmes, il savait donner l'exemple. Jamais une goutte d'alcool. Wallerstein savait maintenant l'apprécier à sa juste valeur.

Par contre, ce qu'il avait devant les yeux ce matin-là était une chose qui défiait le sens commun. Il n'hésita pas à aborder de front une situation qui lui semblait présenter plus d'un travers :

— Je peux vous poser une question personnelle ?

— Je n'ai rien à cacher, cher monsieur. Tout ce que vous voyez là, c'est moi ! fit Kalil en balayant d'un geste de la main la pièce qui se distinguait par son bordel.

— Vous êtes musulman ?

— Bien sûr que je suis musulman. Et nos enfants le seront aussi. C'est de famille.

— Heu… Et le vin ?

— Disons que je m'accommode, rétorqua-t-il en faisant résonner un autre grand rire.

— Et ce qu'il y a là, renchérit Wallerstein, montrant

du doigt un morceau de prosciutto qui pendait de la pizza, puis les hors-d'œuvre séchés sur la table, des petites saucisses enrobées de bacon.

— Oh! Ça! Rendu sous cette forme-là, voyez-vous, ce n'est plus vraiment du porc! Et c'est pour accompagner Charlyne... Par politesse, si on peut dire. Elle aussi fait des concessions. Le bacon, par exemple. Il est au poulet. Une parfaite imitation. Bien meilleur, je vous le garantis. Il faut y goûter! Allez-y!

— Hum! N'insistez pas, merci! Je vous crois sur parole, se défendit l'inspecteur qui venait de tirer un poil noir de son vin pour l'étendre avec écœurement sur une des rares surfaces libres de la table.

— Mais qu'est-ce qui ne va pas? Quelque chose vous dérange?

Wallerstein n'avait jamais vu pareil phénomène, qui n'avait de musulman que la couleur de son accent. Voilà qui était louche.

Peu orthodoxe, cet Abdellaoui. Peu soucieux de respecter les lois de sa religion, il semblait de plus faire preuve de sincérité. « Après tout, sa bonhomie ne dissimule peut-être aucun bluff », se dit-il enfin. Cette pensée allait à l'encontre de l'idée qu'il se faisait de l'Arabe, toujours à deux faces. Il s'en trouva momentanément déstabilisé. Restait à voir si l'autre garderait sa bonne humeur quand il en viendrait au fait.

Au moment où Kalil se penchait sur la pizza pour s'en servir une seconde pointe, Wallerstein sortit la photo de Cindy de la poche de son veston. S'il la connaissait? « Mais ouiiiiiiiii », chanta une voix spontanée.

« C'est le béguin de Saïd », précisa Charlyne, les yeux dans ceux de Kalil, interloqué. Quant à savoir qui était Saïd, elle lui désigna un zombie qui traversait le salon en direction de la cuisine, les paupières mi-closes et les doigts grattant la partie du bas du ventre que laissait voir un jean déboutonné.

Quelques minutes plus tard, Saïd revint vers eux, une tasse à la main. Il s'empara de la photo avant même de saluer le visiteur.

— Mais c'est Cindy! Qu'est-ce qu'elle fait là?

— Vous la connaissez?

— Oh! Pas plus que ça!

— Saïd ne va pas le dire, mais il est fou d'elle, dit Charlyne pour le taquiner.

— Mais de quoi je me mêle? s'irrita Saïd. C'est quoi, cette histoire? Et d'abord, c'est qui, lui?

Wallerstein fit un rapport des événements. Kalil ne riait plus. Charlyne n'arrêtait pas de dire : « Comme dans un film… C'est comme dans un film. » Quant à Saïd, il ne leva plus les yeux de l'abîme que creusait le noir du café dans sa tasse.

Ils l'avaient vue pour la dernière fois à une des petites fêtes qu'ils organisaient le vendredi. Il y venait beaucoup de monde. Elle avait été invitée par Saïd. Depuis quand ce dernier la connaissait-il? Un mois, peut-être. Non, il n'était pas son petit ami. C'est ce qu'il aurait aimé, comme disait Charlyne. Mais Cindy était partie tôt. Après, elle n'avait pas répondu à ses courriels. Et il avait fini par comprendre. Comprendre quoi? Qu'il ne lui plaisait pas. C'était évident. Sinon, elle serait restée.

Le vendredi de sa disparition ? Ce soir-là de la « disparition », confirma Saïd en prononçant le mot comme s'il s'agissait du nom d'une maladie rare.

Il avait manqué de cigarettes. Elle lui avait demandé de l'argent pour aller lui en acheter. Mais elle n'était pas revenue. D'où il la connaissait ? De l'université. Il l'avait vue pour la première fois à la rentrée. Une étudiante en administration. Elle s'était inscrite à un cours de littérature. Comme ce n'était pas sa branche, il a cru qu'elle avait fait ça pour se rapprocher de lui. Elle avait eu l'air impressionnée de savoir qu'il voulait devenir écrivain. Puis elle avait dû laisser tomber. Pas qu'elle n'aimait pas ça. Trop de lectures, qu'elle lui avait dit. C'était pourtant un cours facile. Mais elle semblait s'être désintéressée. Une drôle de fille, cette Cindy. Saïd était inquiet. Il espérait que l'inspecteur la retrouverait. Elle avait peut-être tout simplement eu besoin de changer d'air.

Les deux autres aussi avaient l'air sincère. Mais quelque chose demeurait en suspens dans leur souffle, comme une petite gêne qui lui mit la puce à l'oreille. Pour plus d'efficacité, une confrontation s'imposait :

— Vous ne me dites pas tout, leur reprocha-t-il. Il serait plus sage de coopérer. Parce qu'il y a un hic. Cindy est bel et bien revenue après avoir acheté les cigarettes. Nous avons des preuves qu'elle est entrée dans l'immeuble. Et vous affirmez qu'elle n'a plus remis les pieds dans cet appartement ? Difficilement défendable.

— Nous avons des témoins, riposta Saïd. Et des alibis, comme vous dites. Nous n'avons rien à voir dans cette histoire. Et puis… Cindy était complètement défoncée !

— Il n'aurait pas fallu la laisser partir dans cet état, intervint Charlyne, qui s'en prit aux deux étudiants avec un regard de reproche.

— Mais j'ai pourtant essayé de l'en dissuader, se défendit Kalil. Je ne pouvais quand même pas la retenir ici contre son gré !

Le chat était sorti du sac. La drogue circulait dans leurs petites fêtes ? Ils pouvaient en parler. Ils ne seraient pas inquiétés.

Tout lui dire était la meilleure solution s'ils ne voulaient pas être interrogés au poste. À commencer par ce qu'ils avaient donné à la petite.

— On ne lui a rien donné du tout. C'est elle qui a pris ! bêla Saïd, dont les nerfs commençaient à flancher.

— On ne s'énerve pas, jeune homme. Nous sommes d'accord. Vous n'êtes pas responsable. *C'est elle qui a pris*. Mais elle aurait pris quoi ?

— …

— Comme tout le monde… Mari, hasch, finit par bégayer Kalil pour pallier le silence de Saïd.

— Bière, schnaps, compléta Charlyne.

— Au début, elle était plutôt calme, confia enfin Saïd. Ensuite, elle s'est mis dans la tête de vouloir qu'on aille au deuxième. Pour dire bonjour à notre prof. Comme ça… juste pour rire. Ça l'avait tout excitée de savoir qu'il vivait en bas.

— Quel prof ?

— Le prof de littérature. Qu'elle a adoré… Elle le

trouvait trop cute. Même vieux. Mais je pense qu'elle disait ça pour voir si j'étais jaloux. J'ai pas bronché.

— Le prof… c'est Wiltor?

— Oui. C'est ça. Vous le connaissez?

— Pas encore… Mais ensuite, il est arrivé quoi? Vous êtes allés lui rendre visite?

— Bien sûr que non! Mais elle n'arrêtait pas de revenir là-dessus. Elle avait un fixe sur cette idée-là. Et puis… Bon… On a pris une pilule d'ecstasy. Pour changer de mood.

— C'est donc vous qui lui avez donné la drogue.

— Mais non! Je vous ai dit! C'est elle qui a pris…

— Et elle en avait l'habitude?

— Heu… non, avoua Saïd d'une voix qui venait du fond d'un grand abattement.

Kalil prit le relais pour raconter comment Cindy avait dansé comme tout le monde. Il se souvenait de ses moves sur The Sheepdogs. Une vraie beauté. La dernière remarque eut l'heur de déplaire à Charlyne, qui se renfrogna. La noce avait trouvé son bémol. Pour sa part, Saïd semblait remuer quelque chose en lui qu'il ne savait pas reconnaître et qui le lancinerait désormais chaque minute de son existence. Finie l'insouciance de ses vingt ans, l'œuvre de la culpabilité venait de commencer.

L'inspecteur avait fait un bon travail. Il les remercia de leur collaboration et leur fit comprendre qu'il comptait sur eux pour demeurer à sa disposition. Kalil insista pour qu'il reste encore un peu. Des amis arriveraient bientôt. Certains d'entre eux étaient présents le soir en question. Déclinant cette offre de nouveaux témoignages, Wallerstein argua que le devoir l'appelait ailleurs. L'étudiant, qui avait presque retrouvé sa bonne humeur, lui répondit qu'il comprenait. Qu'il était parfois préférable de remettre au lendemain ce qu'on pouvait faire le jour même. Ce qui n'était pas pour déplaire à l'inspecteur, car c'était enfin une attitude qui correspondait à l'Arabe.

Il sortit de l'appartement, puis de l'immeuble, accompagné de la douce sensation que lui procurait la certitude de tenir son homme. Dès qu'il en aurait l'occasion, il reviendrait cogner au numéro 7. Et il se mit à rêver tout en couleurs de sa rencontre future avec le professeur, sur qui il serait utile d'obtenir d'abord quelques tuyaux.

*Surfside, 15 décembre 2010*

*Je m'adresse à toi avec les yeux sur la mer. Elle me commande de rompre les amarres, ce que j'aurais dû faire depuis longtemps. La peur du large m'en aura empêchée, sans doute. Car la liberté ne se reprend pas facilement quand on a crié « Terre ! ». On ne quitte pas comme ça l'endroit où on a planté son cœur. Il faut y laisser quelque chose en échange. Être prêt à la brûlure après la coupure. Et je le suis.*

*Partir équivaut à se regarder devenir minuscule pour disparaître sans qu'il n'y ait personne pour en témoigner. Celle que je croyais être avec toi, je la laisse inconsolable, loin derrière. Avec les regrets de nos nuits complices. De la douceur dans nos voix quand elles se répondent le soir, à distance. De ce bonheur-là qui n'est qu'un leurre si j'en juge par ce que j'ai découvert. Le hasard est un drôle d'oiseau. Il s'est posé sur la fragilité des choses pour mettre en lumière leurs liens intimes et me dévoiler, ainsi, une réalité tout autre que celle que tu m'as fait voir.*

*J'étais avec une collègue de l'université, à dépouiller un fonds offert à la bibliothèque par un professeur à la retraite. L'homme a consacré ses recherches à la vie cultu-*

relle des Caraïbes. Un Cubain, qui a conservé des publications diverses, imprimées à compte d'auteur ou à l'aide de ces machines de l'âge de Gutenberg. C'est en consultant un des documents d'archives que mes yeux sont tombés sur un poème signé de ton nom. Il accompagnait l'œuvre d'une artiste mexicaine en résidence à Fort-de-France.

À côté d'une reproduction en couleurs vacillaient les mots que tu m'avais dédiés après notre première nuit à Montréal, soit six ans après l'impression de ce carton d'invitation à un vernissage qui a eu lieu en 2001. Ces mots avaient été dictés par ma voix, disais-tu, comme un hommage au mois des morts, qui était aussi celui de notre renaissance. « Novembre ou le chiffre de notre rencontre ». En réalité, c'était de l'histoire ancienne. Un poème qui n'avait rien à voir avec moi. Un mensonge.

Pour me guérir du vertige, j'ai effacé tous les autres mots. Ceux que tu continues de m'envoyer et auxquels je ne répondrai pas. Ceux que tu laisses chaque soir dans ma boîte vocale. Et même ceux qui étaient gravés dans les rêves. Ils ne m'appartiennent plus en propre. Leur destinataire est une case vide à remplir selon les circonstances. Ils s'adressent à toutes, c'est-à-dire à personne ou à moi, la confusion est permise.

Je te vois d'ici prendre la défense du mirage. Pourquoi abandonner notre rêve pour si peu ? me diras-tu. Il suffirait de ne pas y toucher. De demeurer à bonne distance pour l'entretenir. Je regrette. Savoir tirer son profit du mensonge n'est pas donné à tout le monde. Depuis que j'en connais les lendemains arides, je suis dans l'impossibilité de faire comme si.

Quant aux détails entourant cette malencontreuse découverte, je préfère demeurer dans l'ignorance. En savoir plus risquerait de ternir notre histoire, et je veux malgré tout continuer à croire qu'elle a été unique. Je te demande donc de ne pas donner suite à cette lettre et de respecter le silence dans lequel je souhaite demeurer, en mémoire de notre bonheur.

Je sais tout ce que je perds déjà dans chacune des phrases que j'aligne sur le papier. Un geste d'une autre époque. Pour faire durer la peine, peut-être. Le temps qu'il faudra pour glisser la lettre dans mon sac, trouver un bureau de poste près de chez moi, affranchir l'enveloppe. Sourire au préposé en lui tendant l'argent, laisser l'adieu là, sur le comptoir. Surtout, en différer la lecture, suspendre ma volonté, sans appel cette fois.

Amy

## Début de la presque dernière visite.
## 10 janvier 2011

Excusez-moi… J'aurais dû… Je sais… on téléphone quand on ne peut pas être là. J'y ai pensé. Puis je me suis dit : tant pis ! C'est que je vais bien, voyez-vous… Je ne voulais pas courir le risque de me remettre à aller mal. Venir ici ne m'aide en rien. Anthony est d'accord avec moi. Ça ne fait qu'entretenir mon délire. Quoi ? Parce que vous vous demandez comment je peux avoir confiance en lui ? Les évidences, cher monsieur. Il serait bête de ne pas se rendre à elles. Pas après les deux merveilleuses semaines qu'il a passées chez moi. J'avais pourtant suivi votre conseil. J'ai mis sur papier des adieux en bonne et due forme. J'ai même envoyé la lettre, déterminée à en finir. Une fois pour toutes. Deux jours après sa réception, Anthony était à l'aéroport de Miami. Il m'attendait au deuxième étage du terminal G. Et il n'avait pas l'intention de bouger du Chili's jusqu'à ce que je me décide à l'écouter. Le ton de sa voix dans ma boîte vocale, à faire pitié. Sans compter l'enfilade de textos. JE T'ATTENDS… JE TIENS À TOI… NE ME LAISSE PAS TE PERDRE… N'OUBLIE PAS. JE SERAI TOUJOURS LÀ… RIEN QUE POUR TOI. Vous savez, Anthony est plus fragile qu'il ne paraît sous ses airs blasés de vieux sage. Trop inquiète pour rester chez moi à faire la sourde oreille, j'ai enfilé mon jean, sauté dans la voiture. Il pleuvait à verse. Le ciel semblait vouloir se soulager d'un grand poids sur le paysage qui défilait le long de l'autoroute. À la radio, on parlait d'une légère dépression, tandis que le cyclone Yasi s'abattait sur les côtes de l'Australie. Les catastrophes ont lieu en tout temps. Pendant qu'on roule. À la télé, pendant qu'on mange. J'en avais déclenché une. Même si elle ne faisait pas les manchettes, j'en avais sous-estimé la gravité. Restait à espérer qu'elle serait rétrogradée à l'état de dépression comme celle qui circulait à ce moment-là sur l'État de la Floride. Je vous en prie ! Ne m'interrompez pas, d'accord ? C'est moi qui raconte. Et je ne vous demande plus votre avis ! Il n'aurait pas fallu vous écouter. Je me rends maintenant compte de mon erreur. Mon insécurité chronique a obscurci les choses au point de les rendre méconnaissables, comme l'était aussi devenu Anthony, accoudé au bar du Chili's. Le dos voûté et le regard fixé devant lui, il avait l'air absent à lui-même. Lorsqu'il a senti mon épaule près de la sienne, il a calé son verre, en a commandé un autre qu'il a aussitôt vidé d'un trait. Du rhum. Je ne l'avais jamais vu faire ça. Il avait perdu sa modération. Seul son rasage sauvait encore les apparences. Parfait comme toujours. Quand il a ouvert la bouche pour prononcer mon nom, sa lèvre inférieure a tremblé. Puis il m'a remis ma lettre, toute chiffonnée. Il avait gardé la main crispée sur elle depuis son départ. Tenez, la voici. Je vous la laisse. Vous pourrez la lire. Moi, je n'en veux plus dans mes souvenirs. Si Anthony avait pris ce vol pour Miami, c'était pour me la rendre. Il refusait tout ce que j'avais mis dedans. Pas question de respecter la contrainte du silence que je lui imposais. Il ne pouvait pas accepter ça. Il disait aussi qu'il ne se pardonnerait jamais de ne pas avoir tenté de me détromper. Il fallait que je sache la vérité. Contrairement à l'opinion que vous vous en faites, cet amour-là ne triche pas. Il avait mal au corps. Partout. Il n'avait rien mangé depuis des jours. Chacun des mots qui allaient et venaient entre nous était pour lui une bouée de sauvetage. Pour moi, c'était autre chose. Je ne sais pas comment décrire cette impression-là. C'était comme si j'avais pu toucher le dedans d'un homme, dans une zone à laquelle personne n'avait encore pu accéder. Et j'avais en même temps honte de moi. Parce qu'il se livrait avec toute la confiance que je n'ai jamais pu lui accorder. Et je vous demanderais d'arrêter de hocher la tête comme ça. C'est énervant, cette façon que vous avez de faire croire que vous en savez plus que moi sur ce qui s'est passé. Après tout ce que je viens de vous dire ! Vous pensez vraiment qu'il me manipule ? On ne peut pas juger quelqu'un sur la base de ce qu'on ne connaît pas de lui. Je ne me serais pas attendue à ça de vous. Un professionnel ! Vous avez tout compliqué. La vérité peut parfois paraître invraisemblable quand elle se montre avec trop de simplicité. Si je ne l'ai d'abord pas reconnue, c'est parce que mon imagination s'est emportée. Tout comme la vôtre, d'ailleurs. Non… le poème ne s'adressait pas à une autre femme. Non… Anthony n'a pas menti. Mais oui… il l'a bien écrit six ans avant de me connaître. Mais non… un plus un ne font pas deux. Pas cette fois. Attendez la suite. Vous allez comprendre pourquoi. Le poème a été écrit en novembre 2001, deux mois, jour pour jour, après l'attentat du World Trade Center. En Martinique, où Anthony avait été invité pour donner une série de conférences. Là-bas, dans sa chambre, il revoyait chuter les corps du haut des tours et la cendre qui retombait, blanche, pareille à l'hiver du Canada. Même dans la chaude humidité de son île natale, cette pensée lui gelait les membres. Je vous raconte ça un peu comme il l'a fait ce jour-là, au Chili's, avec sa manière à lui de faire des images quand il parle. Pour que vous saisissiez bien l'état d'esprit dans lequel il était. La poussière qui avait plongé New York dans les ténèbres lui semblait s'être propagée à travers la répétition des paysages en décombres sur les écrans des salons. Sa retransmission par RFO avait infiltré sa conscience. Tout ce qui l'entourait était recouvert d'une fine poussière qui lui rendait les choses fantomatiques. La fin du monde ne le quittait plus. La mort était en veilleuse dans chaque rue, dans chaque demeure où les autres Martiniquais vivaient dans l'angoisse de leur devenir. Il a aussi insisté sur la difficulté qu'il avait eue à se réadapter à une réalité de violence et de colère qui ne faisait qu'accroître sa nostalgie de la perle perdue des Caraïbes. Depuis son exil, Fort-de-France était devenu un bourbier de misères qui faisaient de chacune de ses échappées hors de la chambre un acte de résistance à l'insécurité qui y régnait, le soir. Aux abords d'une baie où macèrent les hydrocarbures et les métaux lourds, la jeunesse, désœuvrée, vivait sous perfusion, tandis que la main vengeresse du sal' nèg' s'attaquait à l'arrogance héritière du béké, pauvre contre riche, race contre race. Anthony se sentait plus que jamais étranger chez les siens, orphelin parmi les orphelins du droit à l'existence. Ne lui restaient que quelques cousins, qui se gaussaient de son créole, désappris, et une vieille tante qui, par délicatesse, faisait semblant de le considérer encore comme un des leurs. Après ses conférences prononcées dans des salles presque vides, il déambulait dans la ville, en quête d'une raison de croire au lendemain. C'est au marché Lafcadio que le miracle s'est produit quand une vendeuse l'a interpellé. Dans son tablier de madras revêtu pour les touristes, elle régnait sur un étal regorgeant des fruits à pain, ananas, mangues, bananes ti-nains, corossols… Je coupe court à la liste qu'Anthony a déclinée avec ferveur un peu comme les moines récitent leur prière, en fermant les yeux pour retrouver les saveurs oubliées après des années de ravitaillement dans les Superstore. Il se rassasiait du nom même des fruits au-dessus desquels la vendeuse lui a tendu un morceau de papaye bien juteuse. Sur des dents éclatantes, deux lèvres se sont alors entrouvertes pour lui sourire. Anthony eût dit un coquillage rose d'où est sortie une lueur en même temps qu'il fourrait la chair de la papaye dans sa bouche. C'est alors qu'il a senti autour de sa langue une chaude caresse, qui s'est ensuite prolongée jusque dans son ventre pour lui laisser les jambes en guenilles. La montagne Pelée faisait le dos rond derrière la ville. Et malgré la persistance de la poussière sur le mois de novembre, il lui a semblé que la chaleur humaine y avait laissé une trace, empruntant le corps et le sourire de cette femme pour le rappeler à la douceur possible de l'existence. Fort-de-France l'accueillait enfin. Anthony a beaucoup insisté sur l'image du coquillage rose. Il y voyait un symbole de renouveau, la révélation d'une rencontre à venir. C'est de ce miracle que lui est venu le poème. Il lui a été dicté par la voix de l'espoir, qu'il a reconnue par la suite dans la mienne lorsque nous nous sommes connus. C'était une nuit de novembre. La coïncidence ne pouvait pas lui échapper. Si le poème a été écrit en 2001, il n'a trouvé sa destinataire qu'en 2006. Mais vous n'avez pas l'air d'apprécier mon histoire… Qu'est-ce qui vous fait grimacer comme ça ? Ce sont pourtant des choses qui arrivent ! Nous sommes si peu enclins à envisager le long terme. Vus sous cet angle, les mots d'Anthony sont à l'origine de notre amour, qui y puise sa vérité et sa force. Ne vous en déplaise, cette épreuve n'aura fait que nous rapprocher. Je crois d'ailleurs que vous avez pris mon cas un peu trop au sérieux. Curieux, tout de même, cet acharnement à vouloir m'éloigner d'Anthony. Vous réagissez peut-être à un désir inconscient que j'aurais pour vous. Ce sont encore des choses qui arrivent. Il est vrai que je pense à vous parfois. Rien de sexuel. Sur ce point, je suis d'ailleurs comblée. Mais j'ai failli tout perdre à cause de vous. Bon, d'accord… Je veux bien vous écouter. Une dernière fois. Parce que ça ne peut pas durer. Je suis bien décidée à mettre un terme à nos rendez-vous. Je suis désolée… Mais oui, allez-y quand même. Je vous écoute.

**De :** tonywiltor@yahoo.ca
**À :** Amy Leblanc
**Date :** lun. 2011-01-31 21:42
**Objet :** Une vision de toi

---

Je m'excuse d'avoir tardé à te répondre. Depuis quelques jours, j'ai la tête enfouie dans les copies, et c'est seulement maintenant que je prends le message que tu m'as laissé hier dans ma boîte vocale. Dans le froid où je suis, ta voix me ramène aux tropiques de ton corps que je voudrais ne plus jamais avoir à quitter.

Le jour, je revois tes orteils dorés fouillant le sable blanc, et la nuit, ta tête entre les néons d'Ocean Drive. Je touche presque ta peau sous l'ample chemisier que soulève le vent chaud de Miami. Dans ma chambre, les paillettes qui sont dans tes yeux bougent encore comme des algues lumineuses. Je sens aussi ta main qui brûle au creux de la mienne quand dehors il y a la neige.

Tu me dis avoir eu l'illusion de mon souffle tout près de ton oreille, que je continue d'être avec toi, même sans y être, et tu as bien raison de le croire. Partout où tu iras, je serai là, tout près. Mais toi aussi tu m'accompagnes sans le savoir. Télépathie ? T'étonneras-tu si je te dis que je viens tout juste de t'embrasser sur la nuque ? Je t'imaginais debout devant la cuisinière, faisant cuire une bonne soupe, les cheveux relevés en chignon. On aurait dit ce gros berlicoco dont tu m'as déjà parlé et dans lequel les pêcheurs acadiens de ton enfance soufflaient pour s'annoncer les jours de brume.

Peut-être un jour passeras-tu les hivers auprès de moi. Et je n'aurai alors plus jamais froid. Entre-temps, je me réchauffe comme je peux à ton souvenir et en brassant la soupe qui a inspiré cette douce vision. Je te transcris la recette. Comme il s'agit de mon invention, je n'ai pas indiqué les proportions. C'est une question d'équilibre que tu sauras trouver.

P.-S. : Je passe une soirée lyrique en compagnie de Brahms et de Strauss (quatre derniers lieder). Mais c'est encore toi qui donnes à la musique sa beauté.

Dors bien

Je veille sur toi

Je t'aime

Soupe aux tomates et aux gombos
- Faire revenir de la farine de blé dans de l'huile à feu doux pendant 5 minutes.
- Ajouter les oignons finement hachés et le céleri.
- Faire revenir légèrement.
- Verser l'eau et y jeter ensuite 2 cubes de bouillon de légumes, une grosse patate douce coupée en dés, les tomates, le riz et les gombos coupés en trois.
- Laisser mijoter pendant 10 autres minutes.

## Fabrice Luchini ou King Kong?

Compte tenu de la qualité de son suspect numéro un, Wallerstein avait décidé d'user de ses relations personnelles. Des semaines qu'il n'avait pas vu son paternel. L'occasion était propice. Wiltor avait été embauché après que celui-ci eut pris sa retraite de l'université. Il n'avait donc pas eu le privilège d'être son collègue. Mais il fréquentait toujours les membres de sa faculté. À son dire, le Martiniquais était fort apprécié sur le campus. Sa réputation, ex-cel-len-te.

Pour la première fois depuis que son fils s'était enrôlé dans les forces de l'ordre, le professeur Wallerstein avait paru trouver un intérêt à la conversation. L'interpellant à tout moment par son petit nom, il ne tarissait pas d'éloges sur cet écrivain d'importance. Mike devait savoir qu'il était très demandé à l'étranger. Un conférencier avec une érudition peu commune qui pouvait citer tous les classiques de la poésie française. Il fallait l'entendre pour le croire. Car il était doté d'une mémoire exceptionnelle. C'était, si on veut, sa marque de commerce.

Mike avait-il l'intention de renouer avec la vie de l'esprit? Il n'était jamais trop tard pour rectifier le tir et faire quelque chose de bien. Il y avait d'ailleurs à la faculté un policier qui faisait une thèse à temps partiel. Sur les représentations de la loi dans la littérature médiévale. Des plus intéressants comme sujet! Et c'était quand même mieux que de jouer au superhéros avec une arme. Quant à Mike, la portait-il toujours? Même devant son père?

Le fils, qui savait d'expérience l'affrontement inutile, avait su tirer profit de cette dérive. Au lieu de s'en affliger, il avait feint une réconciliation avec le monde des lettres qui lui avait été imposé dans sa jeunesse. S'il s'en était détaché, c'était parce qu'il y voyait une forme de fuite face au monde réel. Que les idées puissent en arriver à avoir un impact quelconque sur la société avait fini par lui paraître farfelu. Ce soir-là, cependant, il s'entendit déclarer que Wiltor lui semblait être un grand poète, qu'il était en train de le lire et qu'il avait eu envie d'en savoir plus sur l'individu derrière une telle œuvre. C'est ainsi qu'il avait bénéficié d'un commentaire abondant sur ses réalisations universitaires et les principaux sujets de ses livres. Rien qui ne se trouve pas sur le web.

Tout à sa joie de pouvoir récupérer une brebis qu'il avait crue perdue, le professeur de philosophie à la retraite lui avait aussi livré le secret de son sanctuaire. Avec un clin d'œil qui voulait en dire long sur la gratitude qu'il lui vouait d'avoir trouvé un prétexte au rapprochement, il s'était levé de son fauteuil, avait contourné le bureau en acajou massif qui les séparait pour enfin s'immobiliser derrière son fils. Wallerstein avait alors pu sentir la gravité du silence dans son dos.

Une main chaude s'était posée sur son épaule, lourde de l'affection réprimée pendant toutes ces années de déconvenue où il n'avait pas su être à la hauteur des ambitions familiales. Un peu honteux de lui-même, mais conscient de vivre un instant privilégié dont il n'était pas peu fier, Wallerstein avait retenu son souffle en emboîtant le pas à son père jusqu'aux rayons de la bibliothèque. Là, entre les *Œuvres choisies* de Campanella et le *Discours de la méthode* de Descartes, était niché un petit bar derrière la section réservée à la philosophie du XVI\ :sup:`e` siècle. Un whisky à la main, ils avaient ensuite scellé leur nouvelle complicité en faisant tinter leurs verres.

Et l'homme? avait alors demandé Wallerstein. Sur le plan personnel, il était comment, ce Wiltor? Sympathique, lui confia le père qui appréciait toutefois sa réserve. Car il n'était pas du genre à parler de lui. Il l'avait rencontré quelques fois, chez des amis. Un homme toujours souriant, qui savait faire preuve de collégialité. Ce qui était de plus en plus rare, chacun étant trop occupé à faire mousser le potentiel de sa carrière pour perdre son temps au manège inutile de la courtoisie. Mais Wiltor était différent, d'une autre époque, si l'on pouvait dire.

Attentif aux autres. Humble aussi. On n'avait qu'à voir le quartier dans lequel il vivait, bien en dessous de sa condition. Toujours ailleurs, perdu dans ses pensées. Sans préoccupations bassement matérielles. Et il lui paraissait même que l'homme était au fond un tendre qui dissimulait une grande tristesse sous le couvert de l'humour. Parce qu'il avait toujours le mot pour faire rire. Mais il l'avait surpris un soir que le doyen les avait reçus à souper, assis à l'écart dans la pénombre du salon, tête basse, les épaules voûtées par les soucis qui étaient en lien avec un appel pris sur son cellulaire. Des histoires de femmes sans doute.

Son père lui avait décoché un second clin d'œil, du genre coquin cette fois, en précisant que l'homme semblait plaire à l'autre sexe. Il y avait au moins deux femmes, très belles, qui l'accompagnaient à tour de rôle aux réceptions où il ne faisait que passer, attiré par d'autres distractions, très certainement. Ah! ce Wiltor! La rumeur en faisait le préféré des étudiantes. Mais ces anecdotes, triviales, ne rendaient pas justice à la complexité de l'œuvre sur laquelle il eût souhaité revenir.

Pour l'inspecteur, ces considérations étaient au contraire plus que pertinentes. L'exclusivité de l'information lui permettait de corroborer celle qu'il avait recueillie de façon informelle. Les allusions d'une ménagère aux mœurs troubles de son voisin et la rougeur singulière sur les joues d'une infirmière étaient demeurées, jusque-là, des faits notables mais non significatifs. Ils venaient, du coup, d'accéder au statut de témoignages pour documenter la preuve. Car il appartiendrait au procureur de faire valoir devant le jury que la respectabilité servait de camouflage au libertin. Ou au prédateur? La confusion était légitime, quoiqu'il s'agisse de deux types d'hommes différents.

Le premier n'était en général pas méchant. Il pouvait même attirer la sympathie en raison de son hypersensibilité à la femme qu'il adulait comme s'il se trouvait devant une sorte de dieu. Partout où il en respirait les parfums, il cherchait à en atteindre la source. Grand solitaire, il ne s'attachait qu'aux moyens d'obtenir une jouissance renouvelée. Le second, quant à lui, n'avait de repos que s'il s'attachait la femme pour en faire l'esclave de sa volonté. Le prédateur était en réalité jaloux des transports de l'autre sexe que célébrait le libertin. Restait à déterminer à quelle catégorie appartenait le suspect. Ou bien à celle de Fabrice Luchini. Ou bien à celle de King Kong. L'une excluant l'autre, quoiqu'elles relèvent toutes deux d'une même obsession de la femme.

Les soupçons de Wallerstein pesaient sur Wiltor depuis qu'un rapport avait été établi entre la disparue et le professeur de littérature. Car il n'y avait pas de coïncidence sur le terrain de l'enquête criminelle : que des liens cachés qu'il suffisait de rendre visibles pour que tout trouve une explication naturelle. Le réel était un écheveau de fils inextricables. L'habileté consistait à en dénouer les apparences. À tirer sur le bon fil.

# La période de questions

*Dans les édifices de l'UQAM, le climatiseur est défectueux. La salle est bondée et ne comprend pas que des étudiants, la conférence ayant été ouverte au grand public. Certains montrent des signes de fatigue due à une durée prolongée d'écoute. D'autres se fabriquent un éventail avec les moyens du bord. Plusieurs femmes arrivent mal à contenir leur agacement. Elles froncent les sourcils, soupirent, prennent des notes. Ces actions sont répétées dans l'ordre et le désordre. Tous sont cependant fascinés par la verve du conférencier. Après avoir conclu, ce dernier s'essuie le front avec un mouchoir de coton blanc qu'il sort de la poche de son veston de tweed anglais.*

LE CONFÉRENCIER
*(joint les mains devant lui, à la hauteur de la poitrine, puis baisse son menton en un geste de politesse orientale. Après les applaudissements, il relève la tête bien haut en ouvrant les bras comme pour embrasser la salle)*
Je sens que plusieurs d'entre vous brûlent de livrer leurs commentaires, qu'il me fera plaisir d'entendre. Je donnerai d'abord la parole à vous, madame, qui avez levé la main en premier.

LA DAME

*(se lève pour mieux se faire entendre, du fond de la salle)*

Je tiens à vous remercier pour ce portrait si sensible et tout en nuances de Don Juan. Vous nous avez bien montré comment sa lucidité, instaurée en système, l'enferme en quelque sorte dans son propre malheur. Là où je ne vous suis pas, cependant, c'est lorsque vous faites de ce personnage un exemple d'aliénation. Il me semble qu'il y a là contradiction. Comment peut-il être considéré comme une victime quand il se comporte auprès des femmes en bourreau? Car il sait dès le départ qu'il les soumettra toutes pour mieux les faire souffrir… Non, ne m'interrompez pas. Je n'ai pas fini. Je voudrais en fait vous poser ma question. Voilà: pourquoi passer le malheur de ses victimes sous silence? J'ai l'impression, et vous me direz si je me trompe, que vous avez occulté cet aspect de l'histoire du séducteur pour le sauver des accusations qui pèsent sur lui.

LE CONFÉRENCIER

*(prenant appui sur sa jambe gauche et la main sur la hanche, adopte une pose plus décontractée. Avec un regard fuyant vers l'auditoire pour le prendre à témoin, il affiche un large sourire pour montrer qu'il apprécie l'esprit critique de l'intervenante)*

« N'y a-t-il donc personne pour mettre à mort ce traître? » Pauvre Don Juan! S'il a pu amuser les contemporains de Molière en leur offrant une caricature du relâchement de leurs mœurs, il a fini par s'attirer les foudres des féministes. En plus d'être un scélérat et un menteur, il serait maintenant misogyne. C'est une opinion que vous avez le droit d'avoir, et ce, malgré son ana-chronisme. Mais où cela nous mène-t-il? Que fait-on après avoir tranché le cou de Don Juan et de tous les autres hommes qui ont commis le crime d'être de leur époque? Je ne vois pas à quoi ce genre de procès peut servir. J'ai pourtant beaucoup insisté sur l'erreur du séducteur qui croit préserver sa liberté par le mensonge. Car le mensonge ne fait pas que prendre les femmes à leur piège. C'est Don Juan lui-même qu'il contribue à éconduire. Comme l'arroseur arrosé, celui qui croyait tromper les autres et maîtriser son destin en déjouant l'emprise de l'amour sur sa volonté, celui-là est la véri-table victime de son imposture. Car ses ruses ne le mènent au bout du compte à rien, la pureté du désir qu'il revendique étant, en réalité, l'expression d'un refus. Refus d'assumer l'expérience qui mène à la connaissance de soi dans l'approfondissement de la relation amou-reuse; refus de se reconnaître dans le sort commun et de prendre part à la vie. Bref, c'est avant tout ce paradoxe que raconte son aventure. Il n'y a donc pas que des vic-times d'un côté et des bourreaux de l'autre…

UNE JEUNE FEMME, UNE ÉTUDIANTE SANS DOUTE
(se racle la gorge, remonte une mèche de cheveux tombée près d'un œil, retrousse ses manches. Elle est rouge d'une indignation qu'elle n'arrive pas à maîtriser et qui la pousse à prendre la parole sans même la demander, coupant court à l'explication du conférencier)
Vous m'excuserez, mais il me semble que vous éludez la question qui vous a été posée. Ne pourrait-on pas reve-

nir sur ce que disait madame au sujet de la violence
envers les femmes…

LE MODÉRATEUR
*(se lève, du coin droit de la salle où il a assisté à la conférence. Il se
dirige vers son centre où il restera par la suite, pour rappeler son
rôle au public indiscipliné)*
Sans vouloir être trouble-fête, je dois vous rappeler à
l'ordre en vous demandant à tous de lever la main et
d'attendre que la parole vous soit attribuée avant d'intervenir dans le débat. Mais comme vous l'avez déjà
prise, madame, vous pouvez continuer. Nous vous écoutons.

LA MÊME
*(d'abord un peu gênée, puis d'attaque de nouveau, après avoir
lorgné le modérateur d'un air entendu)*
Je disais donc… que vous êtes très habile à noyer le poisson. Je suis d'accord avec vos conclusions sur le vide
existentiel du séducteur. Seulement, Don Juan est
d'abord et avant tout un abuseur. Vous avez commencé
votre conférence en affirmant qu'il était possible pour
la femme comme pour l'homme de dire : « Don Juan,
c'est moi ! » Je crois que cette prémisse pose problème.
Parce que je vois mal comment une femme pourrait
s'identifier, ne serait-ce qu'un minimum, avec un pareil
monstre. N'ayons pas peur des mots ! C'est vous-même
qui l'avez dit. Je l'ai noté ici : l'homme qui cherche à
s'élever au-dessus de sa condition en vient à se déshu-
maniser.

LE MODÉRATEUR

*(lève son bras pendant que la jeune femme s'exprime encore et bat l'air avec les doigts de la main, de haut en bas, pour lui faire comprendre qu'elle doit s'arrêter là)*

Je vous demanderais, s'il vous plaît, de laisser réagir notre conférencier à ce que vous venez de lui reprocher. Merci.

LE CONFÉRENCIER

*(jette un coup d'œil rapide à sa montre et affiche une moue de déception)*

Mais le donjuanisme est maintenant à portée de tous! Dois-je rappeler que nous sommes passés par une double révolution : féministe et sexuelle? La femme n'est plus astreinte à des codes moraux qui en brident le désir. À notre époque, il lui est permis d'exercer son pouvoir de séduction sur tout ce qui ose encore lui résister. Elle aussi peut transgresser les règles, prôner l'opportunisme, conquérir, jouir et abandonner. Parce que vous voulez me faire croire que l'amour des femmes ne fait jamais de victimes?

LA JEUNE FEMME

*(plus convaincue encore de ses opinions)*

Mais votre Don Juan tire son plaisir de la souffrance des autres. Une vraie machine de mort, en réalité. Il accumule non pas des conquêtes amoureuses, mais des victimes!

LE CONFÉRENCIER

(d'un air carrément las)

Ce que vous dites ne se trouve dans aucune des versions du mythe que je connaisse. Don Juan, un serial killer ! (Dans un long soupir) Mais pourquoi pas ? Il ne lui manquait que ce diagnostic : psychopathe. Tout ce que je peux vous dire, c'est qu'il s'agit d'un abus interprétatif. Quoi qu'on veuille en faire, Don Juan échappera toujours au stéréotype. Et je n'ai rien d'autre à ajouter.

LE MODÉRATEUR

(ignorant les signes de l'intervenante, qui voudrait bien avoir un droit de réplique)

Nous n'avons malheureusement plus de temps à notre disposition, mais je vous inviterais à poursuivre la discussion de façon informelle à la salle de réception. Un vin et fromages nous y attend.

Quelques personnes viennent serrer la main de l'écrivain, émues d'être entrées en contact avec lui. Le reste de l'auditoire se disperse. Une femme s'attarde, grande et mince, avec le charme d'une actrice mélancolique. Elle attend que le conférencier soit seul pour se rapprocher, jusqu'à lui toucher l'épaule avec la sienne. Il l'embrasse sur la joue.

LE CONFÉRENCIER

(avec un regard doux)

J'espère que tu ne t'es pas trop ennuyée, Amy chérie. La

discussion a pris un tour inattendu, totalement hors de propos.

*La femme pose ses doigts sur l'avant-bras du conférencier. Il la regarde; elle le regarde. Il lui sourit; elle lui sourit. Le modérateur leur fait signe qu'on les attend, avant de s'éclipser.*

LE CONFÉRENCIER
Allons rejoindre les autres. Et ne mange pas trop de ces fromages, d'accord? Je veux que tu aies assez d'appétit pour m'accompagner plus tard dans un bon resto. J'ai déjà fait la réservation. Chez le Caribéen. Ça te va?

## Face à l'improbable, épouser
## la douceur du conditionnel

La soirée aurait pu se terminer là, dans l'espace d'un cillement, alors que le moment s'ouvrit devant les ex-amants comme un répit, au grand soulagement de l'un et de l'autre. Les poissons flottaient au fond du restaurant où d'immenses aquariums diffusaient une lumière colorée. Caroline se laissa aller à suivre le mouvement des vaguelettes rouge fluo et fuchsia, traversées par des faisceaux jaunes qui rayonnaient au-delà de la surface vitrée pour se mêler aux ombres du plafond. Elle aurait voulu que ses sensations soient suspendues dans leur cours telles les bulles qui éclataient à la surface de l'eau après avoir suivi une trajectoire ascendante le long des algues de plastique. George goûta pour sa part l'inter-mède en écoutant couler le jet de thé vert qu'il versait dans son gobelet.

Caroline avait enfin levé la garde sur le monde de perfection qu'elle s'était peu à peu construit comme une forteresse interdisant l'accès à son être véritable. Elle reconnaissait que quelque chose n'allait pas. C'était déjà ça de pris pour George, qui se trouva toutefois incommodé par cet abandon qu'il n'espérait plus. Perplexe, il se voyait dans l'impossibilité de faire corps avec ce qu'il avait pourtant appelé en secret avant chacun de leurs rendez-vous. Il restait prisonnier de lui-même, étranger à la situation qui lui paraissait irréelle.

Il se rappela alors la fable chinoise lue par hasard sur le web. C'était l'histoire d'un homme que sa dame met au défi de lui prouver son amour pendant cent jours. À chaque crépuscule, il se présente sous son balcon. Sans varier, il pose le pied sur un tabouret avant de porter la main à son cœur, d'où sa voix tire un trémolo qui, il en a l'intime conviction, saura convaincre de l'authenticité de son sentiment. De la première sérénade à la quatre-vingt-dix-neuvième, il s'en remet au rituel qui finit par donner un sens à son existence jusqu'à ce que l'inexplicable se produise. Le centième jour, l'homme dépose son tabouret sous le balcon comme à son habitude, mais il n'arrive plus à émettre le moindre son. Dans un haussement d'épaules, il jette un dernier regard à la belle et, avec son tabouret sous le bras, il s'en va d'un pas léger pour disparaître à l'horizon, la tête pleine d'une liberté insoupçonnée.

George aimait cette histoire qui provoquait en lui une vague tristesse. S'il l'avait conservée en mémoire, c'était peut-être parce qu'elle avait un rapport avec lui-même. Mais quelle leçon y avait-il à en tirer ? Par son abandon final, l'homme cessait-il d'exister ? George avait l'intuition qu'il n'y avait pas de disparition sans réapparition et que l'important était de saisir l'instant où l'homme referait surface en un autre lieu, dans une autre histoire. D'ailleurs, qui eût pu lui affirmer avec certitude qu'il n'était pas cet homme ?

N'avait-il pas été fidèle à tous les rendez-vous avec Caroline ? Et sa sollicitude était toujours à recommencer. Dédain ou indifférence ? Quoi qu'il en soit, sa princesse semblait cette fois bouleversée. En effet, Caroline prenait conscience à quel point George lui était précieux, et elle le regardait, du coup, comme un oiseau rare qui risquait un jour de prendre son vol pour l'abandonner à elle-même. Plutôt que d'en profiter pour se faire un nid dans ses yeux, George se mit à observer autour de lui d'un œil nerveux.

Les quelques clients qui faisaient durer la soirée n'avaient d'autres justifications à leur présence tardive que d'augmenter leurs chances d'avoir une aventure en misant sur l'effet désinhibiteur de l'alcool. Une femme, dans la trentaine, embrassa son amie sur la bouche, laquelle se tourna vers une troisième pour répéter le même geste, les doigts entrelacés avec ceux de la première qui déboutonna un peu plus le haut de son chemisier de l'autre main. Il s'agissait soit d'un de ces couples devenus à la mode depuis peu, des poly-amoureuses. Ou d'un flirt stratégique pour exciter une table de jeunes loups qui avaient délié leurs bourses en leur faisant porter une bouteille de saké.

Comme si elle avait suivi le cours de sa pensée, Caroline rompit le silence qui s'alourdissait :

— Tu les trouves belles… Mais c'est trop pour toi… Et tu vendrais ton âme pour être le gars du film qui les observe en train de s'ébattre dans leur loft situé juste en face de sa chambre. Un Jack Daniel's à la main. Un kleenex dans l'autre.

— Tu y vas un peu trop fort, là… Pour qui tu me prends ? se rebella George.

— Pour quelqu'un qui n'a pas le courage de ses fantasmes, lui sourit-elle.

— Et c'est pour mieux les entretenir, mon enfant. Je suis un pauvre type, comme tu le décris si bien. Il n'en tient qu'à toi de me ramener dans la bonne voie. Mais en tant que future mariée, je ne vois pas pourquoi tu t'occuperais d'un cas perdu comme le mien.

La remarque piqua Caroline, qui se raidit et n'eut rien à ajouter. George regretta son ironie pour enfin se dire que parler avec elle était devenu une machine qui tournait à vide. Plus les mots s'accumulaient entre eux, plus il avait l'impression de se diriger droit vers le précipice qu'il entrevoyait au bout de leurs conversations, tel un de ces malheureux lemmings de Walt Disney que le haut des falaises rend suicidaires.

Il aurait dû lui dire qu'ils se voyaient pour une dernière fois. Mais comment trouver le courage de le lui annoncer ? Il aurait aussi aimé lui demander d'oublier la peine qu'il lui avait causée. Pourquoi toujours s'entêter à la provoquer ? Que cherchait-il à faire si ce n'était à entretenir l'improbable ? Il n'arrivait décidément pas à la cheville de son poète, qui la faisait chavirer avec deux ou trois mots dans un texto.

À force de se faire l'avocat du diable, George s'était en fait éloigné de ce qu'il aurait vraiment aimé lui dire. Il allait de nouveau ouvrir la bouche quand Caroline se leva avec l'addition à la main pour se diriger vers la caisse. Et il n'eut aucun geste pour la retenir. Pendant son absence, il trouva qu'il était plus doux d'imaginer tout ce qu'il aurait pu lui dire sans avoir à jamais le lui dire. Parce que les mots n'étaient pas là pour le servir, toujours un peu à côté de ce qu'il leur aurait fallu viser, comme d'éternels perdants. Tout ce qu'ils lui avaient permis de gagner, au fond, c'était un sursis.

# En eau trouble

Non, il n'arrivait pas à s'expliquer l'incompétence crasse de l'Agence de sécurité qui n'avait pas donné suite aux messages des agents de son escouade. Une saisie du matériel avait dû être ordonnée et les Services photographiques venaient de lui téléphoner. On avait enfin pu mettre la main sur l'enregistrement vidéo du 24 septembre. Il y jetterait un coup d'œil en fin de journée, après avoir repris l'enquête là où il l'avait laissée, deux jours plus tôt. Parce qu'il avait dû se charger d'une autre affaire. Un corps trouvé dans les bennes à ordures. À demi nu derrière un centre commercial. Sans identité. Le visage de la victime pas reconnaissable à travers une bouillie de bleus et d'orange violacé où saillait une fente rouge, telle une rature sur l'œuvre abstraite d'un artiste en colère.

Les tests d'ADN avaient permis de le confirmer : il ne s'agissait pas de Cindy. Mais Wallerstein ne doutait pas d'avoir affaire à une pute. En témoignaient les marques d'aiguilles sur les avant-bras et l'état des organes génitaux, plutôt endommagés pour son jeune âge. Elle avait eu le ventre crevé par des coups de pieds, comme d'autres femmes retrouvées dans des circonstances similaires. Mortes après avoir levé un client de trop.

Il y a toujours un lien entre toutes choses, philosophait-il. Et il devait bien y avoir une cause commune à tous ces meurtres. Des putes qui n'étaient réclamées par personne. Une vingtaine depuis qu'il avait été nommé inspecteur. Des cas à numéroter puis à ranger dans un classeur. Pour documenter l'impuissance de la police. La sienne qui était aussi celle de tous face aux dérapages de l'humanité.

L'inspecteur avait passé la veille à faire son rapport, à consigner les coups et blessures, traces de sperme, empreintes, poils et autres indices en provenance des Services d'identification médicolégale. La paperasse le rendait toujours irritable. Toutefois, ce qui lui houspillait la conscience était, ce matin-là, de nature plus personnelle. Car il n'arrêtait pas de penser à la boîte de condoms. Il l'avait trouvée dans le tiroir de la commode de sa femme au lieu des aspirines escomptées. Que pouvait-elle bien en faire ? Leur couple n'avait pourtant plus besoin de se préserver de quoi que ce soit.

Le problème qu'il devait maintenant résoudre était délicat. D'autant plus qu'il n'y avait pas de procédure à suivre. Recevait-elle un amant dans le confort de leur foyer ? S'il installait une caméra dans la chambre à coucher, il en aurait le cœur net. Cette solution présentait l'intérêt de lui épargner l'humiliation d'une dispute où il se montrerait jaloux. Du moins éclipsa-t-elle le nuage qui ombrageait son front pour le satisfaire momentanément. L'important était qu'il eût de nouveau les idées claires dont il avait besoin dans ses fonctions. Car il venait d'éteindre le moteur de sa voiture devant l'immeuble où il l'avait garée, espérant trouver son principal suspect chez lui.

Un coup de fil à l'université lui avait permis de s'assurer que Wiltor ne serait pas à son bureau aujourd'hui. Mais il était plausible qu'il soit en voyage. Car l'homme faisait beaucoup d'allers et retours. Dans le document fourni par le Service des renseignements, il était fait état des trajectoires effectuées sur une base régulière avec Air Canada. Celles-ci dessinaient un quadrilatère au-dessus de l'Atlantique : Toronto, Miami, Fort-de-France, Montréal, Toronto. Quant aux autres destinations internationales, elles apparaissaient avec une fréquence aléatoire sur une période de cinq ans.

En croisant Morales dans le hall de l'immeuble, Wallerstein se fit ouvrir la porte qui donnait accès au rez-de-chaussée tout en faisant mine de répondre à un appel sur son cellulaire pour éviter la conversation. Au deuxième étage, il sonna au numéro 7 et fut satisfait de voir apparaître la silhouette de Wiltor, forme massive qu'on eût pu croire taillée d'un seul bloc dans le bois d'ébène. Cette carrure d'athlète ne cadrait pas avec l'image qu'il avait pu se faire d'un poète. Un écrivain tout en muscles, c'était plutôt louche.

Sous d'épais sourcils, deux billes roulèrent de gauche à droite en balayant le corridor pour fixer ensuite leur éclat métallique sur les yeux de Wallerstein. « Vous désirez ? » furent les mots que laissèrent échapper des lèvres sensuelles mais qui, plissées sur une bouche en cul de poule, signifiaient à l'intrus son congé immédiat. L'amabilité n'était pas une propriété naturelle de l'homme. Elle finit néanmoins par s'imposer pour modeler ses manières après que l'inspecteur lui eut expliqué le motif de sa visite.

Wiltor le pria alors de ne pas rester là. De bien vouloir entrer, mais de l'excuser, le temps pour lui de passer quelque chose de plus convenable. Ce qu'il affirma en désignant de la main son short Adidas et sa camisole de coton blanc mouillée de haut en bas de la colonne vertébrale. Wallerstein lui répondit qu'il était louable de se maintenir en forme, que la discipline du corps était aussi saine pour l'esprit, et qu'il l'attendrait volontiers au salon, où il nota la présence de sangles sur les montants d'une chaise. Son regard fut surpris par Wiltor, qui le détrompa, sarcastique, avant de disparaître derrière la porte d'une autre pièce : ce n'était pas utile pour attacher d'hypothétiques victimes mais pour renforcer les abdominaux.

L'inspecteur n'eut pas sitôt la fesse posée sur un vieux divan en cuir brun que son hôte réapparaissait, vêtu d'une robe de chambre en soie gris perle. L'élégance était celle d'un poète excentrique. Mais la serviette éponge qu'il s'était passée autour du cou l'apparentait plus à Muhammad Ali après le ring. En fait, l'écrivain lui sembla avoir des airs tantôt d'un Luchini converti au sport, tantôt d'un King Kong à l'instinct pétri de culture. Un non-sens qui lui fit perdre son assurance.

Son nom était de notoriété publique, commença Wallerstein. L'objectif stratégique de la flatterie était de tester les réflexes du professeur, qui se contenta de hausser les épaules, comme pour dire qu'il s'agissait là d'une donnée négligeable de son existence. Qu'un agent de l'ordre puisse être au fait de ses activités avait cependant de quoi l'étonner. Avait-on fait enquête sur lui ? Voilà la question que Wallerstein put lire sur son faciès au moment où l'inquiétude lui imprégna une crispation vite dissipée. L'homme contrôlait ses émotions.

— Désolant, cette histoire, soupira Wiltor. Dans cet immeuble, vous dites ? On arrive mal à croire que ce genre de choses puisse arriver près de chez nous. Quand je vais raconter ça à ma fiancée ! Un inspecteur de police dans mon salon ! Elle va encore mettre ça sur le compte de mon imagination. Mais nous ne sommes pas dans un roman. N'est-ce pas ?

L'homme était aussi prolixe. Décontracté, il parlait avec une intonation en *crescendo* tandis qu'il se hissait sur un tabouret pour gagner quelques centimètres de hauteur sur Wallerstein.

Ils se toisèrent. Si Wiltor jouissait de la supériorité du point de vue, en contre-plongée, l'inspecteur avait l'avantage technique d'en savoir plus sur lui qu'il ne pouvait s'y attendre.

— Non seulement c'est arrivé près de chez vous, professeur, mais vous connaissiez la victime. Cindy Poliquin… Vous devez bien vous en souvenir…

Wiltor hocha la tête, l'air de ne pas en revenir, et nia toute implication dans cette histoire. Ce qui obligea Wallerstein à aller droit au but.

— À ce qu'on m'a dit, Cindy serait venue vous faire un brin de causette ce soir-là.

— Ce soir-là… répéta Wiltor d'une voix cette fois monocorde et de nouveau distante.

— Le 24 septembre dernier. Elle était chez des amis, des voisins à vous. Une petite fête au troisième. Elle a cogné à votre porte. Vous l'avez invitée à entrer. Quant à ce qui s'est passé ensuite, vous seul pouvez me renseigner sur ce point.

Wiltor se mit à rire, au comble de l'incrédulité. Toute cette histoire était absurde et il y avait certainement erreur sur la personne.

Quant à la fille sur la photo, il ne la connaissait pas. Une étudiante ? Il n'avait pas la mémoire des noms, il en était désolé. Des visages, non plus. Comment pourrait-il garder en tête tous ceux qu'il voyait défiler dans ses cours et qui se ressemblaient tous, au fond ? Des visages de jeunes à la personnalité encore indéterminée, sans les traits distinctifs de l'âge. Comment voulez-vous qu'on s'en souvienne ?

Ce qui avait pu arriver à cette Cindy était vraiment malheureux. Mais lui était-il vraiment arrivé quelque chose ? Ne pouvait-on pas croire que la disparue finirait par réapparaître ? S'il devait la voir en classe, il ne manquerait pas de l'en aviser. On pouvait compter sur lui. Il vérifierait l'état du dossier de cette étudiante dès qu'il serait à l'université.

Wallerstein décroisa les jambes, pinça son nez entre le pouce appuyé contre le lobe et l'index qui en caressa ensuite la courbe. Cela pouvait signifier deux choses : ou bien l'inspecteur essayait de contenir son agacement ; ou bien il dissimulait la satisfaction d'avoir un atout dont il saurait tirer profit à point nommé. Quoi qu'il en soit, leur entretien prit un autre cours quand Wiltor passa une main sur son front, saisi par une vision intérieure qu'il chercha à préciser en plissant les yeux pour distinguer une image lointaine.

Oui… Maintenant qu'il y pensait bien. C'était encore flou… Mais oui… il voyait bien une jeune femme dans le corridor. Quand était-ce ? Il n'eût pas su dire. C'était une étudiante, en effet. Mais oui… il s'en souvenait… Il avait été choqué qu'on vienne le déranger comme ça, chez lui. Les jeunes n'avaient plus aucune notion de l'espace privé. Facebook leur avait fait perdre le respect de toute intimité. Mais non… il ne pouvait pas affirmer qu'il s'agissait de Cindy. Impossible de se rappeler son visage. Il avait refermé la porte sur elle après l'avoir poliment invitée à passer le voir à son bureau. L'inspecteur n'était pas obligé de le croire. Mais il se devait d'être honnête :

— Je n'ai gardé aucune mémoire de cet incident qui me revient à l'esprit uniquement parce que vous avez évoqué une situation semblable. De là à dire que les deux événements sont reliés, il n'y a qu'un pas que je ne saurais franchir. À vous de le découvrir. C'est votre métier, après tout. Pas le mien. Moi, si je me souviens de cette parenthèse dans mon quotidien, c'est surtout en raison des circonstances qui lui ont fait suite.

— Vous piquez ma curiosité.

— Ma fiancée pourra vous le confirmer. Nous

avons eu une discussion au sujet de cette aventure. Parce qu'elle s'est inquiétée du fait que j'aie pu moi-même avoir donné mon adresse à l'étudiante. Pouvez-vous seulement imaginer? Mais la pointe de jalousie n'était pas pour me déplaire. Chez une femme, c'est toujours une preuve d'attachement. Que voulez-vous… On n'échappe pas à la vanité… Bref, je me souviens de cette conversation pour des raisons d'ordre sentimental. Mais je ne me souviens pas du détail de l'anecdote qui en a été le prétexte.

— Et votre fiancée, s'enquit Wallerstein, elle ne vit pas avec vous?

— Ça viendra, confia l'autre. Suffit d'être patient.

— Elle habite ici, à Hamilton?

— Non plus. Nous formons ce qu'on appelle un couple à distance.

— Et elle se trouve où, précisément?

— À Miami.

— Je vois…

— Vous voyez quoi? sourcilla Wiltor.

— Rien de spécial. Devrais-je y voir quelque chose?

Tout de même admirateur de l'aisance avec laquelle son interlocuteur avait tiré son épingle du jeu, Wallerstein lui demanda de pardonner son indiscrétion. Puis il s'enhardit:

— Dites-moi plutôt… Pour en revenir à votre petite *aventure*… Pourrait-on envisager que vous ayez également perdu la mémoire du passage de cette étudiante par votre salon? Qu'est-ce qui vous dit que l'échange que vous avez eu avec elle se soit déroulé dans le corridor et non sur ce divan?

Wiltor se redressa et se mit à arpenter la pièce. Avec tout le respect qu'il devait à l'inspecteur, il lui fit comprendre à quel point ce qu'il venait de dire était déplacé. Cependant, il ne pouvait s'empêcher de trouver sa question intéressante :

— Elle touche en réalité un aspect fondamental du fonctionnement de la mémoire. De nombreux penseurs ont réfléchi à ce problème. Ils en sont venus au constat qu'on ne peut se souvenir d'une chose qu'à condition que cette chose s'inscrive dans un lieu précis. Car il est alors possible de la localiser comme une empreinte dans la cire. De plus, sachez qu'il n'y a jamais de souvenir de la chose en soi, mais plutôt de la relation entre cette chose et une autre chose qui serait significative pour l'individu. Vous me suivez?

— Ce que vous dites est plutôt abstrait, mais je devrais pouvoir atteindre votre niveau, rétorqua Wallerstein avec un sourire en coin.

— Prenons l'exemple du bleu du ciel. Tout le monde a une mémoire de ce bleu et sait à quoi la chose fait référence. Or, pour chaque personne, le bleu du ciel est associé à une circonstance et revêt une signification particulière. Il n'y a donc pas de bleu en soi dont on pourrait retrouver la mémoire. En fait, on ne peut se souvenir que du bleu du ciel de Montréal à l'été 2010; ou du bleu du ciel qui précède un adieu à Fort-de-France; ou du bleu du ciel de Toronto pendant la confidence d'une amie très chère; et ainsi de suite. La mémoire fonctionne par analogies. Chacun de ses lieux est investi d'une valeur affective. Comme l'a si justement formulé le Poète : *Et tout nous est reconnaissance. Et toujours, ô mémoire, vous nous devancerez, en toutes terres nouvelles où nous n'avions encore vécu.*

Son pas, lent, accompagnait l'enchaînement de ses idées. Le torse bombé, il continua à discourir, avec la main qui allait et venait devant lui pour donner de l'emphase à son propos, comme s'il s'adressait à un auditoire plus vaste.

— C'est pourquoi, résuma-t-il, nous ne nous souvenons pas de tout ce que nous voyons ou entendons dans l'espace indifférencié de notre expérience. Seul ce que nous associons à un élément de notre vie personnelle, ou qui a un sens pour nous par son caractère inusité, demeure à jamais fixé dans notre mémoire. Et il est fort probable que j'associerai désormais votre visage à ce divan de cuir brun et à cette robe de chambre, un cadeau de ma fiancée. Joli, n'est-ce pas ?

L'inspecteur inclina la tête sur la droite pour prendre note de la griffe de Dior, visible sur le revers du col du professeur. Puis il argua que c'était trop d'honneur pour lui, qu'il n'en demandait pas tant.

La finesse dont il faisait montre était inusitée chez un flic, mais appréciable. Ce qui motiva Wiltor à renchérir :

— Suivant la même logique, il est permis de se demander comment j'aurais pu oublier le nom de cette étudiante si je l'avais fait passer dans ce lieu intime qu'est mon salon. Vous conviendrez avec moi que si je n'en ai pas gardé le souvenir, c'est parce que mon esprit ne peut l'associer avec aucune autre chose qui me concerne. Bref, pour répondre à la question de tout à l'heure, il y a tout lieu de croire que notre échange n'a pu se dérouler que dans le corridor. Sinon, je m'en serais souvenu. Vous pouvez en être certain.

Wallerstein encaissa ces dernières paroles sans pouvoir riposter. L'alibi purement verbal, et sans faille, avait surgi de nulle part. Il n'avait pas vu venir. Son index rencontra cette fois un accroc sur la courbe de son nez, et il perçut, après une légère pression, l'élancement d'une douleur sous-cutanée.

La défense de Wiltor était tordue. Elle lui rappelait vaguement un cours d'introduction à la philo. Il n'en avait rien retenu, à part la courbe des seins de Nancy, son béguin de l'époque qui était devenu sa femme. Le mot *syllogisme* lui revint du coup à l'esprit, comme une leçon alors jugée inutile qui venait de trouver son application, des années plus tard. Que Wiltor l'eût mis knock-out avec un syllogisme donnait raison à son père. Face aux gens de lettres, il ne pourrait jamais aspirer à autre chose qu'au ratage.

Nuls, les galons pris au cours de sa carrière ; nulles, ses petites victoires sur le crime, la sécurité de son mariage, sa belle maison. Nulle, l'illusion d'avoir pu jusqu'à maintenant échapper à l'échec. Nulle, sa vie était nulle. Wallerstein ne pensait plus qu'à rentrer chez lui pour pincer le comédon naissant qu'il avait sur le bout du nez et qui risquait autrement de prendre des proportions énormes. Mais il était prisonnier du cuir du divan dans lequel il s'enfonçait comme dans des sables mouvants.

Non sans savourer sa victoire, Wiltor le tira de cette mauvaise passe. Il lui tendit la main de manière à lui donner congé tout en lui fournissant la perche dont il avait besoin pour se remettre sur ses deux pieds. Dans la tête de l'inspecteur, un son de cloche résonna pour s'amplifier en échos sourds entre les profondeurs où il se trouvait malgré lui. Car il avait la sensation de marcher sous des eaux brouillées. En surface s'agitaient des particules qui l'empêchaient de discerner la nature des formes mouvantes au-dessus de lui, telles des ombres issues d'une lumière l'appelant vers elle. Il lui était toutefois impossible de l'atteindre et de s'arracher à la torpeur qui le maintenait au fond de son trouble.

Pour la première fois de sa carrière, Wallerstein se crut victime des ténèbres qui s'étaient emparées de lui, de l'intérieur, où sa volonté pataugeait comme un vulgaire têtard. Sans même aspirer à lutter contre cette force qui l'avait dérouté, il se laissa guider par Wiltor vers le corridor. Il entendit ensuite la voix caverneuse du professeur qui lui trouva le teint pâle et la porte se refermer derrière lui.

En se dirigeant vers l'ascenseur, il se ravisa, revint sur ses pas et s'arrêta devant le numéro 8. Son instinct lui commandait de sonner à la porte de la vieille dame. Avec l'espoir de la dernière chance, il se dit qu'une tasse de thé vert aurait peut-être la vertu de le ramener à lui-même.

## Fin de la presque dernière visite.
## 10 janvier 2011

Je vous ai bien écouté. Mais vous… vous ne m'avez pas écoutée. Trop facile de conclure au déni. Si c'est votre opinion… Opinion ou diagnostic, c'est pareil. Vous vous égarez sur l'origine de mon mal. Comme je me suis trompée sur son remède. À force de venir ici, j'ai fini par perdre le sens de la réalité. Non, il n'y a pas de double fond dans ce que je vis. Ou rien au-delà de ce que je vous ai raconté. Pourquoi vouloir à tout prix faire de moi une victime ? Anthony n'y est pour rien. La thérapie m'a fait chavirer. Un peu de silence me fera du bien. Je me suis d'ailleurs inscrite à un cours de yoga. J'apprends à faire le vide. Tout part de moi. Ce qui m'arrive, c'est moi qui le crée. Avec vous, je me remplis de bruits inutiles. Ça m'embrouille l'esprit. Que je reprenne le contrôle sur ma vie ! C'est bien ce que je suis décidée à faire. Vous n'avez pas à vous inquiéter. Que je redécouvre qui je suis ! Mais de quoi voulez-vous parler ? Peut-on vraiment arriver à savoir qui on est ? Je crois au contraire qu'il faut arriver à sortir de soi-même. Moi, moi, moi… toujours moi… On appelle ça de l'égoïsme, monsieur. Avec vous, je pense en rond. Et je m'enlise dans les plis de mon nombril. Pourquoi l'être humain serait-il limité au seul horizon de lui-même ? Je n'en peux plus, moi, de ce moi… Je voudrais en finir avec lui. Mais non… Rien à voir avec le manque d'estime de soi. Et ne me regardez pas comme si j'allais me suicider. Moi, par-ci, moi par-là. On n'entend que ça. Mais laissez-moi en sortir ! Ça m'étouffe, m'empêche de vivre. Oui, j'ai maigri. Oui, j'ai les traits tirés. Et oui… je pleure encore. Sauf que c'est plus localisé maintenant que je vais mieux. Au volant, dans la majorité des cas. Je pleure en voiture. Jamais au travail. Pas devant les autres. Regardez-moi. Je vais bien. Je ne me suis pas sentie aussi légère depuis longtemps. Les deux dernières semaines passées avec Anthony m'ont redonné confiance. Quand je pense à demain, je respire normalement. Pas de mauvais rêves. Finie la paranoïa. J'assume mon destin, un point c'est tout. Oui… je vous écoute. Mais arrêtez, bon sang ! Puisque je vous dis que je vais bien ! Non… je ne suis pas sous le pouvoir de qui que ce soit. Vous me prenez pour qui ? Une pauvre fille ? une junkie ? Non, je ne m'énerve pas. Je me demande seulement pourquoi vous vous en prenez à lui. Parce qu'il doit toujours y avoir un méchant dans l'histoire ? C'est ça ? Soyons réalistes. Comment voulez-vous que cet homme-là ait quelqu'un d'autre dans sa vie ? Nous nous parlons presque tous les soirs. Il la verrait quand, sa maîtresse ? À moins que… c'est vrai. Je n'y avais pas pensé. Il pourrait très bien m'appeler pendant qu'elle est occupée à autre chose. À se doucher, par exemple. Non… je ne sais pas pourquoi je dis ça. En fait, oui… je sais. C'est parce que j'ai l'impression qu'Anthony attend que je prenne ma douche pour faire ses appels. Mais je ne vois pas où est le mal. On peut trouver ça bizarre, effectivement. De là à croire qu'il veut me cacher des choses, il n'y a qu'un pas que je ne veux plus franchir. Vous m'avez bien compris ? Oui, je me suis souvent sentie trompée. Je vous ai parlé de ça. Puisque vous l'avez noté… C'est tout à fait vrai. Mais vous rappelez-vous que j'ai dû aussi faire face à mes erreurs ? Chaque fois que j'ai cru le prendre en défaut. Rien de bon pour l'estime de soi dont vous parliez tout à l'heure. Quand l'autre vous regarde avec la compassion qu'on a pour un malade, c'est humiliant. Vous ne pouvez pas savoir à quel point la jalousie rend honteuse. Et on se sent tellement coupable après. Tous ces doutes pour rien ! Absurde. Il est impensable qu'un homme timide et délicat comme lui puisse avoir une double vie. Un vieux garçon qui tient à ses habitudes. Le moindre changement à l'horaire le déstabilise. Incapable de planifier plus d'un rendez-vous dans la journée. Quoi encore ? Ridicule. Moi… en danger ! Vous n'avez pas peur des mots, vous ! Je vois bien que vous essayez de me retenir. Mais ça suffit. Ce n'est pas en me faisant peur que vous réussirez. C'est moi qui paie. C'est moi qui décide quand on arrête. Et ça s'arrête là. Tout de suite. Pour mon bien. Pour le bien d'Anthony. Je n'irai pas plus loin. Vous m'avez été utile au début. Il faut bien qu'on se raconte à quelqu'un. Sans témoin, on n'est rien du tout. Je vous remercie de m'avoir écoutée. Mais contentez-vous de votre rôle. N'essayez pas d'en faire plus. Je ne vous en demande pas plus. Je suis désolée, croyez-moi… Désolée… Vraiment désolée…

# Pour oublier la femme, enjoyer son métier

Accoudée au comptoir de la caisse, Caroline causait avec le serveur qui lui remettait sa MasterCard. Dans l'attente qu'elle revienne vers lui, George tendit le bras vers la droite pour s'emparer du journal laissé sur le bar par un client. Ses doigts filèrent jusqu'aux petites annonces, section « Offres d'emploi ». Il avait pris l'habitude de les parcourir depuis quelques mois déjà, de façon machinale, jusqu'à ce qu'il s'aperçoive que ce geste n'avait rien d'anodin.

Il avait ainsi commencé à lorgner vers d'autres possibles de l'existence. Ce qui lui fit croire que son cas n'était peut-être pas tout à fait perdu. Changer de vie commençait par trouver un autre emploi. Il s'était même surpris à rêver d'une roulotte dans les grands espaces canadiens, et ce, à force de tomber sur des invitations pour partir vers l'Ouest comme celle qu'il avait sous les yeux.

> **Cuisinier demandé.**
> Fort McMurray, Alberta. Chantier.
> 1 820 $ pour 70 heures par semaine.
> Hébergement et repas fournis.

Le métier de cook, au jour le jour. De bons plats mijotés. Le travail qui épuise. La télévision, les cartes et la bière le soir. Des virées à Las Vegas pour délier la bourse, avec des filles pas compliquées. Pas comme Caroline. Il avait souhaité cette vie-là pour se reposer de lui-même dans la routine de quelqu'un d'autre. Néanmoins, le courage lui avait manqué face à l'idée de passer des heures entre hommes avec tout ce qui s'ensuit : les claques dans le dos, l'odeur de pet et les blagues cochonnes, pas racistes mais…

Il avait aussi pensé devenir gardien de la faune. Mais Parcs Canada exigeait de hautes études pour contempler la nature. Il avait même envoyé son CV dans une des Caisses populaires du Québec. La dame qui avait signé la lettre était désolée de ne pas avoir pu retenir sa candidature parce qu'elle ne correspondait pas aux critères. Lui manquait une formation de gardien de nuit pour devenir gardien de nuit.

Ne lui restait donc qu'à s'incliner devant le hasard qu'il avait tout de même provoqué en répondant à une curieuse annonce, trouvée sur jobboom.com, et qui se lisait comme suit : « Boulanger-pâtissier. Pour commencer immédiatement. Salaire annuel : à discuter. Horaire : stable et régulier, nuit et soir. Atouts : enjoyer son métier, savoir vivre avec les autres, aimer le vent, ne pas avoir peur de l'isolement ni du blanc. Les candidats qui n'ont pas d'expérience seront aussi considérés. Écrire à cette adresse : Grains de Folie, 171, boul. Saint-Pierre Ouest, Caraquet, Nouveau-Brunswick, E1W 1A5. » George avait d'abord cru à une blague.

Après vérification sur le web, il avait trouvé le site du commerce et des indications pour s'y rendre.

Google Maps situait Caraquet dans une péninsule où se trouvaient des lieux aux noms exotiques tels Shippagan, Pokemouche, Lamèque et Miscou. L'endroit était localisé à l'extrémité est du Canada, là où le pays se termine par une pointe avancée dans la mer. Après, il n'y avait plus rien. Le bout du monde, s'était alors dit George, content. Parce qu'il avait terriblement envie de se trouver à proximité de ce rien, dans le vent, et de disparaître à jamais dans le paysage.

Il avait donc écrit une lettre de présentation en insistant sur les « atouts » qui lui correspondaient en tous points. Il avait aussi tenu à expliquer qu'à ce stade de sa vie il n'attendait plus rien de quiconque ni de quoi que ce soit. Et qu'il ne prétendait qu'à une tranquillité d'esprit dans le respect mutuel. Comme il n'avait, pour sa part, rien à perdre, il convenait de clarifier un détail d'importance. Il ne croyait pas à l'idéal de performance mis au service d'une rentabilité à tout prix. Si telle était la philosophie de l'employeur, prière de s'abstenir. George avait toutefois eu le souci de relativiser son propos en ajoutant une note positive : le fait qu'il s'agisse d'un emploi « stable » et « régulier » le rassurait ; ces mots lui avaient d'ailleurs beaucoup plu à la lecture de l'annonce, de même que le mot *enjoyer* qui était nouveau pour lui et qu'il trouvait très beau.

Contre toute attente, un dénommé Claude lui téléphonait, deux semaines plus tard, pour lui annoncer que sa candidature avait été retenue. Parmi toutes celles qu'il avait reçues, la sienne lui avait semblé la plus honnête. Sans trop réfléchir, George avait accepté de partir pour Caraquet. L'impossibilité dans laquelle il était d'imaginer ne serait-ce qu'un aspect de la vie qu'il mènerait dans la capitale culturelle de l'Acadie suffit à elle seule pour motiver sa décision, car rien ne venait s'y opposer. Sauf la nostalgie qu'il aurait de Caroline.

N'allait-il pas commettre une erreur ? Et s'il partait au moment même où elle allait lui revenir ? Ne lui restait plus qu'une semaine pour l'aviser de son départ. Il avait pourtant eu l'intention de tout lui dire ce soir-là. Mais c'était sans compter sur l'état dans lequel il l'avait vue. Le moment était mal choisi pour le faire. Il en trouverait peut-être la force en la raccompagnant chez elle.

Le sourire que Caroline adressait au serveur était privé de la spontanéité qui faisait son charme. Une certaine raideur s'était emparée des apparences. George voyait bien que Caroline faisait semblant d'être là et que son esprit tournait, en réalité, autour du seul problème qui l'avait occupée chaque seconde de leur tête-à-tête : la fidélité ou la non-fidélité de son *ostie* de poète. Il aimait les sacres québécois parce qu'ils étaient libérateurs. Surtout quand il n'y avait rien qu'on pût faire contre les injustices de ce monde. Il répéta donc trois fois pour lui-même la litanie apprise à l'école de langue française de Trois-Pistoles : *Ostie de tabarnac de christ d'ostie de calice. Bon !* Ce qui le calma momentanément.

Non, il n'avait pas le droit de la laisser tomber. Il la sentit de nouveau auprès de lui, dans sa robe jaune qui était tachée de thé vert, comme un soleil éteint. Les grands yeux de Caroline se fixèrent alors sur lui avec une pointe de sévérité.

— Ces filles-là exagèrent. Tu ne trouves pas, George ? On les entend dans tout le restaurant !

— Qu'est-ce que ça peut faire ? Il ne reste plus que nous et ces fous-là qui les encouragent à se faire remarquer.

— Et tout ce beau monde va finir dans le même lit, ajouta-t-elle pour enfoncer le clou de la réprobation.

— Laisse, Caro… Elles sont soûles, c'est tout ! Et depuis quand fais-tu la morale aux gens ? C'est à croire que l'idée du mariage t'a rendue intolérante.

Cette fois, George s'excusa de la remarque, qu'il trouvait de trop. Caroline ne lui en voulut pas. Elle lui caressa l'épaule avec sa main pour le lui signifier : ce n'est pas ce qu'il avait voulu dire, elle avait compris.

— Tu finiras bien par t'y faire, continua-t-elle de le rassurer. Pour le moment, tu réagis mal et tu dis des bêtises. Ça doit être à cause de la fatigue. Allons-nous-en d'ici.

— Oui, c'est mieux. Et regarde les serveurs. Ils sont vidés. Tu as vu l'heure ?

## Au piège du mensonge

La vieille dame n'allait pas bien. Elle s'en était excusée en faisant traîner ses pantoufles vers la cuisine pour ensuite s'enquérir de ce qu'elle pouvait lui offrir. Wallerstein avait répondu avec un filet de voix qu'un thé vert serait apprécié. Il avait froid et le Tim Hortons était sans compagnie. Elle avait alors empoigné la bouilloire avec son maigre bras dont l'artère cubitale se gonfla sous l'effort.

Un thé de plus ou de moins n'était pas ce qui allait la faire mourir, avait-elle laissé tomber sur un ton gris. Les traitements lui faisaient plus de mal que le mal lui-même. C'est ce que disaient ses yeux dont l'orbite était agrandie par l'angoisse du lendemain chaque jour moins certain. Elle avait été coupée, brûlée, empoisonnée, puis brûlée de nouveau. Ce sont des choses qui arrivent. Toutes les sept minutes et demie, un Canadien en meurt. Wallerstein savait que le cancer qui la rongeait était potentiellement le sien. Qui pourrait prétendre échapper au sort du commun?

Il s'était laissé aller à trouver la plainte de la vieille dame attendrissante, comme on accepte de reconnaître la présence d'une faiblesse qui nous habite, avec le soulagement du lâcher-prise. Ils avaient bu leur thé, tout en échangeant quelques bouts de phrases entre de nombreux silences. Les intentions de son visiteur étaient confuses, et la vieille dame l'avait bien compris qui ne lui avait pas posé de questions à leur sujet.

L'expérience avait appris quelque chose à l'inspecteur : les meilleurs refuges sont ceux que l'on trouve auprès des gens qui n'en ont plus pour longtemps et qui n'exigent plus rien de personne. Tous les autres, les héros de la compassion, les spécialistes de l'espoir, ne pouvaient qu'accroître les remords. Car à force de ne pas être heureux, on finissait par se sentir coupable. Et c'était bien ça, le pire. Sa femme avait raison. Il n'avait pas été à la hauteur de ses promesses de bonheur. Que pouvait-on y faire ? Il aurait toujours tort. Pas de solution possible à l'incompréhension. L'échec le cernait de toutes parts. Pas pour rien qu'il avait été mis knock-out en deux temps, trois mouvements. Ce Wiltor avait eu beau jeu.

Entendre la voix de la vieille dame lui faisait du bien. Parce que le malheur des autres était réconfortant. Dans les degrés du pire, sa situation lui paraissait, en comparaison, plus supportable. Il serait resté là pendant quelques minutes encore, à se remettre de son effondrement, n'eût été l'arrivée de la belle Hélène. À la vue de l'infirmière, il rougit, puis pâlit. Il aurait pu être ravi, mais ses soucis le contraignirent.

— Bonjour, inspecteur, fit-elle, avenante. Vous avez des nouvelles à nous donner ?

— Pas encore. Non… Mais ne vous inquiétez pas.

L'enquête évolue rapidement, lui mentit-il, avec un coup d'œil furtif à la vieille dame qui n'était pas dupe.

— Et en quoi peut-on vous être utile ? le relança-t-elle sans cacher son étonnement de le voir assis là, à causer avec sa patiente comme on le fait entre vieux amis.

Il lui répondit qu'elles l'avaient déjà beaucoup aidé et qu'il s'en voudrait de les priver de ce précieux temps qui file toujours trop vite. Tandis que son corps, jusque-là voûté, reprenait sa droiture, il remercia ensuite la vieille dame en lui serrant la main.

Il était juste de croire aux vertus thérapeutiques du thé vert. Les neurones de Wallerstein s'activaient de nouveau au profit du problème qu'il devrait régler à court terme. Que s'était-il passé ? Qu'est-ce qui avait bien pu causer le dérèglement de son efficacité ? Où avait-il failli dans cette affaire ? En longeant le corridor vers l'ascenseur, il pensa s'être trompé en ne s'attardant pas assez au cas des autres locataires de l'immeuble.

Il aurait dû suivre la piste de Taylor, le monstre de la vieille dame. L'emploi du temps de ce batteur de femme n'avait pas été vérifié. Ce qui n'était pas professionnel. Car il était plausible que l'homme ait voulu faire payer le départ de son épouse à la jeune fille. Il arrivait souvent que la frustration entraîne une violence de type compensatoire. Les Services d'enquêtes criminelles avaient quotidiennement l'occasion de documenter cette façon de se faire justice à soi-même. Quant à Morales, d'emblée éliminé de la liste des suspects, il lui faudrait peut-être y revenir.

Près de l'ascenseur, il consulta les quelques notes enregistrées sur son iPhone au début de l'enquête. De sa propre voix, il entendit les observations auxquelles il lui aurait fallu accorder plus d'importance. *Morales. Coopération nulle. Malaise notable au sujet de la vie privée du numéro 7, Wiltor. À confronter plus tard avec plus d'informations.* Il lui parut soudainement clair que le concierge avait un secret bien gardé. Le dos appuyé contre un mur du corridor, il se dit que son erreur avait été de se jeter dans la gueule du loup en sonnant trop tôt chez Wiltor. Il avait mis la charrue avant les bœufs, voilà tout ! Ne lui restait plus qu'à s'acquitter de ce qu'il aurait dû faire dès le premier jour : convoquer Morales au poste de police. Sans plus tarder.

Un interrogatoire en bonne et due forme lui ferait cracher le morceau. Les immigrants devenaient tous hypersensibles quand on se mettait à douter qu'ils soient de bons citoyens canadiens. Quelques allusions bien placées garantissaient les résultats. Car la fin justifiait les moyens. Comme dans *24 Heures chrono*. Chaque fois que l'agent du FBI abusait de son pouvoir ou devait même sacrifier un des êtres qui lui étaient les plus chers, il le faisait pour le bien commun. Jack Bauer, c'était d'ailleurs un peu lui. Au point où il en était dans sa vie, seule sa lutte contre le crime avait encore un sens. Tout le reste s'en allait à vau-l'eau. Il n'avait plus rien à perdre.

Cette dernière pensée acheva de le revigorer. Il allait garder la tête froide. Foncer droit devant. Sortir du labyrinthe où il s'était enfoncé en empruntant les voies que

Wiltor avait multipliées devant lui. Il y a des limites à la manipulation, se dit-il pour mettre un stop mental à la dérive qui l'avait maintenu au cœur du piège. Avec une déposition signée de Morales, il serait en meilleure posture pour se donner une seconde chance.

Sa raison ayant repris du service, elle enchaînait les interrogations. Si ce n'étaient pas les étudiants du troisième qui avaient ouvert la porte de l'immeuble alors que Cindy revenait du dépanneur, qui d'autre avait pu le faire ? Quelqu'un qui la connaissait, assurément. Pourquoi Wiltor avait-il insisté sur son engagement sentimental ? Il avait plusieurs fois évoqué sa fiancée. Or, le témoignage de la vieille dame coïncidait avec ce que son paternel lui avait confié : le professeur n'était pas du genre à causer de sa vie intime. Il n'était pas rare qu'un homme marié insiste pour parler de sa femme, histoire de masquer la vérité sur ses relations illégitimes. Wiltor avait-il voulu brouiller l'image de séducteur qu'on pouvait se faire de lui ? De quoi cherchait-il à le détourner ?

Si tant est que le fait soit avéré, et que Wiltor ait eu une liaison avec la nymphette, pourquoi l'aurait-il assassinée ? Le menaçait-elle de tout révéler ? Ce qui était mauvais et pour sa réputation et pour ses supposées fiançailles. Aurait-il paniqué ? Le fait que Cindy se soit inscrite à un cours de littérature alors qu'elle était étudiante en administration aurait dû lui mettre la puce à l'oreille. Et pourquoi l'avait-elle abandonné peu après ? Aurait-elle voulu rompre avec le professeur ? Ce dont il se serait vengé ce soir-là, jaloux de sa fréquentation de l'Arabe? Le crime passionnel n'était pas à exclure.

Lorsque les portes de l'ascenseur s'ouvrirent sur le rez-de-chaussée, les mots de Wiltor lui revinrent à l'esprit. « Je n'en ai pas gardé le souvenir. » Cet alibi l'avait insidieusement déstabilisé. Pourquoi? La réponse dépendait du sens que l'on pouvait donner à cette phrase, qui pouvait en avoir plusieurs.

1.    Il s'agissait d'un pur bluff. En reconnaissant avoir peut-être rencontré la disparue sans toutefois être en mesure de l'identifier, Wiltor ne faisait pas que parer aux accusations de parjure qui pourraient être portées contre lui, advenant le cas où des indices conduiraient à montrer que Cindy avait bel et bien franchi le seuil de sa porte. Il se soustrayait également au rôle de témoin potentiel. Il allait de soi que l'enquête ne tirerait aucun profit d'un amnésique. De plus, il évitait d'avoir à donner des précisions susceptibles de le compromettre, car témoigner l'obligerait à avoir recours au mensonge pour camoufler toute trace de son implication dans cette affaire. Que Wiltor ait eu le réflexe d'affirmer ne pas se souvenir était une preuve d'habileté remarquable.

2.    Rien n'empêchait de croire que Wiltor se soit adressé à cette part de lui-même qui conservait le souvenir de la jeune fille pour l'aviser du danger que représentait ce souvenir dans le monde qu'il s'était construit sur une base de respectabilité. C'est pourquoi il avait affirmé ne plus se souvenir. Pour se convaincre lui-même d'oublier ce qui avait peut-être commencé comme un fan-

tasme mais qui avait fini par devenir un cauchemar. En d'autres termes, son intention n'aurait pas été de tromper par le mensonge, mais plutôt de se protéger du choc de la réalité. Ce que les psychologues s'accordaient à désigner comme de la dénégation.

3.    Il était aussi possible d'interpréter la phrase comme le réflexe d'un parfait menteur qui invente n'importe quoi, sans trop réfléchir, par simple habitude de mentir. Mais Wiltor n'était pas en mesure de savoir que son interlocuteur obtiendrait un renseignement clé qui minait sa crédibilité. En effet, il était peu probable que le professeur ne puisse pas se souvenir, puisqu'il avait la réputation d'avoir une mémoire exceptionnelle. Wallerstein remerciait intérieurement son paternel de lui avoir fourni un tuyau qui invalidait le principal alibi de son suspect. Wiltor avait peut-être pris l'affaire avec trop de désinvolture. Ce qui était souvent le cas des grands mythomanes, peu préoccupés par la cohérence de leurs mensonges. Mais il verrait que la contradiction était malvenue à la barre des accusés.

L'inspecteur en était à enchaîner ainsi des hypothèses quand il arriva à la hauteur de l'appartement numéro 1, où il sonna. Le concierge resta bouche bée sur le seuil de son appartement après que lui fut remis un bout de papier sur lequel se trouvait l'adresse du poste de police de Hamilton. Il était sommé de s'y rendre avant le lendemain pour être interrogé au sujet de la disparition de Cindy Poliquin. Tout manquement à cette assignation serait considéré comme un refus de collaborer à l'enquête et pouvait entraîner des poursuites. Et il n'y avait rien à redire.

Wallerstein poussa enfin la porte vitrée donnant sur l'extérieur, où le soleil faisait briller la tôle des voitures. La clarté du jour l'aveugla et il dut mettre la main devant ses yeux pour examiner la Volkswagen qui était stationnée à côté de sa Camry. Sur la portière était inscrit le numéro sans frais du Gino's Pizza. Une inspiration subite lui fit prendre son cellulaire pour composer le 1-866-310-4466. Rien ne devait être laissé au hasard. On saurait lui dire si une livraison avait été effectuée dans la nuit du 24 septembre.

La réceptionniste sembla d'abord peu sensible à sa requête. Mais il était de la police criminelle et elle se fit plus obéissante. Une recherche sur l'ordinateur du restaurant permettait de le confirmer. Un appel concernant l'adresse qu'il lui avait donnée avait bel et bien été reçu dans la nuit de cette date-là. Wallerstein prit note du nom et des coordonnées du livreur de pizza, qui était un témoin potentiel. Pour organiser sa revanche, il lui fallait trouver des éléments de preuve. Et il allait aussi s'occuper de la bande vidéo qui l'attendait sur son bureau. Elle lui confirmerait que Cindy n'était jamais ressortie de cet immeuble.

En démarrant la voiture, l'inspecteur se sentait d'attaque. S'imposa à lui une dernière hypothèse quant aux raisons qui avaient pu motiver Wiltor à lui cacher la vérité sur ses capacités mémorielles. Le mensonge n'était peut-être ni stratégique ni naturel à l'homme, mais le fait des puissances du mal contre lesquelles il était en lutte. Il y avait de ces êtres qui ne dormaient jamais tranquilles et qui étaient en constant dialogue avec leurs démons. Ils prenaient un malin plaisir à berner les autres pour mieux se distraire de leurs tourments. Tout ça n'était pas très rationnel, il en convenait. Mais la volonté de donner un sens à l'inexplicable trouvait parfois sa source dans des zones obscures où la logique échouait à rendre compte de ce qui demeurerait à jamais innommable.

# Mirage californien

Au-dessus des longues tables alignées comme pour un mariage, des lanternes chinoises sont suspendues. Sur les galbes des coupes volent des jets de lumière bleue, jaune, verte et rouge qui dansent dans les yeux des invités. Les lèvres de ceux-ci s'ouvrent et se referment sur les fourchettes. Elles se crispent quand il y a un désaccord, s'étirent en un sourire d'encouragement ou libèrent des opinions avec une gymnastique compliquée. Celles de Caroline sont humectées d'un vin local. Depuis leur arrivée, la Californie lui a offert des bouquets inespérés. Elle est tout entière à l'arôme capiteux de cerise, de champignon et de poivre, au mélange des saveurs qui gonflent sur sa langue pour éclater contre son palais.

En conversant avec son éditeur de Chicago, assis à sa gauche, Anthony la touche presque du regard. Quoique plusieurs chaises les séparent, il veille sur elle, charmé par le reflet de son visage dans le miroir qui surplombe la table. Quand il n'est pas à ses côtés, elle a tendance à boire plus qu'elle ne devrait. Elle peut alors devenir insistante, poser des questions, exiger de lui qu'il se livre avec des détails. C'est ce genre de situation qu'il faut éviter. Moins on en dit, moins il est nécessaire de se justifier ensuite. Moins on se justifie, moins on a besoin de se souvenir de tous les détails et plus on se préserve des incohérences. Plus la confiance s'installe et l'amour aussi. Il ne convient pas toujours de s'en tenir à la vérité trop brute. Pour adoucir les choses, mentir un peu fait parfois plus de bien que de mal. Il n'y a qu'à voir Caroline pour s'en convaincre, resplendissante dans la robe au corsage de marguerites qu'il lui a achetée, cinq jours plus tôt, dans une boutique de Beverly Hills.

Que gagnerait-elle à tout connaître de lui? Mieux vaut ne pas la décevoir. Car elle a besoin de croire à son bonheur pour être belle. Il tient d'ailleurs à elle plus qu'il ne le devrait. Comme s'il était sans savoir que l'amour finira par se lasser. Avec le sourire que lui tire cette dernière pensée, Anthony continue d'observer Caroline qui croise son regard dans le miroir alors que l'éditeur se lève pour dire quelques mots.

Caroline se dit qu'elle voudrait ne plus repartir de San Francisco. Il est si bon de sentir Anthony près d'elle et d'avoir l'assurance qu'il y sera encore le lendemain, et le surlendemain, et tous les autres jours du voyage, sans qu'elle soit inquiétée par ses absences inopinées. Elle est partout reçue comme la femme du poète. Cette confirmation publique de leur amour semble plaire à Anthony, qui élargit son sourire. Tous le regardent la regarder. Impossible d'échapper à la satisfaction d'appartenir à la sphère d'un être d'exception. Consciente d'en acquérir une valeur ajoutée, elle se dit que c'est peut-être ce qu'on cherche à traduire quand on parle de moment de grâce.

Tout est même trop parfait pour qu'elle puisse y croire. Elle voudrait que son existence se fige dans cette oasis où rien ne l'atteindra avec autant de vérité que la voix d'Anthony quand il se mettra à lire des mots qui ne s'adresseront qu'à elle. Absorbée par l'anticipation de ce bonheur, Caroline ramène la coupe à ses lèvres tandis qu'un couteau se lève, puis frappe à répétition un verre d'eau qui se trouve aux côtés d'Anthony. Le tintement fait lever la tête des convives, qui avalent une dernière bouchée, essuient le coin de leur bouche avec une serviette de table.

L'éditeur souhaite d'abord dire combien il est reconnaissant à Anthony d'avoir répondu à l'appel des organisateurs en venant d'aussi loin que le Canada, en compagnie de Caroline que tous ont été charmés de rencontrer. Avec un signe de la main pour faire cesser les applaudissements, il précise qu'il tient à les rassurer tous. En effet, loin de lui l'intention d'ajouter un long discours à ceux qui ont été prononcés pendant les derniers jours. Mais il s'en voudrait de les laisser partir sans les avoir remerciés de leur participation à ce colloque international par le présent inégalé de quelques vers de leur invité d'honneur. Il a d'ailleurs l'immense joie d'annoncer que le poème inédit qu'ils entendront sera inclus dans l'anthologie dont il vient de terminer la préparation et qui sera en vente très prochainement.

Visiblement troublé par l'émotion, l'éditeur se tourne vers Anthony, lui porte un toast qu'il dirige vers Caroline, puis à l'assemblée. Alors qu'il se rassoit, le poète se lève à son tour et attend, les yeux fermés, que le silence se fasse total. D'une voix à la fois douce et grave, et sans rouvrir les yeux, il se met à réciter :

*Chant de femme, toi*
*en roulements monochromes*
*l'onde te tire d'elle*
*au large des mots couchés*
*par les tempêtes en dérive*

*Sous les engelures*
*de l'eau, j'oublie*
*le chiffre du manque*
*et les bleus de la nuit*
*sur ton corps au secret*
*l'œil de l'oiseau veille*

*Je ne suis plus*
*de l'intérêt du jour*
*d'où je t'entends*
*ressac des impatiences*
*comme une voix ancienne*
*à l'évidence de nos rives*

*Réinventer la distance*
*au centre des ailleurs*
*te rêver lointaine*
*pourtant si proche*
*captive des ombres*
*à l'échappée du désir*

*Sans fleurs ni couronnes*
*l'amour est pluriel*
*qui me convoque*
*au festin de pierre*
*où renaître anonyme*
*entre tes combles*

*Ô toi, chant de femme*
*trame de l'unicité*

C'est avec les mains jointes devant lui, comme pour prier, qu'Anthony termine son poème dans l'atmosphère de cathédrale qui recouvre les tables où plusieurs ont aussi fermé les yeux.

En prononçant chacun des mots de mémoire, il n'a pas cessé de voir sa silhouette à elle, découpée sur les plages de Miami, l'esprit emporté par l'imagination vers les courbes émouvantes de ses jambes et de sa voix. Vers Amy, son double mélancolique qu'il a dû quitter tant de fois. Ce poème, qu'il a déclamé si loin d'elle, il le doit à son chant douloureux qui l'entraîne sans cesse ailleurs, jamais là où il devrait être quand il le faut. Mais les applaudissements fusent, le ramènent au lieu qui est le sien et sur lequel il ouvre les yeux.

Autour de lui, des sourires de reconnaissance. Celui de Caroline qui s'est rapprochée de lui, l'embrasse sur la joue. Encore perdu dans son rêve, Anthony est soudain pris d'un vertige. Il a le pouls qui bat sous la tempe, le dos en sueur. Les jets de lumière colorée vacillent comme les tables et les têtes des convives. Pour éviter un déséquilibre, il s'appuie d'une main contre le montant de sa chaise.

L'inquiétude est sur le visage de Caroline, qui a le réflexe de lui tendre un comprimé de Tylenol sorti du fond de son sac. Si pratique, Caroline. Avec elle, au moins, il est sûr de ne pas perdre pied et d'avoir, quoi qu'il arrive, une résidence sur la terre. De nouveau, il lui sourit, l'attirant contre son corps. De l'avis général, ces deux-là forment un couple adorable.

# Cahiers de George

Aujourd'hui a été spécial. Comme quand c'est la fête et que tout est encore possible. Les adultes cessent d'être raisonnables. Leurs yeux s'ouvrent. Et le bonheur reste suspendu au-dessus des têtes. En rentrant ce matin au travail, rien ne le laissait présager. Si j'avais été plus attentif, j'en aurais remarqué les signes. Mais l'esprit ne reconnaît pas ce dont il n'a pas été prévenu.

Dès l'aube, ils étaient pourtant là à préparer le câble, sur les toits. C'est du moins ce qui a été expliqué à la radio. Je n'ai rien vu parce que je ne regardais pas au bon endroit. Le visible est à hauteur d'homme ; il se situe habituellement dans l'espace devant soi. Les artistes le savent. C'est pourquoi ils profitent de l'invisibilité que leur procurent les hauteurs pour inventer l'impossible et nous surprendre ensuite.

Je suis conscient de ne pas pouvoir dépeindre la magie des événements dont je vais reconstituer le cours. Les raconter au présent permettra toutefois de rendre mon témoignage plus vivant et, surtout, de me redonner l'impression d'y être. Car je me vois encore ouvrant la porte du resto qui donne sur la cour arrière. J'allume une cigarette, la tête basse. La douleur au foie sévit de plus belle et les idées noires m'isolent du reste du monde.

Je me dis que j'ai une mauvaise vie. Trop de fumée, de Prozac, de porno et d'alcool. Je n'en aurai plus pour longtemps si je continue comme ça. Mais je m'en fous. Trente-neuf ans, c'est aussi trop. Je ne survivrai pas à mon cœur brisé. Une catastrophe peut d'ailleurs se produire n'importe quand : frigidaire balancé par une fenêtre, rupture d'anévrisme, fuite de gaz, écrasement d'avion, épidémie d'anthrax. Les choses ne tiennent qu'à un fil. Tout équilibre peut se rompre à chaque instant. Sur cette dernière pensée, je lève la tête. Et c'est alors que je le vois, lui, sur son fil. À contre-jour : une silhouette dans le bleu du ciel.

Aveuglé par un soleil de canicule, je n'en distingue pas le centre tout en ombres. Son contour est imprécis, doublé d'une aura violacée. Je me frotte les yeux pour m'assurer qu'il ne s'agit pas d'une hallucination. Mais l'image persiste. Elle se meut dans les airs, où se précise la silhouette d'un homme sur un câble tendu du toit d'un immeuble à un autre.

Des passants se sont attroupés sur les trottoirs, ébahis par la forme en équilibre au-dessus de la rue. Celle-ci défie non seulement les lois de la gravité, mais aussi les règles, sacro-saintes, de la sécurité. Ils n'arrivent pas à y croire. Eux non plus. Car je ne suis plus seul à rêver. Déserteurs de notre quotidien, nous sommes identiques face à l'inusité : des enfants qui sont tout à ce qu'ils voient, dans le pur plaisir d'être là.

Après quelques pas dans le stationnement, je

m'arrête près d'un bloc de béton où la lumière, moins directe, me livre l'événement dans sa splendeur. Le funambule ne s'intéresse pas à la foule ni aux policiers qui sont prêts à lui mettre les menottes aux poignets dès qu'il en aura fini avec sa folie. Sur le câble d'acier rouillé, il glisse la plante de son pied droit et s'arrête, les mains agrippées à un manche à balai qui lui sert de balancier. Le genou gauche plie, le pied se lève. Ses orteils sont pointés dans de simples chaussettes, comme si l'homme venait de sortir du lit, noctambule, sans avoir pris la peine de se vêtir en entier. Debout sur une seule jambe, il prend la pose pendant des minutes qui nous paraissent une éternité. Je peux m'entendre respirer. Je peux aussi sentir respirer ceux qui sont de l'autre côté de la rue. Notre souffle accompagne ses gestes alors qu'il entreprend sa traversée, le regard fixé droit devant, sur un horizon invisible d'où il semble tirer un courage qui nous fascine.

Je m'assois sur le bloc de béton pour mieux contempler. Les volutes de ma cigarette montent vers lui, et fumer me donne l'impression de joindre ma délinquance à la sienne. Mais il est, lui, d'une autre trempe. Il se distingue de moi par le contrôle de lui-même, le temps de passer d'un point A à un point B et de soumettre son existence à l'épreuve de la mort qui borde chacun de ses mouvements.

Il repose son pied gauche sur le câble où s'étend la distance à parcourir, pas à pas, avec la peur du déséquilibre fatal. Parce qu'il ne s'agit pas de ces émotions fortes dispensées par un cirque de pacotille. Pas de faux-semblant ici. Rien n'est truqué. Et c'est peut-être là le sens de sa traversée : plutôt que de se laisser guider par la peur, l'apprivoiser, jusqu'à faire corps avec elle, pour la convertir en cette force qui nous manque à nous, gens d'en bas, et qui lui fera réaliser l'impossible. Comment a-t-il fait pour en arriver à ça ? Je voudrais être à sa place. Nous voudrions tous, comme lui, pouvoir conquérir nos peurs.

Le voilà qui accuse un léger déséquilibre. Le balancier oscille. Une jambe bat l'air. Nous poussons un grand cri, à l'unisson. Je ferme les yeux et les ouvre de nouveau. Il est encore là. Tout son corps est traversé par le danger ; il a la fragilité d'un épi de blé dans le vent. Mais il n'y a pas de vent. Le danger vient de lui. Qui sait quelle pensée l'aura distrait durant une fraction de seconde ? Il ramène son pied près de l'autre, monte ses bras en V au-dessus de sa tête, laisse voir une musculature parfaite sous sa camisole blanche. Il retrouve son équilibre, poursuit sa marche, les bras toujours levés vers le soleil dont il veut peut-être se protéger.

La foule applaudit. Sous lui, les voitures passent. Un mauvais réflexe et il a les os broyés. Il s'arrête, s'accroupit, saute, effectue un demi-tour dans l'air, retombe sur le câble, répète la cabriole et retrouve sa position initiale. Cette fois, nous sommes tous muets face à l'audace avec laquelle il s'exécute, pour reprendre ensuite la traversée du vide d'un pas plus rapide, comme s'il profitait de la vague de notre silence pour surfer jusqu'à mi-chemin de son parcours. C'est du risque à l'état pur. Pas d'assurance contre cette folie-là.

Un chat noir vient se frotter contre mes mollets. Je lui caresse l'échine, histoire de désamorcer le mauvais sort. Non pas que je sois superstitieux, mais je préfère mettre toutes les chances du côté du funambule. Ma pause est terminée depuis quelques minutes et je devrais déjà être au resto. Mais comme tous ces gens qui restent là à attendre, je ne bouge pas du bloc de béton où j'allume une autre cigarette, dans la crainte qu'un changement occasionné dans l'espace puisse avoir des répercussions sur ce qui se déroule au-dessus de nous.

Ma douleur au foie est disparue. Je me surprends à dire non aux obligations. Je serai en retard, n'en déplaise aux autres. Les conséquences de mon insubordination ne me concernent même pas. Je prends un break de l'avenir. Qu'on se débrouille sans moi. Ma vie est ailleurs. Tout mon être est occupé par ce qui m'entoure. Et pour stressantes qu'elles soient, les circonstances extérieures me plongent dans un étrange bien-être.

Soudain, une jeune femme arrive en vélo sur le trottoir. Elle aussi lève la tête, ajuste son béret d'une main. De l'autre, elle s'accroche au guidon pour maintenir le cap, sans dévier de sa trajectoire ni décélérer, et fend la foule qui se disperse à son passage. L'équilibre du funambule s'en trouve perturbé. À moins de deux mètres de son objectif, il vacille, après avoir jeté un coup d'œil sous lui. Alors qu'il amorce sa chute, nous comprenons, terrassés, que l'irréparable est en train d'avoir lieu.

Je ferme encore les yeux. Je les rouvre sur le désastre que j'anticipe. Je vois déjà un crâne défoncé, le sang qui coule sur la chaussée. Mais la circulation automobile suit son cours. Au-dessus d'elle, le corps d'un homme se balance, la tête dans le vide, pendu au câble par les pieds. Les bras ouverts pour saluer son public, il le remercie d'un large sourire, gardant toujours le manche à balai dans le creux de ses mains. Puis, dans un élan qui donne une impulsion à tout son corps, il attrape le câble avec les doigts, y pose la plante des pieds, pour enfin s'y hisser de nouveau à la verticale. Là, il tend une extrémité du balancier à un de ses complices qui l'attend sur le toit et qui le tire jusqu'à lui.

Il nous a bien eus. Des gens qui ne se connaissent ni d'Ève ni d'Adam se font des accolades, unis dans le soulagement de le savoir sain et sauf. Moi, je me laisse aller à les regarder. Je me dis que ce bloc de béton est une chance. Je ne m'étais pourtant jamais arrêté à ce petit refuge à l'intérieur d'un monde que je peux observer, du point de vue qu'il en offre, en toute tranquillité, avec le plaisir que procure une certaine distance. Ce qui est aussi une manière d'être là sans y être.

Je sors un petit agenda de ma poche. Le dernier cadeau de Caroline. Ses pages sont restées vides. Rien au programme depuis qu'elle m'a quitté. Mais je le traîne avec moi partout où je vais. Sans doute une façon de me raccrocher encore à elle. Je prends aussi le crayon dont je me sers pour faire les listes d'aliments à remettre au patron. Et comme si cela allait de soi, j'enfile les mots dans mon agenda pour ne pas oublier ce dont j'ai été témoin. Parce que j'ai découvert une chose aujourd'hui : l'important est de ne pas perdre le fil et de garder les choses à vue, malgré les déséquilibres.

Restera toujours gravée ici la trace qu'un homme a laissée dans le bleu du ciel de mon quartier.

23 juillet 2008

# Tous les chats sont gris

Dans la nuit qui s'ouvrait devant eux, il était rassurant de former avec lui un couple parmi les autres qui déambulaient sur le trottoir en longeant les vitrines. Caroline passa son bras sous celui de George comme elle n'avait cessé de le faire depuis qu'elle lui avait dit « C'est fini ». Elle inclina la tête sur son épaule, puis lissa avec ses doigts les plis de sa manche.

George pouvait sentir son corps menu qui marchait tout contre le sien, alors qu'il partageait en silence son odeur, ses soupirs. Il n'y avait pas d'étoiles dans le ciel de Toronto. Elles semblaient toutes avoir été rassemblées en une nouvelle constellation dans les yeux de Caroline. Il aurait voulu en explorer les profondeurs pour y découvrir l'origine inexpliquée de leurs feux. Mais il lui fallait se contenter de graviter autour de leur mystère, à l'intérieur de ses limites d'homme.

Lui dire que c'était la dernière fois était inutile. Trop occupée à jongler avec ses doutes, Caroline ne serait pas en mesure de comprendre. Il pressentait qu'elle aurait plus que jamais besoin de son aide. Parce qu'elle ne pouvait pas concevoir qu'il y ait du faux dans le labyrinthe du cœur. Sans lui, elle risquait de s'y perdre. Savoir tout ça rendait les adieux doublement pénibles. Et ce n'était même plus la peine d'y penser : il n'arriverait pas à les faire. Le mieux était de les lui envoyer par courriel. Il serait alors plus facile de tout lui expliquer.

Il avait suffi d'une simple réponse à une offre d'emploi pour faire prendre un autre cours à son existence. Comme un satellite sorti de son axe, il allait laisser l'orbite de Caroline. Quel serait l'impact de cette révolution sur sa personne ? Qu'allait-il se passer au sortir de la trajectoire qui l'avait maintenu pendant toutes ces années sous le pouvoir d'attraction d'un même centre inatteignable ?

George espérait qu'il allait devenir quelqu'un d'autre en changeant de lieu. Que la personne qu'il avait été jusque-là se désagrégerait au contact d'une nouvelle réalité où se perdraient les souvenirs de sa vie d'avant. Celui de son père, qui les avait quittés après lui avoir offert un vélo à son cinquième anniversaire. De ses ambitions de sauver le monde comme médecin sans frontières, étouffées sous la trop forte pression de la cote Z. De la moquerie de sa mère face à son repli dans les cuisines. Du visage hagard de celle-ci la dernière fois qu'il lui avait apporté des chocolats et qu'elle ne l'avait pas reconnu. De son premier échec amoureux et des autres aussi. De Caroline en train de faire ses valises. Des tiroirs vides, des draps défaits et de la boîte de Tampax oubliée sous le lavabo de la salle de bain.

Comme une suite logique à un enchaînement de causes malheureuses, il allait s'abandonner à la force du vent qui l'emporterait loin de tout ce qui le rappelait à lui-même. Changer de vie, se faire pousser la barbe et ne plus arriver à se souvenir ni de la voix ni des yeux de Caroline, tel était le programme.

À l'approche de la rue qu'il lui eût fallu remonter s'il avait voulu accompagner Caroline jusqu'à son appartement, George ralentit le pas. Il devait poursuivre sa route dans une autre direction et le temps était venu de se séparer.

— Bon, fit-il.

— Bon, répéta-t-elle.

— On est presque rendus.

— Oui, presque.

— Écoute, Caro… Tu prends soin de toi, d'accord ?

— T'inquiète pas. Je ferai ça pour toi.

— Encore une chose…

— Quoi donc ?

— Et si ton bon vieux George te donnait un conseil, tu le suivrais ?

— Je suis tout ouïe.

— *Si tu es pressée, fais un détour.*

— Encore un proverbe japonais ?

— En souvenir de toutes les soirées que nous avons passées au sushi bar, justifia-t-il en faisant volte-face pour lui serrer l'épaule.

— Je veux bien. Mais ça veut dire quoi ?

— Que ça ne sert à rien de te précipiter dans la gueule du loup.

— Où veux-tu en venir ? Je ne te suis pas, lui résista-t-elle avec un tremblement dans la gorge.

— Je te demande tout simplement de prendre ton

temps. Obtiens les réponses à toutes tes questions. Assure-toi de ne plus avoir aucun doute. Sinon, il sera trop tard pour te plaindre. Et je ne serai pas toujours là pour réparer les pots cassés. Voilà, en clair, ce que je veux dire.

Caroline vacilla, les yeux grands ouverts sur un George qui ne pouvait pas lui faire ça. Ils étaient trop liés l'un à l'autre pour qu'un jour il puisse ne plus être là, lui objecta-t-elle en posant le front sur la poitrine de son ami, qui lui souleva le menton d'une main tout en lui caressant les cheveux de l'autre.

— Allez, calme-toi. Et essaie d'aller dormir, ajouta-t-il avec une voix brisée. Tout s'arrangera.

Leurs visages se rapprochèrent tant que leurs lèvres se touchèrent presque avant que George ne fasse dévier les siennes vers la joue de Caroline.

— George…

— Oui…

— Tu es le bienvenu chez moi, tu sais.

— Ne me tente pas, je t'en prie. J'ai encore à faire. Tu as oublié? Je voulais passer au poste de police avant de rentrer.

— Tu as tout ton temps. Ça pourrait attendre à demain.

— Ça pourrait… Mais qui nous dit que cette fille n'est pas en danger? Anyway! Tant que je ne leur aurai pas raconté ce que j'ai vu, je ne suis pas sûr d'arriver à trouver le sommeil. Allez… Rentre chez toi. Va te reposer. On s'appelle.

— On s'appelle.

— Anytime, Caro. O.K. ?

— O.K.

— Bye.

— Bye.

— Bisou.

— Bisou.

Elle le regarda qui traversait la rue mains dans les poches, le dos voûté. Ce pauvre George, il semblait porter le poids du monde sur ses épaules. Quand arriverait-il à relever la tête pour voir l'horizon devant lui ?

Caroline aurait voulu qu'il reste avec elle, pour cette nuit uniquement. Le voir partir lui avait noué l'estomac. Avec une lourdeur dans les jambes, elle reprit sa marche vers l'appartement où elle ne se résignait pas à se retrouver seule. Elle aurait voulu tout de suite être dans le calme de la présence de George, ne pas l'avoir laissé s'éloigner comme s'il devait ne plus lui revenir.

D'où venait cette sensation qui la mettait en apesanteur ? De l'amitié ou de l'amour ? Entre les deux, les cœurs n'étaient pas clairs. C'était un peu comme ce chat qui venait de filer entre deux édifices. De quelle couleur était-il ? *La nuit, tous les chats sont gris,* lui aurait répondu George. Et il aurait eu raison, encore une fois. Il faisait trop noir dans sa tête pour qu'elle puisse discerner de quelle couleur étaient ses sentiments.

En arrivant chez elle, Caroline vit que le cordon de sécurité n'avait pas été enlevé des lieux de l'accident. Éclairé par la lumière jaune des lampadaires, un clochard faisait un bouquet des quelques marguerites restées, éparses, sur le sol. Plus de traces de la voiture, excepté celles laissées par les pneus sur l'asphalte et qui s'étiraient jusqu'à la vitrine du fleuriste qu'on avait placardée.

Quel gâchis! Rien pour lui remonter le moral. Toute cette vitre brisée, se dit-elle enfin, avant d'ouvrir la porte du hall de l'immeuble. C'était à faire pleurer.

## L'une des nombreuses autres visites.
## 15 juin 2011

Ça n'a pas changé, au contraire. C'est pire. Ça ne veut pas sortir de moi. Les amis, le cinéma, les promenades sur le sable, le yoga, rien n'y fait. J'ai tout essayé. En parler est mon seul recours. Un soulagement ? Non… je n'irais pas jusque-là. Le mot est trop fort. Mais à deux, c'est mieux. Comme ça, au moins, on a la chose à l'œil. Vous et moi, on monte la garde. Pas vrai ? À propos, j'ai fait ce que vous m'avez demandé. J'ai noté ce qui me vient à l'esprit après mes rêves. Ce matin, j'ai trouvé ces mots-là. J'étais à moitié consciente quand je les ai écrits. Tenez, lisez vous-même. J'ai peur. C'est bien ça. J'ai peur. Moi aussi, j'ai été étonnée. Parce que je ne me souviens pas d'avoir eu peur. Le rêve était étrange, mais pas au point de devenir effrayant. Plutôt dur à décrire. Il ne s'y passe rien. Je sens seulement une présence. Quelqu'un m'observe. Où que j'aille, son regard me devance. Il est toujours là à m'attendre. Je sais que je ne suis pas seule. Mais je me trouve en même temps de plus en plus seule, comme si la présence absorbait tout ce qu'il y avait en moi pour y laisser un grand vide. Le plus étrange est qu'elle m'a suivie jusqu'ici. Vous ne la sentez pas ? Je ne suis peut-être pas sortie du rêve. Non… je viens de vous le dire. Je n'ai pas peur. On s'y habitue, comme à un inconfort. Que j'aie pu écrire ces mots-là est inexplicable. De quoi aurais-je peur ? Vous ne savez pas. Moi non plus. Personne ne sait. C'est à croire que quelqu'un m'a jeté un sort. Et je me dis qu'une catastrophe finira par m'arriver. Comment l'éviter ? Vous êtes là, à chercher les causes de cette foutue dépression. Et si c'était une prémonition ? La fraction d'un malheur futur que je vivrais un peu chaque jour ? Il n'y a pas d'autre explication. Rien ne justifie l'état dans lequel je me suis mise. Cette façon que j'ai de me lamenter ! Indécente. Surtout quand je pense à mon père. Il aurait été fier de mon poste à l'université. De mon appartement. De la vue que j'ai sur la mer qui a été à la fois toute sa vie et l'horizon de ce qui lui manquait. Quand je la regarde, je revois la lueur qui se mêlait au chagrin au fond de ses yeux. Car nous sommes nés de la misère. C'est une affaire de famille. Ma mère disait que j'étais comme mon père. Une insatisfaite. Que ça ne sert à rien de rêver. Que ça porte malheur de désirer l'impossible. Parce que tout finit toujours par finir. Elle n'arrêtait pas de le répéter. Comme ma grand-mère l'avait fait avant elle. J'ai réussi à briser ce cycle-là. Sans l'aide de personne. Pour mon père qui n'a pu trouver de monde meilleur que dans l'alcool. Je n'ai donc pas à me plaindre. Et si ma mère avait raison ? Je ne mérite peut-être pas ma chance. Vous trouvez que je dramatise ? Je suis désolée. Ça doit être à cause de la mort de l'oiseau. Maintenant que j'y pense, la peur vient sûrement de là. Vous ne vous rappelez pas ? C'est arrivé il y a deux semaines. Il faudrait vérifier dans vos notes. Vous en êtes sûr ? Ça m'étonne de ne pas vous en avoir parlé. Je m'étais attachée à cet oiseau-là. J'étais comme attirée par son œil. Il le gardait grand ouvert sur moi. Un goéland à manteau noir. Je l'ai nourri pendant cinq jours après l'avoir trouvé. J'allais faire mon yoga, pieds nus sur le sable. Dans l'allée de l'immeuble menant à la plage, mes orteils ont accroché un fil qui s'est tendu. Un son rauque s'est échappé d'un bosquet. C'est là qu'il gisait, les pattes attachées l'une à l'autre par les restes d'un filet de pêche. Pour s'en déprendre, il avait tiré sur le fil qui s'est enfoncé dans ses chairs. Elles étaient bleues. Je ne savais pas quoi faire. On ne sait jamais quoi faire devant la détresse. Sinon se dire qu'on n'y peut rien. Qu'on n'a pas le droit d'intervenir dans le cours du destin. Moi, je ne sais pas ce qui m'a prise. Il a fallu que je m'en mêle. Mon premier réflexe a été de composer le numéro de mon amie biologiste. Élise a tout de suite quitté le Centre marin pour venir à ma rescousse. Je suis donc restée là, à proximité du bloc de souffrance qui se soulevait à intervalles réguliers sous les plumes, jusqu'à ce qu'elle arrive avec sa trousse de premiers soins et un sac de crevettes surgelées. L'oiseau a tout englouti, nous maintenant à distance avec son œil tour à tour reconnaissant et plein de frayeur. Élise lui a ensuite jeté une couverture sur la tête. Elle m'avait pourtant assuré qu'il n'avait rien de cassé. Qu'il allait se remettre, ses plaies une fois désinfectées. Suffisait de le laisser reprendre des forces. Pendant plus d'une semaine, je lui ai donné sa portion de harengs. Le dixième jour, je l'ai retrouvé l'abdomen face au ciel, les ailes ouvertes, pennes cambrées, comme s'il avait succombé à un dernier effort pour reprendre sa liberté. Tout ce temps que j'ai cru voir l'espoir d'une guérison dans son œil qu'il gardait fixé sur moi, c'était la mort qui me regardait. J'avais tout faux. Mais vous ne comprenez donc pas? C'est pourtant clair. J'ai accouru chaque jour pour le voir mourir. Dès le début, j'aurais dû le ramener à la mer pour qu'il lève les pattes au moins dans la dignité d'être chez lui, et non en exil sur la terre des hommes! Pour me racheter, je lui ai donné la sépulture que j'ai pu. Le vent était au beau calme. J'ai nagé vers le large avec l'oiseau contre mon ventre et je l'ai laissé dans les remous qui l'ont emporté. Je me suis ensuite jeté sur le sable, à l'ombre d'un parasol. Tout était tellement triste. Je ne pouvais pas m'empêcher de faire un lien entre la mort du goéland et ma liaison avec Anthony. Nous devions nous retrouver à Montréal cette fin de semaine là. Mais il a eu un imprévu, comme il en a souvent. Soit il me presse de le rejoindre. Soit il se confond en excuses. Je suis tantôt dans le pire des gouffres; tantôt au septième ciel. Entre tous ces faux départs et les nouvelles promesses, la réalité m'échappe au quotidien. Épuisant, ce jeu de montagnes russes. Ça me rend nerveuse de ne jamais savoir à quoi m'en tenir. Et je n'en peux toujours plus de vivre sur le qui-vive. On ne sait pas quand le malheur sera là, mais on sait qu'il peut surgir à tout moment. Je carbure à l'adrénaline. Vous dites? Je ne vous écoutais pas, désolée. Comme dans un thriller, oui. On peut dire ça. Ma vie sentimentale est un véritable thriller. C'est bien d'avoir de l'humour. N'empêche que je ne comprends pas comment vous pouvez faire des blagues avec ça. Et si l'oiseau, c'était moi ? Tiens ! On ne trouve plus ça drôle ! Mais ne faites pas cette tête-là, je vous promets de garder toutes mes plumes. La fin de l'histoire sera plus heureuse qu'on le pense. L'amour d'Anthony est malgré tout magnifique de patience. Je ne peux que me ressaisir en m'en remettant à lui. Vous verrez comme j'irai bien à mon retour. Oui, je pars demain. Pour une semaine. Je vais d'ailleurs devoir écourter notre séance. Reste encore ma valise à faire. Vous comprendrez certainement… Oui, oui, je suis consciente que le prix est le même. Ne vous en faites pas pour ça. Je vous dis donc à la prochaine. Mais non, je ne vous en veux pas. Allez… portez-vous bien. Sans rancune.

# Second round

Les murs vitrés donnaient sur le paysage uniforme où les contours des objets étaient brouillés par la pluie qui tombait, drue, avec la lourdeur d'un rideau de plomb. La veille, Wallerstein avait vu un documentaire sur la Seconde Guerre mondiale. Les champignons noirs des parapluies lui rappelèrent celui d'Hiroshima. Les ombres longeant les gouttières, celles qui fuyaient sous les bombes. Ce qui avait lieu dehors lui semblait appartenir à un monde où la vie était en noir et blanc ; les passants, des survivants d'une autre époque ; et lui, comme tous les autres quidams du café, un réfugié dans un bunker. Passée la porte du Tim Hortons, les visages retrouvaient leur éclat sous la crudité des néons qui accentuait les contrastes.

Dans ce côté du monde en technicolor, il y avait de tout pour se distraire. La vie était bleu royal comme la tête de l'ado gothique, crêpé pour refuser de devenir ce qu'on voudrait qu'il soit. Bleu poudre comme la touche de L'Oréal qui donne du lustre à la coquetterie de la septuagénaire. Vermeille comme la couperose sur le nez de l'antisocial ou les joues des jeunes filles. Verte comme l'univers des écolos brandissant leur tasse sans BPA, à faire remplir, s'il vous plaît! Versicolore comme les teintes des porteurs d'espoir avec, sur leur veste, qui le ruban rose, qui le drapeau de la *Gay Pride,* parmi les logos de toutes les allégeances confondues. Amnistie internationale. Pepsi. Shell. Commerce équitable. Apple. Swiss. La Croix-Rouge. Adidas. Sony. Bardot et son phoque. Greenpeace. Les Maple Leafs. Les Bruins. Les Mets…

Wallerstein coupa court à sa recension, étonné de voir passer l'icône du Che, même si plus personne ne savait quelle guerre il avait faite ni quelle était la différence entre l'étoile de son béret et celles de la Heineken ou des Cowboys de Dallas. À côté de lui, un homme vint prendre place. Sur son t-shirt, il put lire : « Congrès mondial acadien ». Qu'est-ce que c'était que ça ? Une autre cause perdue à défendre ? Il prit la référence en note sur son iPhone, dans le fichier de questions à poser plus tard à Google. Passer du temps au Tim pourrait lui être instructif.

L'inspecteur scrutait le visage de chacun des clients qui défilaient à la caisse. Il l'attendait depuis plus d'une demi-heure. De quoi pouvait bien avoir l'air un livreur de pizza ? Un métier qui n'avait pas de couleur en particulier. Steve Downing. Rien de plus inutile qu'un nom pareil pour s'imaginer un visage. Depuis que la mode était au mélange, les races étaient en voie de disparition. L'autre jour, il avait vu la photo d'un Nguyen dans le journal. Même pas jaune. Et les yeux, même pas bridés. On n'avait plus les Viets qu'on avait. Impossible désormais de s'y fier. La seule certitude qu'il pouvait y avoir au sujet de ce Downing, c'était qu'il parlait blanc, qu'il soit foncé ou clair, et qu'il avait une demi-heure de retard.

Dix heures vingt-huit. Wallerstein s'impatienta, pétrissant avec ses doigts la casquette rouge, signe de reconnaissance dont il avait convenu avec le livreur. À dix heures trente, il avait un autre rendez-vous. Juste en face. Il aurait dû se lever pour aller dans cette direction, mais quelque chose l'obligeait à rester encore un peu, comme s'il devait répondre à un intérêt supérieur à sa raison. Wiltor ne perdrait rien pour attendre.

Morales avait lâché le morceau. La déposition d'un témoin oculaire, c'était béton. Que le professeur ait nié avoir un lien avec la disparue était un indice de sa culpabilité. Suffisait de le confronter et de le laisser macérer dans l'angoisse de se savoir découvert. Face à l'éventualité de voir leur mensonge s'effondrer, ils finissaient tous par craquer. Par commettre des erreurs, pour le préserver coûte que coûte, en se livrant eux-mêmes dans l'incohérence. Wallerstein avait maintes fois eu l'occasion de constater le phénomène. Il saurait en retirer un avantage pour calculer sa force de frappe.

Les preuves n'étaient toutefois pas suffisantes pour inculper Wiltor. Car s'il était facile de montrer que la jeune fille était entrée dans l'édifice, rien ne permettait d'affirmer qu'elle n'en était jamais ressortie. Un hic de taille. Avant de regarder le documentaire sur la Seconde Guerre mondiale, il s'était tapé une heure de rayures et de neige. L'opacité des formes qui traversaient l'écran avait résisté aux tentatives de décodage des Services techniques qui venaient de lui remettre un verdict de défectuosité. La caméra placée dans le hall de l'immeuble était en réalité hors service. Pas pour rien qu'il ait fallu ramer pour mettre la main sur la vidéo. Il était dans l'intérêt de la compagnie de dissimuler l'imposture en matière de sécurité.

Au comble de l'agacement, l'inspecteur allait quitter sa chaise quand il le vit venir. Il sut que c'était lui à la nervosité qui le faisait presque reculer plus il avançait vers la casquette rouge qu'il avait repérée dès le seuil de la porte. Dans son timbre de voix, Wallerstein crut déceler un étrange composé de frayeur et de lâcher-prise. Le livreur n'en menait pas large. La façon dont il se tordait les doigts et se mordait la lèvre tout en parlant lui indiqua qu'il avait quelque chose sur la conscience.

Le pauvre homme savait pourquoi on avait demandé à le rencontrer. Il tenait à le préciser : c'était pour lui un soulagement d'être là, même s'il avait failli ne pas venir. Oui, il connaissait la fille. C'est-à-dire que non, il ne la connaissait pas. Mais il l'avait vue. Il ne l'avait pas dit parce qu'il avait eu peur. De personne en particulier. Il craignait seulement que ses patrons ne l'apprennent.

L'inspecteur devait comprendre. GM l'avait congédié après six ans de service. Sa femme venait d'accoucher d'un troisième. Il n'avait pas les moyens de perdre son travail. C'était le seul qu'il avait pu trouver après des mois de recherches. Raconter ce qu'il avait fait ce soir-là pouvait avoir des conséquences. Mais il ne voulait plus garder ça pour lui. Depuis qu'il avait vu l'avis de recherche, il n'arrivait plus à dormir. Il n'arrêtait pas d'y penser. Dire qu'il aurait pu la ramener chez elle ! La mettre en sécurité. Il était désolé de ce qui s'était passé. Vraiment. Et il le suppliait encore de comprendre et de ne rien raconter à ses patrons. « Leur raconter quoi ? » l'interrompit Wallerstein.

Le livreur le regarda avec stupéfaction. Ne suffisait-il pas que la police ait demandé à lui parler ? La réceptionniste en avait informé tout le monde. Des rumeurs circulaient sur son compte. Une mauvaise réputation avait valu à d'autres de se faire mettre à la porte du Gino's. Il ne fallait pas qu'on le croie mêlé à cette histoire. D'autant plus qu'il n'avait pas le droit de faire ça.

« Faire quoi ? » Le règlement interdisait de faire monter qui que ce soit dans la voiture de livraison. Il ne voulait pas qu'on sache qu'il le lui avait offert. Wallerstein n'en croyait pas ses oreilles. « Parce que Cindy est partie avec vous en sortant de l'immeuble ? » lâcha-t-il presque en criant. Ce qu'il apprit par la suite le paralysa.

Le livreur lui raconta tout, comme pour se débarrasser de la pression qui lui aurait tôt ou tard fait exploser la tête. Il parla tant et tant, et si vite, qu'il n'eut bientôt plus rien à dire. Et il regarda ensuite son interlocuteur avec un calme inversement proportionnel au trouble qu'il venait de provoquer en lui. Une boule s'était formée dans la gorge de Wallerstein, qui n'arrivait pas à trouver les mots pour répondre aux confidences du livreur délivré.

En cinq petites minutes, le pauvre homme venait

de démolir la vérité que l'inspecteur avait pu reconstituer après des jours d'enquête. La boule descendit le long de son œsophage jusque dans son ventre, où elle lui fit l'effet d'une éponge sale. Il s'en dégagea un relent bilieux qui lui laissa un goût amer dans la bouche. Il croyait avoir pincé le coupable. Et voilà que le hasard lui fournissait une autre piste.

Un souffle nauséeux passa à travers ses poumons. Il n'eut pas sitôt informé Steve Downing qu'il serait appelé à témoigner en toute confidentialité et que ses employeurs seraient rassurés sur son compte que le souffle se transforma en tempête. Celle-ci balaya en lui toute trace de volonté pour ne laisser, dans son esprit, que du vide sous une poussière qui lève.

Il ne garda aucun souvenir de son passage de l'intérieur du Tim au trottoir, où la pluie lui piqua les joues. C'est là qu'il fut ramené de son absence. Alors qu'il traversait en aveugle la rue qui le séparait de son autre rendez-vous, toute la grisaille passa au rouge. L'air qui sortait de ses narines lui chauffait les lèvres, d'où s'échappait un filet de salive qu'il laissa couler, se mêler à la pluie et à la sueur le long de son cou. Il se trouvait de nouveau en proie à l'imprévisible d'une pulsion qu'il croyait disparue avec sa jeunesse.

Sous le choc de sa force motrice, la porte de l'immeuble heurta la brique du mur extérieur. Il aurait souhaité la voir sortir de ses gonds. Au lieu de quoi elle se referma sur le silence du hall d'entrée où retentit, au rythme du cœur qui cogne, l'écho de la porte qui cogne. Le doigt sur le bouton de l'interphone, il rugit presque en sommant le concierge de lui ouvrir. Enfin, il se rua dans le corridor et emprunta la cage d'escalier, les yeux injectés du rouge qui le projetait au-devant de lui-même.

Une voix l'assiégea, qui lui virait les sangs tout en donnant un visage à la source du mal vers lequel il courait. Les gens comme lui ne méritent pas d'exister, rageait-elle. Des profiteurs qui se croient tout permis. Qui vont toujours plus loin sans jamais se soucier des dégâts laissés derrière eux. Des gens qui font de tout hasard une victime. Et qui continuent à sourire, à serrer des mains. Des gens respectables dans le mépris de la vie des autres. Qui savent se faire aimer. Parce qu'ils ont lu tous les livres. Qu'ils ont des ambitions supérieures. Parce que leur niveau de conscience est élevé. Qu'ils signent des pétitions contre la guerre et font des dédicaces. Parce qu'ils sont propres, eux. Qu'ils écrivent des poèmes pour dénoncer l'injustice. Parce que ce sont des êtres sensibles, irréprochables.

De l'humain qui sent le soufre, en réalité. De la pire espèce. De celle qui se lave les mains toutes les fractions de seconde. Qui dort dans sa mauvaise foi en faisant de beaux rêves. Parce qu'elle est par-delà le bien et le mal. Et qu'elle a l'autorité morale de vous expliquer ce qu'il faut penser de ceci ou de cela. La voix allait s'amplifiant jusqu'à ce que Wallerstein arrive devant l'appartement de Wiltor, à qui il n'avait pas l'intention de laisser le privilège d'avoir la conscience nette. Cette fois, il allait le mettre K.-O.

La porte s'ouvrit. Sans attendre qu'on l'invite à entrer, l'inspecteur fila vers le salon. Là, il s'affala dans le même divan de cuir brun où il avait essuyé une défaite au premier round. Avec un geste emphatique du bras, il fit signe à son hôte de prendre place sur le fauteuil qui lui faisait face :

— Je vous en prie, cher professeur. Faites comme chez vous. Assoyez-vous bien confortablement. Nous avons quelques petites choses à régler, je crois.

Saisi par l'excès de courtoisie qui contenait une charge d'agressivité certaine, Wiltor s'exécuta. Il croisa les jambes sur lesquelles tombait le pli d'un pantalon de rayonne, puis fit de même avec ses mains qu'il posa sur la pointe de son genou, l'air d'attendre qu'on en finisse. Se dégageait de sa personne un parfum qui envahit l'espace vital de l'inspecteur et qui, plutôt que de l'indisposer, fournit matière au commentaire :

— Vous sentez bien bon, professeur. Permettez-moi une question : vous cherchez à masquer quoi avec cette odeur ?

L'autre bondit sur ses deux pieds. On n'avait pas le droit de venir l'intimider comme ça dans son salon. Il porterait plainte.

— Je ne crois pas que vous soyez en aussi bonne position, lui rétorqua Wallerstein avec un sourire confiant. Je vous conseille même de vous rasseoir pour écouter ce que j'ai à vous dire si vous souhaitez être en mesure de mieux vous défendre quand vous serez appelé à la barre.

Savourant l'effet de son attaque surprise, l'inspecteur s'attarda à examiner Wiltor qui arpentait le salon, à la recherche de repères qui lui permettraient de retrouver un semblant d'équilibre. Son adversaire ne lui laissa pas cette chance :

— Un témoin affirme avoir vu entrer chez vous celle qu'il a formellement identifiée comme étant Cindy Poliquin.

Wiltor tira un mouchoir de coton blanc de sa poche et le passa sur son front. En retrouvant son aplomb, il revint à la charge dans un long soupir d'exaspération :

— Où voulez-vous en venir ? Il semblerait que vous soyez déterminé à ternir ma réputation. Libre à vous de penser ce que vous voudrez. Sachez que je n'ai rien à me reprocher. Un avocat pourra facilement assurer ma défense. Je vous demanderais, maintenant, de m'accompagner jusqu'à la porte. Il y a des limites à ma patience.

Wiltor allait atteindre le corridor, quand l'inspecteur lui barra le chemin, comme propulsé par les ressorts du divan. En laissant tomber le *professeur,* il lui signifia sans détour qui devait se soumettre à qui :

— Minute, bonhomme ! On n'en a pas fini, tous les deux. Bien au contraire. Tu as encore des petites choses à me confier, lui souffla-t-il au visage en tâtant le col de sa chemise avec les doigts de sa main pour mieux le tenir en respect.

La menace de l'inspecteur ne suscita pas la moindre des réactions habituelles dans ces circonstances. Ce n'était pas de la peur, mais une pointe de contrariété que laissa paraître un haussement de l'arcade sourcilière. Une conscience un tant soit peu paranoïaque eût pu voir en Wiltor un de ces androïdes qui ont tout de l'humain mais qui ont des fils électriques à la place des tripes et le cerveau tapissé de circuits électroniques.

Face à cette froide mimique, Wallerstein retira sa casquette rouge pour la lui mettre sous le nez en l'écrasant entre ses doigts, manière de faire comprendre qu'il le réduirait bientôt en bouillie. Il ne voyait en réalité plus que le rouge de la casquette qui commanda chacun des mots prononcés par la suite, lesquels prirent la couleur de sa colère :

— Je vais te dire, moi, ce qui s'est passé. Pendant une petite fête qui avait lieu chez des étudiants du troisième, la pauvre fille a appris que tu habitais l'immeuble. Elle est sortie acheter un paquet de cigarettes et elle en a profité, au retour, pour dire bonjour à son professeur. Une occasion que tu n'as pas laissée passer. Mais tu ne pouvais pas savoir que le concierge verrait la porte se refermer sur vous deux. Il avait eu le réflexe de se tapir derrière le mur du bout du couloir. Pour ne pas être témoin de scènes embarrassantes. C'est ce qu'il a déclaré dans sa déposition, sans compter d'autres détails très intéressants.

Wiltor leva des yeux incrédules sur l'inspecteur. Le monde s'arrêta de tourner et le temps resta suspendu aux lèvres de son détracteur, lequel avait le sentiment d'avoir porté un coup décisif.

— Les faits sont clairs, poursuivit Wallerstein. Cindy était sonnée par l'alcool et d'autres substances qui la prédisposaient pour le mieux. Tu l'as fait boire encore. Tu en as bien profité. Et tu l'as mise à la porte quatre heures plus tard. Sans même prendre la peine d'appeler de taxi ni de t'assurer qu'il lui restait assez de jugeote pour en trouver un. C'est à ce moment-là qu'intervient mon dernier témoin. Un livreur de pizza. Tu pourras le remercier. Il t'évite d'avoir à faire face à de lourdes accusations. C'est lui qui s'est occupé de Cindy. Il était approximativement trois heures quand il l'a aperçue. Elle l'appelait avec un bras levé, lui tendant un agenda ouvert. Sur la première page était inscrite l'adresse des résidences de l'université. Dans l'état où elle était, elle l'avait peut-être pris pour un chauffeur de taxi. Et il crut bon de l'emmener à bon port. Il l'a donc traînée jusqu'au stationnement pour l'installer dans la voiture, où il l'a laissée seule. Pas plus de dix minutes. Le temps, pour lui, de monter sa pizza au troisième. Il a ensuite eu l'idée d'amener la fille dans l'appartement qu'il venait de quitter. On y faisait la fête. Elle devait sûrement venir de là. Et il y aurait du monde pour s'en occuper. Mais elle avait quitté la voiture. Ce n'est qu'en tournant à l'intersection qu'il l'a repérée. Elle faisait du pouce. Une Thunderbird s'est arrêtée avant qu'il ne la rejoigne. Elle y est montée. Et nous n'avons plus rien su d'elle après. Il y a de quoi être fier, distingué professeur. Je me demande ce que pourraient en penser les confrères de l'université. Et si je leur soumettais le cas ? Y a-t-il une différence entre un beau salaud et un criminel ? Où commence la responsabilité du délit ?

Wiltor avait d'abord écouté avec un air intéressé. Le récit du livreur de pizza lui avait fait retrouver un flegme qu'il reperdit totalement face à l'éventualité que la chose soit rendue publique. Déconcerté, il chercha à parer à la catastrophe :

— Votre histoire, quoique plausible, est truffée d'inconnues. Qu'est-ce qui vous dit que la fille ne soit pas retournée chez les Arabes du haut? Ou qu'elle ne soit pas allée trouver quelqu'un d'autre dans l'immeuble?

Wallerstein en eut assez.

— Jusqu'à preuve du contraire, mon hypothèse est la seule qui tienne. Tu as vingt-quatre heures pour t'accorder avec la vérité avant d'aller faire ta déposition, conclut-il. Un faux témoignage peut te mener en prison. Réfléchis-y bien. C'est ta dernière chance.

La main sur la porte, il se retourna pour jeter un dernier regard à Wiltor, qui s'était statufié. Puis il ajouta pour lui-même, une fois dans le corridor : « Mais les hypocrites s'en sortent toujours. C'est pour ça que les intérêts de chacun passent avant ceux de tous. Que les voyants se conduisent en aveugles et que les affaires demeurent en général non classées. On ne peut rien y faire. Une drôle de guerre! Et on n'en connaîtra jamais le nombre de victimes. »

# Cahiers de George

Seizième jour de printemps. La brise fait virevolter la tête des fous relâchés au soleil. Car les couloirs de l'hôpital psychiatrique se prolongent dans les rues du centre-ville où la lumière annonce l'ouverture prochaine des terrasses, les jupes relevées sur les cuisses des filles et les langues sur les boules de crème glacée. Il y a de la fébrilité dans l'air. Les épidermes sont électrifiés. Les voitures rutilent sous les décibels qui s'échappent des fenêtres ouvertes. Le cours des routines est volatil. Tout peut arriver.

Un itinérant tombe face contre terre. Se relève, avec du sang dans les yeux. Il apostrophe le trottoir, lui montre le poing, continue à maugréer en plongeant la main dans une poubelle. C'est un jeune. Vingt ans, presque plus de dents. Pas vacciné contre quoi que ce soit. Il a déjà tout attrapé. Dans cinq ans, il en aura cinquante. Il deviendra pareil à celui-là qui vient en marchant contre le vent. Veste sur veste sur veste. Un pied enrobé de sacs en plastique. La peau en croûtes, plaquée de taches rouges. Comme une vieille boule de papier que le vent voudrait emporter, c'est une masse informe qui finit par s'agripper à deux mains au poteau des feux de circulation.

Les passants gardent près d'eux leur bouclier d'in-différence. Commode pour tous. Car chacun sait que les choses n'arrivent pas qu'aux autres. Celle qui gît sous un escalier de secours, t-shirt déchiré et jambes ouvertes, ce pourrait être votre fille. L'ivrogne là-bas, votre père. Et vous, un errant entre les buildings, comme ce chien sans collier. Plus de niche au bureau, de maîtresse à satisfaire. Personne pour vous appeler.

Il suffit de se pencher sur le malheur pour qu'il vous suive jusque chez vous. C'est pourquoi chacun entre-tient sa bulle, retiré en lui-même en pleine foule. Avec des écouteurs, les êtres les plus sensibles sont à l'abri. Et je n'hésite pas à formuler l'hypothèse suivante : la jeune femme qui arrive à vélo appartient à cette catégorie. Ses yeux ne voient pas autour d'elle. Seul ce qui est essentiel à la progression sécuritaire de sa course est sélectionné à travers le flux d'informations qui circulent dans la ville. Au feu rouge, elle dépose la pointe du bottillon droit sur la chaussée, la pédale gauche levée, prête à être actionnée. Elle a aujourd'hui calé son béret vers l'arrière, à la Che Guevara. L'anorak gris des jours d'hiver a fait place à un imperméable beige, de ceux qui sont portés par les héros des films policiers des années 1950 et qui sont dans les vitrines des friperies. Avec de grandes poches et un large col relevé.

Son corps est un ensemble de réflexes parfaitement coordonnés, dans un enchaînement qui me la rend pré-sente ici et maintenant. Mais ce que je vois ne reflète pas la réalité. Ce pourrait être un hologramme que je m'y laisserais prendre ; de purs volumes de lumière sur l'écran inversé de ma rétine. Dans les faits, cette jeune femme n'est pas là. Car son esprit emprunte des voies parallèles qui appartiennent à un autre monde. Des chemins pavés de sonorités en format MP3 qui détournent le cours de ses perceptions et amortissent le choc du réel. Au point qu'il serait inutile de la toucher, alors qu'elle gravite vers un lointain imaginaire, étanche aux autres qui se déplacent comme des ombres dans son champ de vision.

Il n'est donc pas étonnant qu'elle demeure sans réaction quand une fille, traversant la rue devant elle, lui fait un doigt d'honneur. De là où je suis, je ne peux pas entendre les mots que celle-ci lui jette au visage. Mais ils semblent choquer les piétons qui attendent le feu vert à ses côtés. Dans l'encadrement de la porte du café qui fait le coin de l'intersection, un serveur interpelle la fille, un véritable bordel sur deux pattes. Elle se retourne pour lui envoyer un baiser en accentuant son déhanchement. Ses courbes sont parfaites sous une robe trop légère pour la fraîcheur printanière, rouge vif, comme ses lèvres, ses ongles et les escarpins au bout de ses jambes serrées dans un bas-culotte miel doré.

Elle va et vient d'un pas saccadé et regarde tout autour en se donnant des petits coups de sacoche asynchrones. La tête comme un hochet sur son maigre cou aux veines en saillie. Du rarement vu ici. Parce qu'on a nettoyé la zone. C'est une question d'image. Elle se serait donc échappée de son secteur. Une poulette en cavale, désarticulée par l'héro. Avec encore des taches de rousseur sur une peau au teint gris, parchemin des tares réunies. Mauvais pour le tourisme. Selon toute probabilité, elle ne pourra pas continuer son existence de pute sur ce trottoir-là plus de cinq minutes. On va la coffrer. Pas d'autre épilogue possible au scandale de la misère.

La voilà qui accélère le pas, se donne des airs de femme digne, les fesses serrées, le sac tenu contre son torse, tandis qu'un homme aux Ray-Ban arrive à sa hauteur en décapotable. Elle fait semblant de l'ignorer. La Thunderbird jaune roule trop lentement pour ceux qui klaxonnent derrière. Elle finit par se ranger, malgré le panneau d'interdiction de stationnement. L'homme en descend, rejoint la fille qui s'est tordu une cheville en essayant de se sauver. Il la tient ferme par le coude avec sa main de gorille. Elle lui résiste. Ce n'est manifestement pas un client, celui qui passe ensuite son autre main derrière son blouson de cuir, à la hauteur des reins, comme pour en sortir quelque chose. Elle est du coup plus coopérative. Mais l'aile de son nez bat sous son piercing et ses jambes ne la portent plus alors qu'elle le suit vers la voiture.

Jusque-là figé sur mon bloc de béton, je commence à m'énerver. Les policiers devraient être là. Ils font pourtant leur ronde, chargés de maintenir les rues propres. C'est eux qui ont fait circuler les deux itinérants de tout à l'heure. Il n'y a pas dix minutes. Où sont-ils ? Attendent-ils, planqués quelque part, que l'homme aux Ray-Ban les débarrasse du problème ? Sont-ils témoins, comme moi, du malheur de cette fille ?

La portière de la Thunderbird s'ouvre du côté du

chauffeur. La fille est poussée d'une taloche sur l'autre siège. Je peux faire quelque chose. Déroger à mon rôle d'observateur. Changer le cours de l'histoire, qui finira mal, sinon. Il n'y a pas de doute sur son issue. Si je laisse ce pimp se charger de sa protégée, j'en deviendrai son complice par omission, responsable des ecchymoses multiples sur le corps de celle qui, l'année dernière, devait encore être une enfant. Mais la voiture n'est déjà plus là où j'aurais dû jouer au superhéros.

Je ne vois plus que deux mains potelées sur mes genoux, le bourrelet qui déborde de ma ceinture. Je contemple ma propre catastrophe. Suis-je encore un homme? La réponse est oui. Car je ne suis pas le seul dans cet état. L'humanité est formée d'une pluralité de gens coupables de ne pas avoir su éviter le pire.

Le chat qui habite le stationnement vient vers moi. Il monte sur mes cuisses, attend la caresse pour m'offrir une occasion de me racheter auprès du vivant. Je gratte, gratte et gratte, et ça lui fait du bien. Quand j'entre enfin au restaurant pour reprendre le travail, il reste à miauler au pied de la porte. J'ouvre de nouveau, lui demande d'aller voir ailleurs si quelqu'un n'aurait pas besoin d'un brin de zoothérapie. Il file entre mes jambes et se terre sous le comptoir de la cuisine où je l'empoigne par la peau du cou, le jette dehors par la fenêtre. Il ne comprend pas que je le renvoie à la survie de la ruelle. Pas après m'avoir fait don de ses ronrons, en toute confiance. Je lui explique alors qu'il est inutile de vouloir changer le cours des vies étrangères. Que ça ne rend pas moins coupable que d'aider les autres.

Tout ce qu'on peut faire, c'est témoigner des faits, de leur existence arrachée au sans pitié des villes. Et je le vois ensuite qui s'éloigne, la queue basse.

5 avril 2011

# Affaire classée

Il s'alluma une cigarette, anonyme parmi les autres formes longeant la rue. À cette heure, personne n'avait besoin d'être quelqu'un, et George appréciait cette parenthèse de l'existence où tous semblaient errer, ne répondant plus aux exigences du travail et de la famille. Ceux qui étaient dehors y étaient, comme lui, parce qu'ils avaient envie d'oublier leurs tracas dans la nébuleuse de leurs pensées.

Quoique le poste de police fût à deux pas de là, George choisit de faire un détour. Non pas qu'il ne ressentît pas l'urgence de raconter ce qu'il avait vu et qui l'investissait d'une certaine responsabilité quant au sort de la disparue. Non pas qu'il voulût échapper à la froide lumière sous laquelle il ferait sa déposition ou à la rigueur des questions qui s'ensuivraient. C'était plutôt qu'il souhaitait passer d'abord chez lui, pour mettre la main sur les pages du cahier où il avait pris note de la date où il avait vu cette fille et d'autres détails qui ne lui revenaient pas, mais qui trouveraient peut-être une valeur aux yeux des enquêteurs.

Il y avait aussi un frein à sa volonté, comme une faiblesse, partie des genoux qui se mirent à fléchir plus il s'éloignait de Caroline, et qui avait fini par gagner la région du cœur. Un bon scotch le remettrait d'aplomb. Tandis qu'il obliquait vers la terrasse d'un café-bar lui vint l'image mentale de son corps à elle, recroquevillé dans les draps. Il ne valait pas mieux que l'autre. Bon qu'à la laisser tomber. Et il n'avait même pas réussi à lui annoncer son départ. Il avait toujours été lâche. Pourquoi chercherait-il à s'en défendre?

Les propriétaires du café-bar où il prit place dérogeaient à l'interdiction de fumer quand la clientèle se faisait moins dense sur la terrasse. Suffisait de s'asseoir en retrait des autres pour ne pas indisposer les consciences sensibles et éviter l'hystérie que pourraient provoquer les particules respirées par inadvertance. George était devenu malgré lui un tueur potentiel, au même titre qu'une pomme shootée aux pesticides ou une crevette contaminée par le mercure. L'opprobre était consensuel. Quand on le regardait tirer sur sa cigarette, il pouvait sentir son corps devenir squelette dans le fond d'un cercueil sur lequel on aurait apposé une étiquette avec une tête de mort. « Danger. Ne pas approcher. Déchet toxique. » Mais il n'était pas le seul familier du rejet.

Entre les réfractaires au diktat de la santé se tissaient des solidarités qui rendaient l'ambiance aseptisée des lieux publics plus habitable. C'est aussi pourquoi il ne manquait pas de s'arrêter voir Carlo, le serveur du café-bar, qui s'apprêtait d'ailleurs à lui tendre un de ses briquets dont il n'était pas peu fier. Celui de ce soir-là était chromé, avec une femme topless gravée sur le couvercle qu'il fit sauter avec son pouce, pour ensuite appuyer sur la molette et faire jaillir une flamme digne d'une torche, accompagnée d'une forte odeur de gaz qui chatouillait les poils du nez. Ils étaient entre hommes.

— Salut, George. Comme d'habitude ?

— Oui, c'est ça. Non, attends… Sers-moi plutôt un double, s'il te plaît. Sinon, ça va ? fit-il en rejetant une première bouffée par-derrière son épaule.

— *Bueno*… Plutôt tranquille. On en profite pour regarder le match en direct. Le Brésil n'a pas encore compté, mais mène le jeu. Et on est à dix minutes de la mi-temps. Tu viendras voir ça. Allez… Prends tes aises… Fume… T'inquiète pas pour ceux-là, ils n'en ont plus pour très longtemps. Ils ont déjà réglé, l'informa-t-il avant de regagner l'intérieur du café-bar d'où s'élevaient des voix qui, par vagues successives, couvraient le son du téléviseur.

À un mètre de George se trouvaient assises une dizaine de personnes qui semblaient discuter de sujets sérieux. Chacune d'elles était identifiée par un carton pendant au bout d'une corde qu'elle s'était passée autour du cou. Sûrement des gens de passage pour un colloque, comme George en voyait souvent, occupés à faire du réseautage : tu m'intéresses, je t'intéresse, tu m'intéresses parce que je t'intéresse, je me trouve intéressant parce que j'intéresse, et ainsi de suite, dans un cumul de champs d'intérêt qui produisent un capital important de relations humaines des plus intéressées.

Il n'eut pas sitôt pris sa première gorgée de scotch que tous se levèrent pour prendre congé d'une des leurs qui resta seule à la table après avoir donné des poignées de mains. Cette femme-là sortait de l'ordinaire. Plus que les jambes à couper le souffle, son profil attira l'attention de George : un nez effilé dont la descente se terminait par des lèvres charnues. Quant à sa peau, elle avait des reflets sombres à la lumière du fanal placé au centre de la table. Il lui supposa un goût de sel et une chaleur diffuse au toucher tant elle lui semblait pleine de petits soleils aux rayons qui se touchent.

Elle aurait pu prétendre être dans la quarantaine, mais il lui donnait quelques années de plus que Caroline. C'était son faible, les femmes d'âge mûr. Une attirance qu'il ne cherchait plus à s'expliquer. Il en était à reluquer ainsi la table voisine, quand il fut surpris par Carlo, qui lui asséna un coup de coude complice en lui remettant son scotch pour ensuite se diriger vers sa cliente qui lui faisait signe. En repassant devant George, le serveur ne manqua pas de décocher un clin d'œil qui voulait dire : « Le champ est libre. Allez ! Amuse-toi donc un peu, imbécile ! »

La femme était étrangère. Il n'en doutait pas à la voir consulter un plan de la ville qu'elle déplia sur la table. Carlo fut d'ailleurs en mesure de le lui confirmer après avoir apporté le café au lait qu'elle lui avait demandé. Pas un mot d'espagnol. Et elle parlait l'anglais avec un fort accent français. Ni latina ni américaine ni Jamaïcaine. « Martiniquaise », fit-il, l'air de dire qu'il venait de marquer un point.

George eut envie de se laisser prendre au jeu. Pourquoi pas ? En partie pour relever le défi lancé par Carlo, en partie par pure curiosité, il allait se lever et tenter une percée vers la Martiniquaise quand son élan fut stoppé par l'apparition d'une enveloppe bleue. Elle l'avait sortie de son sac, la tournant et la retournant entre ses doigts pour enfin la porter à ses lèvres comme on le fait avec un porte-bonheur. Se repentant déjà de sa velléité d'action, George se retrancha du coup dans la passivité du voyeur où il était, somme toute, plus à son naturel.

Avec l'enveloppe entre ses mains, elle avait l'air romantique qu'ont les jeunes filles dans l'attente d'un rendez-vous. En contraste, le front de la femme d'expérience se plissait sur un souvenir douloureux dont la lettre qu'elle en tira devait contenir le secret. C'est du moins ce que George put s'imaginer en contemplant son profil penché sur le papier, couleur du ciel, où étaient couchés les mots qu'elle lisait en remuant les lèvres. Pour mieux les faire résonner en elle, supposa-t-il encore. Quant à son demi-sourire, il lui laissa croire que ce secret l'avait transportée dans un autre lieu, et que le temps s'était pour elle arrêté à ce moment de son existence qui la soustrayait à la terrasse du café-bar. Son secret toujours entre les mains, elle lisait et relisait, l'esprit propulsé dans un ailleurs qui captait tous ses sens.

George en était remué comme si cette scène pouvait le toucher de près. Il s'en étonna. Il se demanda aussi s'il était possible désormais d'aspirer à vivre autrement qu'en simple témoin de ce qui arrivait aux autres. C'était une habitude qu'il avait prise à force de se distancier du monde qui l'entourait, depuis l'observatoire de son bloc de béton. Et il ne pouvait maintenant s'empêcher de prendre des notes mentales sur ce qu'il voyait, peu importe l'endroit où il se trouvait, les choses n'ayant pour lui d'existence que dans l'écart qui lui permettait de les saisir sans avoir à y participer. Mais il se dit que ce n'était pas nouveau. Il avait toujours été un peu à côté de tout, jamais tout à fait au cœur de l'action. Sa propre vie, il l'avait vue défiler devant lui sans pouvoir jamais en infléchir le cours vers ce qui aurait pu lui correspondre.

George contempla la volute de fumée qui s'échappait de sa cigarette. C'était la même forme ondulée qui reposait au fond de son verre. Celle-là aussi que prenait le bout des lacets qui tombait sur ses runnings tout comme les boucles de cheveux de l'inconnue. Il avait l'intuition que là se trouvait peut-être la clé du hasard, dans la répétition de cette spirale qui modelait la géométrie variable de l'éphémère ou de ce qu'on appelait aussi la vie.

L'alcool l'aidait à faire des liens entre les choses. Cet état lui convenait parfaitement. Un deuxième scotch ne pouvait que l'améliorer, se convainquit-il en quittant sa chaise pour aller lui-même s'approvisionner à l'intérieur.

Accoudé au bar, il se prit à suivre sur l'écran le ballon intercepté par un Brésilien qui le projeta d'un coup de tête dans la zone adverse. La passe fut reçue. Et puis, GOAL! entendit-il crier, alors qu'un botté laissa le gardien de l'équipe allemande terrassé par l'impuissance sur le terrain, les genoux collés au menton, la tête entre les mains. Le poing encore en l'air, un client sauta aux côtés de George, le bousculant dans sa ferveur, pour ensuite lui donner une tape sur l'épaule, franche et amicale. Affairé derrière le bar, Carlo fit les présentations. « Lui, c'est Juan. Mon compatriote. Tu te souviens ? Je t'en ai déjà parlé. Oui, c'est ça. Concierge à Hamilton. Juan Pablo Morales. C'est lui qui t'invite ! », lança-t-il en lui versant une bonne rasade de l'élixir doré.

Juan était un homme heureux, célébrant déjà la victoire de ses frères métis sur la blanche Europe. Depuis maintenant trois ans, il partait au mois de juin pour prendre ses vacances à Santiago après avoir passé quelques jours à Toronto, en compagnie de Carlo, fils d'un ancien camarade du temps de la dictature. Mort en prison, le pauvre. Juan lui raconta tout cela et bien d'autres choses encore, pour enfin boire à sa santé. Car les amis de Carlo étaient aussi ses amis. Et il n'y avait rien de plus important dans ce monde que l'amitié pour faire oublier à Juan tout ce qu'il avait perdu, comme ses deux doigts de la main droite qui avaient pourri dans un coin de sa cellule. Rien que ça. Mais d'autres avaient vu pire.

George écoutait sa litanie avec l'oreille ailleurs. La mi-temps terminée, CNN diffusait un bulletin spécial qui capta son attention. Sur le grand écran suspendu au-dessus du bar, un accident faisait la manchette. À travers le défilé d'images du quartier, il reconnut la boutique du fleuriste qui faisait face à l'appartement de Caroline. Elle avait une Thunderbird jaune encastrée dans la vitrine. Le reporter expliquait comment celle-ci avait quitté la route à une vitesse non permise pour heurter le commerce à 16 h 35 précises, alors qu'il n'y avait fort heureusement plus de client. Les causes de l'accident ne pouvaient pas être confirmées, mais l'autopsie pratiquée sur le corps de la victime avait révélé un taux élevé d'alcool et de substances toxiques diverses qui pouvait être à l'origine de la perte de contrôle du véhicule.

George revint à son interlocuteur qui avait interrompu son bavardage. On eût dit que le Chilien avait été foudroyé. Les yeux écarquillés, il fixait l'écran où était apparu un avis de recherche avec le visage d'une jeune fille que le Service des enquêtes criminelles affirmait être la conductrice. L'accident avait permis de faire la lumière sur la disparition de Cindy Poliquin, une étudiante qui avait été vue pour la dernière fois neuf mois plus tôt.

Dans le plus récent communiqué envoyé à la presse, la Police provinciale de l'Ontario déclara avoir procédé à l'arrestation du propriétaire de la Thunderbird, dont l'identité ne pouvait être révélée. CNN avait toutefois appris que l'homme était à la tête d'un important réseau de prostitution. Selon les témoignages recueillis par l'inspecteur chargé de l'enquête, la jeune fille aurait réussi à échapper au contrôle de son proxénète quelques heures seulement avant de percuter la vitrine. Quoique les circonstances relatives à cette affaire restent encore à élucider, le reporter conclut, tout sourire, à l'efficacité du travail de la police et aux retombées positives d'un accident, certes tragique, qui avait peut-être fauché la vie d'une innocente, mais qui avait permis d'effectuer un beau coup de filet.

Juan plongea le nez dans les vapeurs du houblon, visiblement affecté par ce qu'il venait d'entendre, comme si le nom de la disparue avait éveillé en lui les relents d'une histoire ancienne. George ne chercha pas à en savoir plus sur son silence, qu'il partagea dans le brouhaha saluant la reprise de la partie. Ce n'était pas la réaction mystérieuse du concierge qui le troublait, ni la mort de la fille, mais le hasard qui l'avait rapproché d'événements avec lesquels il n'avait pourtant aucun lien, ni de près ni de loin.

D'un geste, il fit comprendre à Carlo que c'était sa tournée. Une pinte de bière atterrit sur le bar, juste au moment où Juan poussait la sienne devant lui, vide, comme il semblait s'être vidé de son sang, et son visage, de son expression. George et lui faisaient la paire, les épaules voûtées, avec l'air de se connaître depuis toujours tant la façon qu'ils avaient de s'abandonner à leurs pensées, côté à côte, trahissait un respect mutuel face au trop-plein de l'émotion qui les isolait des autres.

Le Brésil compta un autre but sans que Juan lève le nez de sa bière. Dans la blancheur de l'écume s'ébrouait une mouche qui s'y enfonça comme le yin dans le yang. En une lampée, le Chilien faillit l'engloutir. Mais elle émergea de nouveau et prolongea son agonie en flottant à la surface de l'alcool. George ne put se résigner au rôle du spectateur silencieux. Il opta pour l'intervention, en adoptant toutefois la démarche du crabe :

— Triste, ce qui peut arriver aux jeunes femmes de nos jours. Pas vrai ?

— Ouais…

— Tu es sûr que ça va ? insista George.

— *Todo bien.*

— Quoi ?

— Tout va très bien, reprit Juan en maugréant.

— …

— …

— La fille… c'est à Hamilton qu'elle a été vue pour la dernière fois. C'est ce qu'ils ont dit tout à l'heure…

— Hum…

— C'est aussi là que tu vis, je pense…

— Ouais…

— Tu l'as peut-être déjà croisée sans le savoir…

— Qui, ça?

— Mais la fille…

— Qui sait? concéda Juan en haussant les épaules. Le monde est petit!

— Pour ça… Tu as bien raison… Mais écoute… Je voulais te dire, Juan…

— Parle. Je t'écoute, *amigo*.

— Ça ne me regarde pas, tu sais… Mais il y a une mouche, là, dans ton bock.

Éveillé de sa torpeur, le Chilien lui fit un clin d'œil de gratitude. La partie suivait son cours. À la soixante-seizième minute, le Brésil menait 2 à 0.

Alors que Carlo emportait la bière avec la mouche, George sortit fumer. Il prit place sur la chaise de la terrasse où s'était trouvée l'étrangère qui avait disparu dans la nuit. Désormais, plus rien ne l'obligeait à témoigner. Mieux valait prendre ses cahiers, les ficeler tous pour les faire livrer au poste de police. Certaines de ses observations pourraient être utiles. Parce qu'il avait aussi noté des détails concernant d'autres personnes que cette Cindy. Les autorités y trouveraient peut-être des indices pour résoudre d'autres crimes. Et il se déchargerait ainsi de toute responsabilité face à la destinée de ces inconnus dans laquelle il se trouvait compromis par le seul fait d'avoir écrit à leur sujet.

En tirant sur sa cigarette lui vint une curieuse impression. Il n'en était pas sûr, mais quelque chose d'imperceptible semblait avoir changé. Quelque part entre lui et celui qu'il était au moment d'ouvrir la porte du bar deux minutes plus tôt, il y avait un décalage. C'était pareil à un vent frais qui le rendait léger. À tel point qu'il eût presque pu croire qu'il se sentait enfin vivre.

## Then you must be blue

Célia ouvrit de nouveau l'enveloppe qui lui avait été remise. « Tenez, lui avait-elle dit. C'est pour vous… » Jusque-là, Amy n'avait été qu'un faciès amical parmi ceux, combien impersonnels, des invités du colloque. Elle faisait partie d'un monde où l'hiver avait rendu les gens frileux entre eux. De la Martinique au Canada, il y avait plus qu'une mer à franchir. Dans cette distance s'était toutefois logé un secret bien gardé, une douleur ancienne qui unissait Célia à la terre d'exil d'Anthony et que la messagère était venue raviver, malgré elle.

Célia avait d'abord lu la lettre à ses côtés. C'est alors qu'elle avait failli prendre sa main dans la sienne et lui dire : « Ma sœur. » Parce que cette femme lui était du coup devenue familière dans sa proximité avec lui. Les doigts qui lui avaient tendu l'enveloppe devaient garder encore l'odeur de cet homme-là. Par l'intermédiaire de sa maîtresse, c'était donc une part de son intimité qu'Anthony lui avait fait livrer. Loin de s'offusquer du procédé, Célia fut touchée par la confiance qu'il avait mise à lui révéler ainsi tout sur lui-même. C'était franc jeu.

Amy était grande et pâle. On aurait dit un lys en équilibre sur sa tige. Son corps avait aussi l'aura de tristesse qui se forme au fil des amours perdus. Célia avait eu envie de la mettre en garde. De lui crier, presque. Qu'elle devait rester forte, quoi qu'il arrive. Qu'il ne fallait pas qu'elle se brise. Mais elle n'en avait rien fait. Dans les circonstances, le silence était ce qui convenait le mieux entre elles. Car la vérité avait toujours deux faces. En dépliant la lettre entre ses doigts, Célia se disait qu'il n'y en avait pas de plus douce. Quant à ce qu'elle pourrait avoir de terrible pour cette autre femme, mieux valait ne pas y penser.

Il n'y avait pas de quoi culpabiliser. Après tout, Amy ne faisait pas partie de son monde. Et il n'y avait toujours eu qu'une seule histoire : la leur. C'était l'ultime vérité qui était restée immuable au fond de son sac toute la journée. Célia la retrouvait enfin sur la surface bleue du papier où elle brillait en toutes lettres, comme Vénus dans le ciel de Fort-de-France quand leurs regards se sont emmêlés pour la première fois. Qu'Anthony persiste à être là pour elle, après toutes ces années, était un gage de constance. Ou d'entêtement ? Elle s'était pourtant moquée de l'étudiant épris qu'il avait été. L'amour éternel est une invention de la littérature, lui avait-elle fait la leçon. L'expérience lui apprendrait vite que l'idéal romantique souffrait d'incompatibilité avec la vie pratique. Elle avait été cruelle. Vingt-cinq ans plus tard, il lui renvoyait la balle. C'était à son tour de la confondre.

À la terrasse du café, il commençait à se faire tard. Dieu merci, les autres avaient fini par s'en aller, non sans avoir insisté pour qu'elle marche avec eux jusqu'à l'hôtel. Mais Célia avait préféré rester seule pour relire la lettre.

Elle sentait bien qu'un homme jeune, assis non loin, examinait le galbe de ses jambes. Et elle s'étonna qu'un corps montrant les signes de l'âge puisse séduire. Qu'avait-elle encore à offrir? Il n'y avait pas de réponse à cette énigme. Au fond, seul lui importait que le regard de l'homme soit posé sur elle. Car elle avait besoin d'être rassurée sur la suite. Anthony viendrait la voir le lendemain. Comment la trouverait-il?

Quelques heures la séparaient du moment où il allait confronter son souvenir avec la réalité, recherchant les traits de la femme qu'il avait aimée sur le visage de celle qu'elle était devenue. Dix ans plus tôt, il lui avait donné l'illusion d'être demeurée la même, à l'abri du temps, quoiqu'elle eût quarante-cinq ans, et lui, sept de moins. Le hasard les avait réunis alors qu'elle accompagnait son mari en voyage d'affaires à Montréal et que des amis les avaient invités à une réception chez Anthony. En caressant le papier des doigts, Célia put sentir de nouveau le déchirement d'avoir eu à lutter, toute cette soirée-là, contre la force de leur désir. En s'adressant à elle, la voix d'Anthony avait été pareille au blues désespéré de leur jeunesse qu'elle entendait encore en parcourant sa lettre.

Elle y retrouvait la même ferveur qui l'avait maintenue captive de ses poèmes. Après son départ pour l'Amérique, il lui en avait écrit chaque jour; puis chaque mois. Leur envoi s'était ensuite fait plus sporadique. Et elle n'avait bientôt plus reçu de lui que trois mots qui lui parvenaient sur un bout de papier à chaque anniversaire: « Je t'aime. » Invariablement, elle les avait rangés avec sa peine, dans un tiroir que la nostalgie lui faisait parfois rouvrir.

Le style d'Anthony avait conservé un côté précieux mêlé à des élans de sincérité qui lui rappelèrent son corps de jeune femme et, à travers lui, le trouble des yeux qui partagent leurs lumières. La respiration suspendue. Les hésitations dans chaque silence. Les baisers furtifs contre le tronc des palmiers. Le reste en feulements. Puis la peur de s'y perdre. Les fuites inévitables. La multiplication des impossibles. Tout ce qui aurait pu être fait pour éviter la séparation et qui n'avait pas été fait. Les regrets, depuis.

Elle repensa à la douleur qui avait enfermé Anthony dans une chape de plomb. Par sa faute. Au bémol mis ensuite sur toutes choses. Par sa faute. À cette nuit coupable où elle lui avait préféré celui qui allait devenir son mari. Moins rêveur. Plus mûr. Un homme possédant de la fortune. La raison avait choisi pour elle. Mais le temps avait plaidé pour lui. Cette fois, il n'y avait plus de motif valable à sa résistance.

Tandis qu'elle lisait à la terrasse du café, Célia s'abandonna à l'enchaînement des phrases qui mariait le passé au présent. Elle y retrouvait ses repères comme on entre dans sa propre maison. Rien n'avait changé. En renouant avec leur secret, il lui sembla qu'Anthony parlait dans le creux de son oreille. Sous la rigidité de la langue écrite, Célia pouvait percevoir le tremblement de l'émotion que seul l'amour rend audible. Elle lisait et relisait, à la clarté du petit fanal posé au centre de la table, de nouveau seule avec lui.

*23 juin 2011,*

*Ma très chère, ma Célia chérie,*

*Tu connais déjà celle qui te remettra cette lettre. Amy m'a parlé de toi hier. Comme c'était curieux, comme c'était bizarre. Elle avait l'impression de t'avoir déjà vue. Je lui ai rappelé cette soirée où tu étais venue, à Montréal. C'est donc dans mon appartement que vous vous êtes croisées pour la première fois. Tu t'en souviendras certainement. Ma joie de te retrouver n'avait eu d'égale que le déchirement de te voir au bras de ton mari. Ne crois pas que je t'en fasse le reproche. Mon plus grand bonheur a été mon plus grand malheur. Et il semblerait que ce soit le mariage de ces contraires qui ait donné du remous à mon existence.*

*De toi, j'ai raconté à Amy que tu avais été ma professeure avant mon arrivée ici. Je ne lui ai rien dit d'autre. Il serait d'ailleurs inutile qu'elle en sache plus. Tu l'auras compris : Amy est ma maîtresse. Tu excuseras cette entrée en matière, pour le moins brutale mais nécessaire. L'heureuse coïncidence qui me permet aujourd'hui de t'écrire exige toutefois que nous fassions preuve de prudence. Amy est fragile. Je te demande donc de m'aider à la protéger, compte tenu des circonstances particulières que je te soumets en toute franchise.*

*Je connais Amy du temps de mes études. Nous nous sommes perdus de vue, puis retrouvés longtemps plus tard. Depuis, nous nous fréquentons sur une base régulière, quoiqu'elle vive à Miami. J'ai cru l'aimer, désespérément. Avec la même folie qui m'a fait t'écrire ces poèmes pendant toutes ces années, même si j'ai cessé de te les faire parvenir.*

303

Tu t'en seras doutée, leur cours a été détourné au profit d'autres cœurs où j'espérais trouver un peu de toi.

Je te vois en train d'incliner la tête pour me faire mentalement la leçon : on ne peut retrouver ailleurs ce qui s'est perdu en nous. Et tu ne croiras pas si bien dire. J'ajouterais même qu'on ne peut que courir d'échec en échec et se vider chaque fois plus de son élan vital. L'épuisement dans lequel je me trouve explique peut-être mon impuissance à imaginer un avenir partagé avec toute autre femme que toi.

La rupture est prochaine, mais Amy l'ignore encore. C'est pourquoi je préfère que la vérité lui soit épargnée sur un passé qui ne pourrait qu'aggraver nos déconvenues et me rendre les choses plus pénibles.

Ma vie aura été une suite sans suite de liaisons qui se font et se défont. J'ai bien peur que l'effet cumulatif de ces ruptures m'ait rendu vulnérable à la solitude. Quoique cette relation soit un leurre, je n'arrive pas à y mettre un terme. J'avoue ma faiblesse, sans pudeur. Pourquoi chercherais-je à te cacher celui que je suis devenu ? L'âge a fait de moi un lâche et je laisse tout traîner en longueur. Ne me juge pas. Continue seulement de lire ce que je t'écris en cette nuit d'insomnie.

Je n'ai jamais cherché à forcer ta décision. Si j'ai su éviter les lieux et les gens que tu fréquentes lors de mes séjours sur notre île, la rigueur de ton choix m'obligeait à quelques compensations. Le petit monde de Fort-de-France t'aura certainement renseigné sur mon goût des femmes. Dans chaque rue, cependant, je retrouvais l'écho du passé ; dans chacun de mes pas, celui de ta voix quand nous allions au marché et que tu me disais tout sur toi. Tu te souviens?

Respecter ta volonté ne m'engage toutefois pas à m'y plier. Au contraire. Je n'ai pas abandonné notre amour. Je ne t'ai jamais été infidèle. Je t'attends. Tu me trouveras d'ailleurs dans le hall de ton hôtel, demain, à treize heures. Amy m'a rapporté que tu étais venue seule à Toronto. Te savoir à une heure de chez moi, sans lui à tes côtés, ne me retient plus de te rappeler les promesses que je t'ai faites face au bleu de la mer qui était l'horizon de notre jeunesse.

S'il y a une couleur au sentiment qui me lie à toi, c'est bien ce bleu. Comme celui du ciel de Fort-de-France que nous avons regardé une dernière fois ensemble avant mon départ. Comme celui de la tristesse dont parle Bob Marley dans Soul Rebel. Souviens-toi. Nous écoutions cette chanson en boucle. Si tu n'es pas heureux, disait-elle, then you must be blue. À cela aussi, j'ai été fidèle.

Accepte de me revoir. Ne défie pas le hasard en nous privant du bonheur qu'il nous réserve. Amy passera tout l'après-midi à la grande salle du congrès. Elle devra y animer une séance. Nous pourrons la rejoindre ensuite à dix-sept heures, prendre un verre tous les trois. Tu la connaîtras mieux. Tu comprendras pourquoi il faut la protéger. Tu verras aussi qu'Amy est une femme merveilleuse.

Je ne la mérite pas, comme je ne mérite peut-être pas de te retrouver. Mais l'amour est rebelle. Je n'y suis pour rien. Il est plus fort que toutes les raisons réunies. On ne peut pas résister à cette vaste étendue du bleu qui nous rappelle à notre histoire.

Où que tu ailles, je serai là pour toi.

# À TOUT ROMPRE

# Le marais

C'était ce matin. C'est encore maintenant l'effroi. Pas de bleus sur la peau pour autant. Ni de douleur. Pas de feu qui crépite à la place du cœur. Que l'étendue du silence. Dans l'après-coup, les effets du mal restent invisibles. Bizarre. Je continue à être. Comme neutre.

Tout verse dans un grand trou. La sensation se vide. Je ne sais pas ce que la peine veut dire. Ni si je pourrais en arriver à distinguer mon visage des pierres qui s'amoncellent au fond de moi. C'est à la honte qu'on règle son compte. Je la vois qui prête le flanc aux tirs. Tapie là, indifférente aux blessures.

Rompue. Je suis lapidée du dedans. Mais il faudrait que le mal soit bien plus fort pour me rappeler ce que c'est que d'avoir mal. L'effroi est un puissant analgésique. Appeler la douleur est inutile. Son impulsion électrique s'est retirée d'un corps qui n'est plus mien. Je vois pourtant qu'il y a des mains et des jambes qui bougent au bout de moi. C'est une question de nerfs.

Quand mon oncle coupait le cou des poules, leurs pattes continuaient aussi à s'activer. Au début, ça faisait peur. Et on finissait par s'habituer. Par trouver ça drôle. Mais je ne ris pas. La portière de la voiture claque. Me fait sursauter. C'est moi qui suis à l'origine de ce bruit. Je m'en étonne. J'entends aussi le cri d'une corneille qui survole le stationnement. À la recherche d'un cadavre. Ça doit être ça. Au-dessus de ma tête, elle fait un grand cercle.

Je marche. Comment est-ce possible ? Quand tout s'est arrêté et que je ne respire déjà plus. Dans le couloir de l'immeuble, mes pas retentissent pourtant. Qui commande ici ? Mon index appuie sur le bouton de l'ascenseur. J'attends. Je revois les yeux de Jérémie. Son cahier et son crayon, que je lui remets en lui disant : « Ça va aller. » Je répète ces mots-là pour moi-même en détachant bien chaque syllabe. Même si c'est sans effet sur la main qui tremble avec, dans sa paume, les clés de l'appartement.

Je m'étonne de ne pas avoir croisé le concierge. Lui qui était toujours là, à me jauger d'un air sournois. Sans m'adresser la parole. Un manque de savoir-vivre, j'ai d'abord cru. Mais je comprends maintenant. C'est parce que je ne suis pas la seule. Une autre vient aussi voir son locataire. Prétendre être ici chez elle. Comme moi, l'autre doit le saluer. D'où la gêne. Parce que nous sommes deux à ne pas être la seule. Ne pas m'adresser la parole le préservait du mensonge. C'est ce qu'il devait se dire. Pas propre, cette histoire. Vaut mieux ne pas être mêlé à ça. Ni de près ni de loin. Mais pour qui pouvait-il bien me prendre ? La maîtresse. La salope. Ou pire : celle qui ne sait pas quand tout le monde sait. Et pour cela même, pas belle à regarder.

D'habitude si sympathique le concierge, disait

Anthony. Son comportement, inexpliqué. Un signe qui m'aura échappé. Un avertissement. La vérité était pourtant là. Combien de fois suis-je passée à côté ? Tout est de ma faute. Imbécile. Tu n'as pas su voir. Pas la seule… Je ne pouvais pas savoir. Pas dans ces circonstances.

Les portes de l'ascenseur s'ouvrent et se referment. Je voudrais ne plus en ressortir. Rester entre deux étages. En suspension. Jusqu'à ce que les câbles pourrissent. Que la cage tombe.

Il n'y avait que moi pour partager sa solitude. J'étais l'unique à ses yeux. Son Amy, sa sœur. Malgré la distance qui nous sépare. Par-delà les soupçons. Il n'y avait que la force de cet amour-là. Celui du passé et de l'avenir rassemblés. Cent fois réaffirmé. Comme un oiseau intemporel. J'étais à l'origine et à la fin de tout. La nuit et son étoile. L'océan et son rivage. L'éclipse et son soleil. Comment aurais-je pu ne pas y croire ?

Mais nous sommes deux. Chaque chose veut maintenant en dire une autre. J'ouvre la boîte de Pandore. Elle est remplie d'obscurs fragments du quotidien qui deviennent clairs. Subitement. Comme cette insistance d'Anthony. *Toujours prête avant moi. Allez, sois gentille, va m'attendre dans le hall. Ta présence me retarde. Allez, descends. Je te rejoins dans cinq minutes.* Si lent à se préparer, le pauvre. Non, ce n'est pas un travers d'intello lunatique. Mais une manœuvre. Un prétexte pour ne pas qu'on nous voie ensemble. Pour éviter les voisins sur le palier ou dans l'ascenseur. Parer à la gêne. Parfaire le mensonge. Non, je ne pouvais pas savoir.

Et moi qui allais toujours l'attendre en bas. Docile.

Cet homme pas comme les autres, un vieux garçon. Avec plein de petites manies. Exigeant chaque fois un peu plus de moi. *Amour égale patience*, me rappelait-il. Mais nous sommes deux. Du coup, je mesure la part de calcul dans tous ses caprices. La part de la ruse dissimulée dans les méandres de son affection. C'est elle que fuit le regard du concierge. Parce qu'il n'y a plus à en douter. Je ne peux être pour lui que cette part du monstre qu'il y a dans l'homme.

Troisième étage. Je quitte l'ascenseur. Mes jambes connaissent le chemin et me portent là où il faut. Ma main tourne la poignée. J'ouvre. Dans la cuisine, mes clés retentissent sur le comptoir. La vaisselle de notre déjeuner, restée sur la table. Le pot de confiture de fraises, encore ouvert. Mon doigt trempe dedans. Comme celui d'Anthony ce matin. Qu'il a glissé entre mes lèvres, enduit de confiture. Et que j'ai léché tout en caressant l'intérieur de ses cuisses sous la soie de la robe de chambre. Puis nous avons refait l'amour sur l'érable du plancher. Je ferme les yeux.

Je voudrais moi aussi disparaître dans le pot. Ne plus me rappeler que le goût sucré de nos corps réunis. C'était ce matin. Avant l'effroi. Je me demande comment j'ai pu me rendre jusqu'ici. Il eût fallu partir… loin. Fuir. Si seulement j'avais pu… ne pas revenir. Mais il va bientôt être là. Devant moi. Tout m'expliquer. Si convaincant quand il s'y met. Il aura raison de tout. Comme d'habitude.

Je l'entends qui me crie. *Amy, c'est toi?* Il veut savoir s'il y a quelqu'un. Il fait bien de demander. Suis-je bien moi? Plus rien ne répond à l'appel. *Amy chérie*. De qui parle-t-il donc? Ses pas dans le corridor. Les voilà qui s'approchent de la cuisine. Il me prendra dans ses bras. Me dira qu'il m'aime. J'ouvre les yeux. Piégée.

Mon doigt renverse le pot, étend la confiture sur la nappe. Je ne sais pas ce qui me prend de tout vouloir maculer. Comme celle qu'il continue d'appeler. *Amy*. Salie jusque sous la peau. Trop sale même pour pouvoir répondre à un nom. Plantée là comme une étrangère.

Mon doigt a aussi laissé des coulisses rouges sur le blanc de mon chemisier. C'est drôle, on dirait du sang. Mais je ne ris toujours pas. Mes jambes ne me portent plus. Elles plient. Contre le mur, mon dos glisse vers le bas. Les genoux ramenés sur la poitrine, je me rétracte comme un escargot dans le sel. Lovée.

Je lève la tête. Il est dans l'embrasure de la porte, en robe de chambre. Ma vue semble l'inquiéter. Il ne comprend pas. Déplorable, en réalité. Il n'y a pas de quoi me mettre dans cet état. Avec un rasoir à la main, il se met à gesticuler en parlant. Pas question que je reste là à m'en faire avec ces histoires au sujet de Caroline. Une vieille amie à lui. Des racontars sur son compte, ce n'est pas ça qui manque. Il y en aura toujours pour envier le bonheur des autres. Des jaloux. Je ne vais quand même pas tomber dans le panneau! C'est trop bête.

Comment ai-je pu me laisser émouvoir par des broutilles? Il est franchement déçu. Et qu'est-ce qui m'a pris de m'absenter du colloque? Mes collègues doivent se demander où je suis. Ça ne me ressemble pas. Comment ai-je pu? J'ai des obligations professionnelles. Ils doivent tous m'attendre pour le souper. Je ne dois pas rater cette soirée en leur compagnie. Il faut me ressaisir tout de suite. Remonter dans la voiture. Retourner auprès d'eux. Comme prévu. On reparlera de ça plus tard. Ce n'est pas le moment de faire un drame. John sera bientôt là. Et il n'est pas encore habillé. J'avais oublié ? Il a ce concert ce soir. La quatrième de Mahler. Il en a bien besoin. Oui, la musique le réconfortera.

Il hoche la tête comme pour dire non, non, non et non. La femme qu'il aime est assise par terre. Écroulée. Ça ne lui plaît pas du tout. Me calmer d'abord. Je suis trop hors de moi pour entendre la raison des choses. Lui aussi, il commence à s'énerver. On ne peut pas lui faire ça. Ce n'est pas tenable. Nous allons régler ça. Une fois pour toutes. Plus tard. Quand nous aurons la tête froide.

Je suis d'accord. Il faut en finir. C'est ce que je lui réponds avec défi. Ses yeux vont de gauche à droite. Ils ont le roulement des machines. Je ne sais pas sur quelle image ils vont finir par s'arrêter. Je souhaite que le hasard me soit favorable. Mais le mécanisme tourne à vide, on dirait. Une lueur de métal traverse son regard. Incisif. Et je lui rejoue la scène. L'enveloppe remise à l'écrivaine martiniquaise. La rencontre avec Jérémie. Les politesses. La discussion. *Caroline, la conjointe d'Anthony.* Rien de moins. C'est ce que Jérémie a dit. La chose est publique. Je n'arrive toujours pas à y croire. Même si cette autre femme est bien réelle. Et sa relation avec lui aussi. Il y a des témoins. On ne peut pas rembobiner le film.

C'est ce que je lance à Anthony. La vérité. Son maxillaire se contracte. Sa voix monte d'une région de lui qui m'est inconnue. Elle semble avoir traversé un désert de vent et de glace. Là d'où elle vient, les fantômes claquent des dents, se battent pour des couvertures. Il n'y a aucune trace d'homme. Rien que le crissement du paysage qui se fige. Je l'entends qui fend l'air au-dessus de ma tête. Comme la corneille de tout à l'heure, elle tournoie. Puis elle descend en piqué et, cinglante, m'atteint de plein fouet. Ce n'est pas à moi qu'elle s'adresse. Mais à un ennemi.

Caroline, une aventure sans lendemain. De la pure fiction. Elle a tout inventé. Pour lui nuire. C'est évident. Il se demande. Pourquoi les femmes lui en veulent-elles à ce point? Pourquoi faut-il qu'elles passent leur temps à geindre sur leur sort? Est-il responsable, lui, de tous leurs petits malheurs? Il m'avait crue différente des autres. Moins terre à terre. Plus libre. Avec un courage à la hauteur de mes désirs.

Pétrifiée. De là où je suis accroupie, je jauge la distance qui nous sépare. Il n'a pas bougé du seuil de la cuisine. À travers le ton de sa voix, les voyelles et les consonnes me parviennent, givrées. Une égale froideur pénètre mes pores. Ses yeux, qui sont pourtant fixés sur moi, ne me voient pas. On dirait deux fenêtres ouvertes sur une nuit d'hiver. Je lui demande avec les miens s'il y a quelqu'un dans ce froid. Je cherche un brin d'émotion pour me réchauffer. Mais il n'y a ni tristesse ni désarroi ni compassion. Il n'y a personne derrière son regard noir. Que du noir. Et dedans, mon reflet. Une femme qui fait face à l'abîme de son image.

Il ne ressent donc rien? Je lui en fais le reproche. Il

se demande pour sa part ce que je peux bien espérer de lui. La situation l'indispose. Tous ces débordements inutiles ! Il n'en tient qu'à moi d'y mettre un terme. Ma souffrance est inappropriée. Pourquoi ne pas s'en remettre à lui ? Et cesser, enfin, de me couvrir de ridicule.

La lame de son rasoir marque la mesure de chaque phrase. *Amy chérie… Tout est toujours une question de vie ou de mort avec toi. On dirait une adolescente… À ton âge… Franchement… Tu n'as pas honte ?* Ses lèvres se referment, s'étirent de chaque côté du maxillaire qui se détend. Son visage me semble refléter un sourire intérieur. Encore une fois, je délire. Assurément. Ce ne serait pas la première fois que je me trompe. Je suis devenue une professionnelle de l'erreur, on dirait. Depuis que je connais Anthony, j'ai tout faux. Ma vie avec lui ? Pas celle que j'ai cru qu'elle était. Ses surfaces, trop lisses. J'aurais dû m'en étonner. Comme des couleurs. Trop vives. Des sons. Trop harmonieux. D'un homme trop parfait pour être vrai. Je n'ai pas réellement vécu ce que j'ai vécu. Anthony n'est pas Anthony et je ne suis pas moi. Mes perceptions, un leurre. On ne peut pas s'y fier. Je ne peux donc que me tromper quand je crois l'avoir vu sourire. Mais quelque chose me dit qu'il se moque de moi. Et ce même quelque chose fait se cabrer tout mon corps.

Mes nerfs sont électrifiés. Du fond de ma peur, un incendie se lève. Il parcourt mes os dans une pulsion reptilienne, propage son feu jusqu'aux muscles. Le bloc de glace que je suis devenue se fendille sous la poussée des veines qui l'irriguent. Je me réincorpore. Le sang afflue de nouveau dans mes membres qui fourmillent.

Je bouge les orteils, frotte mes jambes avec mes mains, les déplie et me soulève, le dos toujours appuyé contre le mur. Debout, enfin.

Ce n'est pas moi qui parle. Mais des milliers de voix qui clament en même temps. Comme au dégel dans les marais de mon enfance. Quand monte le chant des grenouilles au printemps. Des voix de femmes. Leurs noms me parviennent à travers les échos de l'indignation. Ariane, Marguerite, Didon, Mariana, Elvire. Des femmes mortes. Qui n'ont pas su dire ce qu'elles n'ont pourtant cessé de se dire. Flora, Yvonne, Artémise, Anne, Marie-Jeanne. Des femmes qui vivent encore tout en gardant le silence. Parce qu'il y a des choses qui ne se disent pas. Et que les entendre oblige à se cacher le visage. Véronique, Christiane, Hélène, Suzanne, Elsa. Pour chacune d'elles, je me tiens debout. Un son rauque sort de ma bouche. Je m'accorde avec ce qui bruit en moi avec fureur. Je réclame justice.

Non, je ne vais pas me taire. Je l'en avise tout de suite. Ma plainte n'aura pas de fin. Pas tant que la vérité ne sortira pas de sa bouche à lui. Rien d'autre ne pourra apaiser le bruit des voix. Que la vérité dont elles se réclament. Pour ravaler le mal. Sauver une part de l'humain disparu dans le gâchis. Et réparer la honte. Celle de l'ignorance qui rend coupable. Comme je suis coupable de ne pas avoir su pendant tout ce temps. De ne pas avoir vu que la honte était là. De celle qui laisse des taches sur la peau. Dans ses moindres replis. Pareille à une maladie incurable. Des petits tatouages de rien du tout. Presque invisibles.

Cette histoire, je ne l'ai pas choisie. Comment m'en défaire? Combien de douches pour la faire partir? Révéler un secret en détruit l'existence. Mais comment raconter cette chose-là? Inénarrable, le mal qui a été fait. C'est ce que clament les voix. On ne peut que prétendre à leur chant. En épouser les vibratos. Leur ajouter sa propre plainte.

Abusée. Par la parole. Depuis bientôt quatre ans. Tous les jours. On m'a forcée. Dans chaque syllabe. Dans chaque regard. Ma patience, utilisée. Dans chaque caresse. Mes sentiments, dupés. Car il ne suffit pas qu'une femme se donne. Il faut aussi prendre ce qui ne peut être donné. Faire des gains. Entrer par effraction quand les portes sont grandes ouvertes. Vous ne vous doutez pas de l'ampleur du pillage. Fermez les yeux. Moins vous en saurez, plus le butin aura de l'importance.

Miser double lui aura rapporté gros? Je n'aurai donc été, pour lui, que du gambling? Un bon cheval qu'on fait courir jusqu'à épuisement? Non, je ne m'arrêterai pas là. Je ne me fais pas de mal. Au contraire, ce mal, je l'accuse. Car on n'abuse pas des gens comme ça. Pour ensuite repartir en sifflant. Les poches pleines de plaisirs volés.

Chacun des dons de l'amour a été goûté à mes dépens. Quel avantage en retirer? Sinon la satisfaction de me voir humiliée. D'imposer une volonté supérieure à la mienne. Qui s'est emparée de tout. Retorse. Consignant le moindre détail sur l'oreiller. Les couleurs de mes amants passés. Le souvenir du bois des granges. L'odeur de mon sang sur le drap le matin. La mue de mes humeurs. Les points noirs à pincer pareils aux petits vers blancs sur le nez de grand-père. Les fantômes qui réveillent la nuit. Leurs appels et leurs tourments. L'enfant triste que j'ai été. Le goût des choses simples comme la complicité des balbuzards. Les fraises dans le lait. La fragile petite lumière des mots qui apaisent. Sans compter les paysages de l'intime. La mer dans mes yeux. Le sel dans le creux de mes bras et, le long de mon dos, le sable des dunes.

Pourquoi? Rien de ce qui a eu lieu n'a été épargné. De quoi se vengeait-il? Je lui pose la question, mais je n'espère plus aucune réponse. La poussière a presque tout recouvert des jours d'hier. Le bleu du ciel n'a jamais été bleu. L'illusion a été remarquable. Et je reste là, entre ses ruines, seule avec mon amour qui est détaché de tout.

Anthony n'a pas bougé. Il n'entend pas les voix de la plainte infinie. Pas un nuage sur son front de cire. Mais je n'arrête pas de lui parler. Je cherche à sauver quelque chose. Un petit rien pour poursuivre la route. Je fouille dans ma mémoire. Tout y est trop abîmé. Une vraie cour à scrap. Des bouts de bonheurs épars, ici et là. Notre vie en pièces détachées. Comme un casse-tête aux pièces manquantes. Des conversations entières, trouées. Un long poème pourrissant au soleil. Il n'y a rien à en tirer. Je lui demande un peu d'aide pour survivre à ça. Qu'il fasse preuve de sincérité. Le don d'une vérité. Rien qu'une. Pour le souvenir. Qu'il brise le mensonge. C'est tout ce que j'attends de lui. Pour atténuer l'offense. Je l'en supplie.

Le chœur des voix s'amplifie. Couvre la mienne.

Les pleurs, enfin, viennent. Il baisse la tête. Avec les mains sur sa poitrine, il relève ensuite le menton et rive son regard sur le mien, tout en douceur. Mes larmes l'ont ramené à lui-même. On le dirait touché par une émotion qui tremble au fond de son iris. Mais ce que j'y vois me glace de nouveau. Ce qui chatoie dans le noir qui brille, ce n'est pas ce que je crois. Plutôt de la satisfaction. Un pur plaisir. Il n'y a pas de musique plus douce que celle de ma supplique. Encore un cadeau que je lui fais. Mes pleurs goûtent le ciel. Il s'en délecte, même. Voilà ce que je n'ai pas su voir pendant tout ce temps.

Il n'y a pas d'autre vérité que celle-là. Sournoise. Il aurait suffi que j'incline un peu la tête pour l'apercevoir derrière mon épaule. J'entre dans la zone grise. Je la vois qui fait éclater son rire. Souveraine. Dans sa grande bouche ouverte ondoient des fluides multicolores où se bousculent les images du passé. S'en échappent des bulles diaphanes contenant chacune des paroles d'Anthony, dissoutes dans l'air sitôt prononcées. Dans ce maelström qui me saisit d'un vertige, elle est la somme de l'inexpliqué. L'alpha et l'oméga de ma détresse. L'instant de tous les instants.

Anthony quitte le seuil de la porte. Il s'avance. Je recule en longeant le mur pour garder l'équilibre. Il me parle. Me rassure. Je peux lui faire confiance. Il n'y a pas à s'en faire. Ce qui est arrivé n'est pas inhabituel chez les couples. On appelle ça un moment de crise. Notre amour n'en sortira que plus fort. Il se rend compte maintenant de sa négligence. De ses conséquences. Et il regrette très sincèrement.

Son erreur, il la reconnaît. Mais il n'en a pas l'entière responsabilité. C'est moi qui l'ai poussé à la commettre. J'avais voulu mettre un terme à notre relation. Je lui avais envoyé une lettre de rupture. Il lui a bien fallu trouver une consolation. Pour surmonter l'épreuve, se plier à ma volonté. Il a tout essayé. C'est à ce moment-là qu'il a répondu à ses avances. Oui, il a bien eu une relation avec cette Caroline. Vaut mieux me le dire. Oui, il continue à la voir de temps en temps. Chez des amis. On ne coupe pas tous les ponts comme ça, *Amy chérie.* D'autant plus que cette fille est du genre instable psychologiquement.

*Amy chérie…* Son bras se tend vers moi. *Tu ne vas pas gâcher toutes ces années de complicité pour une vulgaire histoire de maîtresse ?* Je le laisse venir. Il me touche presque. *Parce que tu veux me faire croire que tu n'as jamais eu d'aventure de ton côté ?* Les mots que je reçois par saccades m'ébranlent. *Non, tu n'as pas le droit d'en venir là… Tu es la seule, Amy chérie… Mais dis quelque chose…* Je n'arrive plus à tout saisir. Ma conscience se perd, on dirait. Je le vois qui parle, parle et parle. Son visage maintenant collé contre le mien. J'écoute jusqu'à ce que tout se taise. Il y a ce qui se passe au-dehors. Les bras d'Anthony qui me tirent vers lui. Il y a ce qui se passe au-dedans où je suis à l'abri.

Je me dis que ce qui est arrivé est arrivé. Qu'il me faut surtout ne plus y penser. Lever la tête. Aller devant et ne pas me retourner. Derrière, il y a le gouffre qui s'ouvre. Le noir infini. Vers le lointain, je veux garder le cap. Marcher droit devant. En équilibre sur la corde raide. Avancer un pied. Puis l'autre. Fendre les hauteurs.

Dans le bleu. Épouser le vent. Et peu à peu me rapprocher du blanc. La seule issue. Au bout de la corde,
atteindre la lumière. Au-delà du vertige. Marcher.
Funambule entre les nuages.

Des ombres caressent mes chevilles. Puis tout
tourne autour de moi. Je me demande quel effet ça pourrait faire de mettre un pied à côté de soi. De se regarder
aller. Une fois pour toutes. De l'autre côté du monde.
Passer out. Mais le voyage n'est pas fini. Une lueur court
devant. Glisse sur la corde. Puis tombe. Je la vois s'abî-
mer, arriver au bout de tout. Je ne l'ai pas suivie. Je suis
restée debout.

Mes mains cherchent un appui. Loin d'Anthony
qui veut me garder contre lui. Si je peux encore sentir sa
présence, je ne parviens plus à le voir. Pas de là où je suis.
Où j'avance encore. Toujours plus loin devant. Parce
qu'il le faut. À tout prix. Avant que la corde trop raide ne
se rompe. Arriver au plus près de moi. Au marais de mon
enfance. Là où mon père pleure. Où ma mère prie. Chez
moi. Où je reviens enfin.

Le soleil baigne les herbes jaunes. Un grand héron
veille. Je respire les embruns de l'automne. Là d'où je
viens, je me retrouve. Les canards noirs glissent sur leur
reflet inversé. Sous les nénuphars, le chant des grenouilles dort. Je vois des ombres qui passent au-dessus
de l'eau qui stagne. Sournoises, elles m'ont rattrapée.
Comme dans un film. L'image bouge à une vitesse folle.
Les ombres s'accumulent en s'entrelaçant. Elles avancent
dans la lumière. La recouvrent enfin jusqu'à ce que la
nuit s'ensuive. Souveraine.

Dans le noir où je suis, j'ouvre les yeux. Sur le plancher de la cuisine, je suis tombée. C'est ma faute. Il ne fallait pas regarder derrière. Mais quand on marche sur un fil, devant c'est aussi derrière. Je referme les yeux pour regagner le marais. Je voudrais y plonger. Durer là. Où le noir ne fait pas peur. J'y serais souple et légère comme une algue. Lisse et impénétrable comme l'argile. Je me coulerais dans le repos des bêtes. Jusqu'à perdre la conscience de l'étendue des corps. Sous les eaux calmes de mon enfance. Où tout revit dans un grand respir. Mais Anthony est encore là qui m'appelle. Je me retourne vers lui. Le temps d'apercevoir, dans un cillement, quelque chose qui brille. Sur la lame de son rasoir. Un bel éclat doré.

# Le trou

Il déposa son rasoir à côté de la crème hydratante. Un cadeau de Caroline. Sans oxybenzone ni parabènes. Car tout peut finir par vous tuer. Savoir doser nos toxines, c'est tout ce qui nous reste comme liberté, se dit-il avant de s'asperger d'un jet d'Armani. Relevé et charnel, un mélange de fragrances boisée et aquatique. Il avait, lui, fait le choix de son poison, l'avantage du parfum étant de masquer la mort qui émane du vivant.

D'un geste rapide, il nettoya les parois de l'évier où s'était formée une constellation de poils. Il trouvait bizarre ce qui venait de se passer. Il n'arrivait pas à s'expliquer. Son rasoir, il l'avait laissé sur le comptoir de la cuisine. Il avait pourtant l'habitude de remettre chaque chose à sa place. Ce qui appartenait à un lieu était incongru dans un autre. Et inversement : est-ce qu'on allait aux toilettes avec une fourchette ? Comment avait-il pu oublier ce principe élémentaire ? À chacun des espaces correspond un nombre précis d'objets qu'on ne déplace pas de l'un à l'autre. Du moins, pas sans implications. Une erreur s'était glissée quelque part. Et elle avait fini par contaminer toute cette histoire.

Le chaos est partout autour de nous, se dit-il

encore. On ne va quand même pas lui donner notre vie en pâture ! Si on ne préserve pas l'ordre, si on n'isole pas chaque chose d'une autre, on ne peut plus répondre de rien. Amy ne comprenait pas ça. Toujours à vouloir tout confondre. Le passé et le présent. Ce qui se passe ici avec ce qui se passe là. Sans compter le souci des lendemains. « Tony, chéri. On se voit quand la prochaine fois ? Tony, dis-moi. Et si on devait, un jour, ne plus être ensemble ? » Il avait bien appris à être rassurant. À ce sujet, il ne fallait pas laisser de flous. Mais une femme et un homme peuvent-ils seulement savoir ce qu'il adviendra d'eux dans un avenir proche ?

Vieillir ensemble. Quand elles en parlent, leurs muscles se dilatent. Et si c'était ça, le paradis ? Le réconfort à perpète. Drôle de chose. Elles avaient tant besoin qu'on soit toujours là pour elles. Amy en particulier. Curieuse sa réaction quand il avait voulu la prendre dans ses bras. En reculant, elle était tombée. Tellement blanche que son sang à lui s'était arrêté. Et quand elle avait rouvert les yeux. Curieuse, aussi, cette façon de le regarder. Comme s'il était un monstre !

Le coup de la valise ne l'avait pas surpris. Pauvre Amy ! Tout ce qu'elle avait laissé derrière elle ! Linge sale. Produits de toilette. Livres. Tiens ! Le chargeur de son cellulaire encore dans la prise. Et sa chemise de nuit, joli souvenir. Parce qu'il y avait peu de chances qu'elle revienne la réclamer. Mais le pire avait été évité. Car il n'aurait pas fallu que John la voie chez lui.

En se rappelant son ami, Anthony se ressaisit. Il avait à peine le temps de s'habiller avant qu'il n'arrive.

Une chemise bleu ciel ferait l'affaire. Ample. Le coton, moelleux. Elle lui donnerait un air décontracté. Pour contrer l'image que lui renvoyait le miroir et qui n'était pas pour lui plaire. Des traits tendus. Non plus un pli d'expression, mais une ride en travers du front. Profonde. Qui lui donnait cinq ans de plus. Et cette veine sur la tempe droite! Démesurément gonflée. Baissant les yeux pour ne plus se voir, il sentit le plancher qui bougeait en même temps que la veine battait. Un tremblement de terre? Une mauvaise impression. Sûrement ça. La fraîcheur de l'eau sur son visage la dissiperait. C'est ce qu'il aurait aimé que les choses soient. Mais il lui fallut se rendre à l'évidence du vertige.

Au moment d'enlever sa robe de chambre, il accusa un déséquilibre. Soudain, un regret. Il aurait dû exiger du concierge une céramique plus colorée. Moins uniforme. Celle-ci était comme une mer qui brille. Son regard s'y perdait. Et ce n'était pas l'envie de s'y jeter qui lui manquait, tant le miroitement du carrelage exerçait un attrait irrésistible de là où il était, flottant au-dessus d'une blancheur infinie. Sans repères. Une sueur froide lui longea la colonne vertébrale. C'est alors qu'il s'agrippa au réservoir de la toilette. Du revers de la main, il fit tomber le couvercle sur le siège. Juste à temps. Car il ne savait plus trop ce qui était devant et ce qui était derrière. En haut et en bas.

Il l'avait échappé belle. Il n'aurait pas fallu s'asseoir dans le trou de la cuvette et y laisser pendre son sexe. Pas qu'elle était sale. Au contraire. Elle était bien javellisée. Il y veillait chaque jour. Non, c'était aux rats qu'il pensait.

Hamilton n'avait rien à voir avec New York. Mais ces bêtes-là étaient dans toutes les villes, petites ou grosses. C'est même la seule certitude qu'on peut avoir sur notre monde, songea-t-il. Pendant que les hommes vivent avec la conviction d'en contrôler le cours, les rats s'activent en dessous, menacent chaque instant de faire irruption. Pour rappeler qu'ils sont les véritables maîtres des lieux. Non, il ne faut pas se leurrer. Nous ne sommes que les locataires des surfaces. Cette idée lui décrocha un rictus qui se figea en une moue contractée. Puis, en appuyant les coudes sur ses genoux, il plongea la tête entre ses mains.

La discussion avec Amy lui avait laissé une sensation étrange. Ce quelque chose qu'elle avait dans la voix, il ne pouvait pas l'identifier. Personne avant elle ne lui avait parlé de cette façon-là. C'était comme une rareté venue de loin, qui avait peu à peu gagné en intensité plus Amy semblait vulnérable dans sa détresse. Il en avait été troublé. Inutile de se le cacher. Et c'est peut-être ce qui lui rendait cette femme si attachante. Chacune de ses larmes était le sel de la vie. Un concentré d'émotion à l'état pur. L'énigme lui demeurait pourtant entière. Comment pouvait-on se comporter avec autant d'abandon?

Certaines de ses paroles avaient été agréables. D'autres, désagréables. Il avait aimé la façon dont Amy avait réclamé la vérité. Comme dans une tragédie grecque, elle lui était apparue sublime. Par contre, il n'avait pas aimé qu'on lui fasse le coup de la vierge offensée.

Anthony se mit à parler à voix haute, gesticulant

des mains pour mieux rejeter les accusations portées contre lui. Parce qu'elle s'imagine peut-être avoir le monopole de la souffrance? On n'a pas idée de ce que c'est. Ce que ça prend de patience pour supporter tout ça. Que des reproches, geignit-il, la tête dans les épaules. Et personne pour se préoccuper du mal au corps. Des analgésiques qu'il faut prendre contre les migraines et la douleur des muscles. Non, on n'a pas idée de ce que c'est. Jour et nuit. Veiller. Et à force de toujours être là pour elles, la fatigue. De ça, pourrait-on aussi parler?

Quand un homme s'épuise, il en vient à commettre des erreurs. C'est normal. Mais elles ne pardonnent pas. Quant à ce qu'il fait de bien, ça ne compte pas. Le temps investi à écouter. Écouter et écouter. Des soirées entières. À accompagner, distraire, bichonner. Rassurer. Les cadeaux et mille autres attentions. Tout ça, c'est oublié. On n'a pas idée de la nausée que ça finit par vous donner. Et l'ennui…

Il tenta de se redresser. Sans succès. Un autre vertige l'obligea à reposer les fesses sur le siège de la cuvette. Au contact de la paroi plastifiée, son sexe se contracta comme un ver de terre sur la froide surface d'une lamelle de laboratoire. Il lui traversa l'esprit de consulter un médecin. Puis il porta la main sur ses testicules pour les réchauffer, croyant que là résidait la solution à son malaise. Son geste le ramena à une époque antérieure. Quand était-ce?

Il avait à peine quatorze ans. Encore un enfant. Un groupe d'élèves avait fait cercle en l'isolant au milieu d'eux. On l'avait traité de bâtard. Puis un garçon plus âgé avait crié : « Bondamaté ! » Parce qu'il avait un joli cul. Rebondi comme celui des filles. Il entendait encore leurs rires. Deux autres avaient tiré son pantalon jusqu'aux chevilles. Pour s'assurer qu'il ne s'agissait pas d'une femelle. Quoi d'autre ? C'est alors qu'il avait mis la main sur son *lolo*. En même temps que les larmes s'étaient mises à couler jusque dans sa bouche.

Il n'avait plus jamais pleuré après. Même qu'il avait su imposer le respect quand ils avaient remis ça. Devant les filles, cette fois. En s'esclaffant à leur place, il les avait pris de court. Il avait ouvert sa braguette. Et devant les yeux écarquillés d'une petite grosse, il s'était fait gicler. Amen. On ne l'avait plus embêté.

Le sexe est une arme de défense efficace. Il aurait dû y avoir recours sans tarder. Plutôt que de laisser Amy s'épancher dans une parole à n'en plus finir. Il ne pouvait que s'en prendre à lui-même. Si une femme devenait intarissable en ouvrant les vannes, elle oubliait vite les tenants et les aboutissants quand on lui faisait l'amour. Il aurait dû lui montrer son désir dès son arrivée. Ne pas l'écouter. Passer à l'action.. Ce qu'il avait pu être bête ! Qu'on l'ait pris au dépourvu ne l'excusait pas. Un seul constat s'imposait : avec l'âge, les réflexes se perdent. Il ne lui faudrait pas oublier d'en parler au médecin. C'était peut-être ça, l'andropause.

De manière impromptue, il revit la toute première. Sa taille d'adolescente, il n'avait pas osé y toucher. Ni même après des jours de regards enflammés. De petits mots doux échangés du bout des doigts pour qu'elle accepte de l'accompagner ce soir-là. Il ne pouvait pas se douter. Non, il ne pouvait pas savoir qu'il mettait la table pour quelqu'un d'autre. C'était pourtant son meilleur ami, s'indigna-t-il. Mais Victor l'avait repérée. Dans l'espace d'une heure, et au bout de plusieurs rhums, il la tenait contre lui. C'est là qu'il avait compris.

Pendant tout ce temps qu'ils avaient mis à échanger leurs salives sur la piste de danse. Oui, il avait compris. Qu'on ne peut prétendre à aucune autre vérité. Qu'à celle du désir. C'était la leçon de Victor. Cette fille, quel était son nom ? Peu importe. Il gardait une image précise de son visage. Comme des gens qui s'étaient mis à tourner autour de lui après qu'elle l'eut planté là. Avec des sueurs froides. Seul au milieu de tous, il se l'était juré. Plus jamais il ne laisserait pareille chose se produire.

Puis il y avait eu Célia. Sa généreuse. Sa délicieuse. N'empêche qu'elle lui avait préféré un de ceux qui ont du capital. Un homme de bonne famille. Pas un petit bâtard comme lui. Et on venait maintenant lui dire qu'il n'avait pas de cœur ? Parce qu'il ne saurait pas ce que c'est que d'avoir mal ?

Sur le haut de l'aine, un relief brunâtre attira son attention. Il gratta. Cancéreux ? Ne serait-il pas préférable, dans ce cas, de faire appel à un dermatologue ? Mais sa pensée ne lui laissa pas le temps de statuer sur ce problème. Emportée par son raisonnement, elle en reprit le cours.

Les faits sont les faits. On est tous le futur ex de quelqu'un d'autre. C'est la nature qui veut ça. Rien ne peut y être fixé. Les contraires s'attirent et, du jour au lendemain, se fuient. Quand on entre dans la vie des gens, il est capital de localiser les issues. Pour ne pas rester coincé entre les murs. Comme tous ceux qui macèrent sur le seuil de leur propre vie. Empêchés d'aller plus loin par un passé trop lourd. Lui, il avait toujours tenu à l'œil les escaliers de secours. C'est pourquoi il voyageait léger.

Tant de choses nous lient les uns aux autres. Inutilement. Encore une chance qu'il se soit fait vasectomiser. C'était la meilleure précaution à prendre. S'il avait fallu que la marmaille s'en mêle. Il y serait encore avec Amy. Acculé aux multiples raisons de ne pas se quitter. C'est à partir de ce moment-là que commencent les véritables mensonges. Quand la liberté de choix n'est plus qu'une peau de chagrin.

Le seul bagage qu'il traînait avec lui était génétique. Faire du baby-sitting n'était pas un comportement compatible avec la forme de ses gamètes mâles, plus portés vers ce qui est lointain. Car il ne fallait pas tout confondre. La libération de la femme ne passait pas par l'aliénation de l'homme. Expliquer ça à Amy n'aurait servi à rien. Parce qu'il lui eût fallu comprendre ce fait pourtant très simple : reconnaître le bien-fondé des revendications féministes n'abolit pas tout un passé de chasseur-cueilleur. Pauvre Amy. C'était au-delà de son entendement. La vérité n'a d'ailleurs jamais fait son affaire, soupira-t-il, la tête rejetée vers l'arrière et les bras levés au plafond.

Qu'est-ce que mentir ? Dire qu'une femme est la seule et unique n'exclut pas que d'autres femmes soient aussi uniques. Chaque être est unique. Il ne savait pas si aimer était un sentiment ou l'idée qu'il se faisait de ce sentiment. Mais il pouvait affirmer une chose avec certitude : chaque fois qu'il avait prononcé ou écrit ces mots-là, il l'avait fait avec sincérité. Ce n'était pas mentir que de dire « Je t'aime ». Une façon d'exprimer un attachement. Véridique. Quant au reste, à toutes ces choses qu'il n'aurait pas dites. Qu'il lui aurait fallu dire. De quoi l'accusait-on, au juste ?

Ne pas dire, c'est ne pas faillir. Était-il responsable de l'égarement des autres ? Plus elles brûlent, moins elles y voient clair. Et quand la vérité se trouve là, sous leurs yeux, elles se mettent à la rechercher partout ailleurs. Une source d'étonnement renouvelé, reconnut-il, dépliant ses dix doigts un à un pour accompagner l'énumération. Il y a celles qui évitent de poser des questions. Celles qui sont débordées par le travail. Celles qui veulent montrer qu'elles ne sont pas jalouses. Celles qui tournent tout à la blague. Celles qui se sentent coupables d'avoir des doutes. Celles qui ne se soucient que d'elles-mêmes. Celles qui misent tout sur la confiance mutuelle. Celles qui, trop occupées à tromper, ne pensent pas pouvoir être trompées. Celles qui ont des valeurs qu'elles croient partagées. Celles qui, par discrétion, préfèrent ne pas savoir qui a laissé le gentil message dans la boîte vocale. Quant à Amy, elle finissait toujours par croire à l'erreur et s'arrangeait trop bien des silences pour ne pas y trouver un intérêt certain.

Anthony tendit la main vers le papier de toilette. Le fit rouler pour en couper une bande d'une bonne longueur. Puis la plia en quatre, de manière à obtenir un carré qui s'apparente à un mouchoir. Deux épaisseurs.

De marque Royale. Il avait fait ce choix à cause des deux chatons sur l'emballage. Il aimait les animaux. Non corrompus par l'homme. Touchant, leur pelage blanc. Il lui rappelait son innocence perdue. Une irremplaçable douceur contenue dans la fibre duveteuse qu'il passa sur son front tout en discourant comme pour maintenir une prise sur les circonstances.

La vérité n'est pas toujours bonne à dire, continuat-il. En ce qui le concerne, un constat s'était vite imposé. Elle ne pouvait que lui être défavorable. Il lui a donc fallu l'apprivoiser. Apprendre à s'en accommoder. Il n'était pas peu fier d'être arrivé à la garder à ses côtés. Suffisait de l'habiller autrement. Voilà tout. Par exemple, il était préférable de dire « Je serai tout à toi demain » plutôt que « J'ai un rendez-vous ce soir ». Ça ne changeait rien à la vérité. Et il était plus agréable pour la personne d'entendre des choses qui la concernent que d'être indisposée par ce qui lui est étranger. N'en déplaise aux âmes bien-pensantes, il pouvait se flatter d'une chose : rien de ce qu'il avait pu affirmer n'était totalement faux.

À miser sur un idéal de transparence, on ne peut qu'être perdant. Il n'avait jamais compris ce besoin de tout vouloir se dire. En plus de s'exposer à une surveillance permanente, à perdre le contrôle de son propre emploi du temps, on en vient à tout ramener au même. Croit-on que l'amour puisse subsister à ça ? Ce qu'on exige en son nom ne peut que le pervertir. Inexorablement. Il aimait cet adverbe. Parce qu'on sentait, en le prononçant, tout le poids de la fatalité à laquelle nos destinées ne pouvaient échapper.

Pourquoi le fait de tenir à une personne obligerait-il à lui dévoiler tout ce que l'on sait des autres gens ? Comme cette façon qu'avaient les femmes de s'épandre sur leurs relations. Le père, l'amant, l'ami, les ex, tous y passaient. Quand ce n'étaient pas le frère, le fils et les autres femmes. La moindre de leur faiblesse, exhibée. Leur sexe, leur passé, leurs maladies, confondus dans une même pulsion morbide de confession. *Obscène* était le seul mot qui lui venait à l'esprit. Cette manie de se livrer en déshabillant les autres le répugnait. À propos, il n'y avait pas pensé ! Qu'il ne se soit jamais arrêté à ça le déconcertait. Il en avait même un nœud dans l'estomac. Distrait par son rôle d'oreille attentive, le plus terrible lui avait échappé. Et s'il faisait lui aussi partie des secrets ?

Il revoyait la bouche d'Amy s'ouvrir et se refermer. Sans visage autour. Rien que la bouche. Ce qu'elle disait ne s'adressait pas à lui mais à tout le monde. Et ce furent bientôt des centaines de bouches qui se mirent à valser au-dessus de lui. Les unes se rapprochant des autres, le temps de livrer leur message pour voler ailleurs. Des mots échappés dans leurs sillages s'imprégnaient dans l'air, recouvraient l'espace de mille et une anecdotes croustillantes. Impuissant, il assistait à l'étalement de sa vie privée dans les boucles infinies de textes qui défilaient sous ses yeux comme sur un immense Facebook à ciel ouvert.

Une soudaine brûlure dans l'abdomen le força à plier le torse sur les genoux. Puis il laissa glisser ses jambes jusqu'au sol, les côtes appuyées contre la cuvette. Il y posa le front, sa fraîcheur faisant diversion à la brûlure qui montait le long de l'œsophage. Il se secoua l'esprit. Non, non et non. Il ne fallait plus y penser. Amy ne ferait pas ça. Ce n'était pas son genre.

En partie rassuré, il voulut se relever. Cette seconde tentative se solda par une rotation de quarante-cinq degrés qui le fit se retrouver les genoux au sol et les fesses sur les talons. Il fit contre mauvaise fortune bon cœur en trouvant cette posture plus confortable. La tête continuait à lui tourner. La brûlure, à monter. Quant à la sueur, elle perlait au-dessus de ses lèvres, qui se contractèrent quand un relent de nourriture lui révulsa l'estomac. D'instinct, il souleva le couvercle du siège. Puis il fixa le trou. Ne restait plus qu'à être patient et à attendre que l'équilibre revienne.

Que du rêve. Que pouvait-il offrir de plus ? Aussi léger que l'air, son être n'avait pas plus de consistance que celle des mots. Un pur mirage. Words ! Words ! Words ! À la fin du show, ce qui a été dit retourne au silence. Et le néant reprend ses droits sur l'existence. Était-ce sa faute à lui si elle n'avait pas cherché à savoir ce qu'il était vraiment ? Même chose pour l'autre. La petite. Celle qui avait disparu.

Fallait voir sa baby face quand il lui avait parlé d'amour. Transfigurée. Avec l'éclat que donne en supplément la gratitude. Parce qu'elle avait été choisie. Parmi toutes celles qui lui tournaient autour. Soustraite à la platitude. Dans une chambre d'hôtel. Une seule fois. Et elle n'avait plus été cette fille à qui rien n'arrive. Mais la maîtresse d'un professeur d'université. Enfin quelqu'un.

Dire « Je t'aime » était comme un baptême. Parce

que vous aviez prononcé ces mots-là, tout ne dépendait plus que de vous. Le truc vous ouvrait les portes du ciel. Divin. La petite aurait d'ailleurs fait n'importe quoi pour lui. Mais il n'avait pas abusé. N'en déplaise à l'inspecteur. On n'accusait pas les gens comme ça. La jeune fille blanche livrée aux appétits du nègre vengeur. C'était bien ce qu'il espérait prouver, l'imbécile. Non, mais… quel imbécile! répéta-t-il en dodelinant de la tête, toujours cramponné à la cuvette. De quoi aurait-il pu être coupable?

Il avait seulement voulu qu'elle le laisse tranquille. Qu'elle cesse de lui remettre ces mots-là sous le nez. Je t'aiiiiiime. C'était arrivé une fois seulement. On n'aurait même pas dû la compter. Mais la petite ne décrochait pas du rêve. Quoi qu'il ait pu dire pour lui en expliquer la fin. Que pouvait-il y faire? Elle avait abandonné son cours. Une solution qui lui avait paru adéquate. C'était ça, l'école de la vie. Il fallait bien qu'elle commence par apprendre quelque chose! Et il n'y avait plus repensé.

Jusqu'au soir où il l'avait retrouvée sur le palier. Par pur hasard. Les étudiants du troisième! Il ne pouvait pas prévoir que ce voisinage le mettrait un jour dans une mauvaise posture. Car là avait été son erreur. Lui permettre de s'immiscer chez lui et de dénicher le cellier dans la cuisine. Il n'aurait pas dû. Tout ça à cause d'une seule petite fois.

Il n'avait rien à voir dans cette histoire. C'est ELLE qui était venue. C'est ELLE qui avait bu. Plus elle buvait, moins elle se laissait convaincre de partir. À la seconde bouteille, elle était devenue trop molle pour lui opposer de la résistance. Il lui avait fallu la soulever pour la conduire jusqu'au hall d'entrée. Une invitation au restaurant, elle n'allait pas refuser. Avec courtoisie, il avait ouvert la porte. Puis l'avait vite refermée sur elle. Débarrassé. Ça non plus, il n'aurait pas dû. Mais il avait paniqué. Il ne pouvait pas la garder. Une seule petite fois. Et tous les soucis qu'il en avait récoltés. Il avait assez donné. Il ne la connaissait presque pas, cette Cindy. Disparue. Était-ce sa faute à lui? Un mauvais rêve. C'est tout.

Qu'est-ce qui lui prenait donc? Pourquoi ressasser tout ça? L'affaire était réglée. Une déposition au poste de police et l'imbécile ne l'avait plus inquiété. Le passé était le passé. Un cloaque sur lequel il valait mieux ne pas trop se pencher. Ça ne faisait qu'empirer le vertige.

Un mouvement involontaire le fit se pencher vers l'avant, comme s'il espérait trouver quelque chose au fond du trou. Mais il voyait flou. Il eut encore le temps de penser qu'il lui faudrait plutôt consulter un ophtalmologiste quand une douleur le foudroya.

De son estomac, un feu se propagea. Jusqu'à le consumer intérieurement. Puis une fine cendre de lumière retomba autour de lui comme ses amours en poussière. Il s'imagina marcher dans un désert aux horizons brûlés. Plus il avançait, plus l'espace s'étirait autour de lui. Et il s'abandonna à ce vertige horizontal, tout à l'ivresse que lui procurait l'immensité du vide qui se faisait aussi en lui.

Dans la spirale des ombres qui gagna sa vision, lui parvint l'écho de voix lointaines mais familières. Des femmes qui rient. Des femmes qui pleurent. Ondoyantes sur des corps diaphanes. Ses fantômes à lui. Il voulut les retenir. Revoir leurs visages brouillés sous leurs cheveux. Il se pencha alors sur son vide. Ouvrit la bouche comme pour crier. Il y a quelqu'un ? Mais il n'y avait pas de réponse à espérer des âmes mortes. La voilà, la vérité, puisqu'on voulait tant savoir, lâcha-t-il avec de petits couinements. Ce qu'on croit nous appartenir en propre n'existe pas. Il n'y a rien d'autre en l'homme que des kilomètres et des kilomètres de tripes à vomir.

Il releva la tête qu'il tenait enfoncée dans le trou pour actionner la chasse d'eau. Une gerbe aux couleurs terreuses tourbillonna pour regagner la masse indifférenciée des déjections du monde. Il tira cette fois une bande de papier beaucoup plus longue, la porta à sa bouche, en essuya les commissures. Il aurait mangé quelque chose qui ne lui allait pas. Très certainement.

Il aurait dû se méfier. Les endroits publics étaient de véritables niches à bactéries. Les cuisines en particulier. Circulaient des histoires d'horreur à leur sujet. La sueur du chef qui tombe dans la soupe. Les pellicules, dans les pâtes. Sans compter les coquerelles qui trottent sur les comptoirs. Pas pour rien, la douleur à l'estomac. Le restaurant où il avait dîné le jour d'avant lui avait pourtant été recommandé. On ne pouvait plus avoir confiance en personne.

Encore faible, mais soulagé d'avoir localisé la source de son mal, il fit claquer le couvercle du siège sur la cuvette et se remit debout. Puis il soupira d'aise, surfant sur l'équilibre qu'il avait retrouvé jusque dans la chambre, où il put enfin s'habiller. Dans la poche de son pantalon, il glissa le cellulaire qu'il venait d'ouvrir pour envoyer un texto à Caroline. Il n'aurait pas fallu qu'il oublie de la rassurer.

Il enfilait ses chaussettes quand le bip de l'interphone retentit. John l'avisa qu'il l'attendrait dans le hall. Pas de presse, il était en avance. Quelle délivrance, ce John ! La présence masculine était sans exigences. La blague, de mise. Les silences, autorisés. Avec lui, il arriverait à se détendre l'esprit. S'il pouvait seulement se défaire de l'arrière-goût qu'il avait sur la langue !

De nouveau dans la salle de bain, il s'empara de la bouteille de Scope. Tandis qu'il faisait rouler la menthe verte dans sa gorge, il interrogea la grimace qu'il voyait dans le miroir. Il n'eût pas su dire qui se cachait sous ces traits momifiés. Il s'était souvent plu à penser qu'il était l'héritier de Dionysos. Un jour qu'il visitait le musée d'archéologie de Thessalonique, une des effigies du dieu lui avait décoché un sourire. Un moment de grâce qui avait éveillé en lui des puissances insoupçonnées. Mais il ne ressentait plus que du dégoût pour l'image que lui renvoyait son reflet.

Contre sa jambe, la vibration du cellulaire rompit sa déprime. Il cracha vite le rince-bouche dans le lavabo avant de répondre. C'était Caroline. Il apprit non sans surprise qu'elle était au japonais. Avec George. Naturellement. Oui, il était content qu'elle le rappelle si tôt. Parce qu'il voulait lui dire de ne pas s'inquiéter. Par-delà les petites déconvenues, il y avait l'essentiel. La constance de leur relation. Elle avait tendance à l'oublier.

Il tenait tant à elle. Pourquoi continuer à vivre

comme ça ? Séparés. Pourquoi ne pas faire comme tous les couples ? Se simplifier la vie. Avec un seul appartement, une seule déclaration d'impôt. Partager les mêmes soucis. Non, ce n'était pas du cynisme. Pas cette fois. Tout lui paraissait soudainement très clair. Il ne voulait plus de ces complications pour rien. Pourquoi ne pas se marier une fois pour toutes ? Une faveur : qu'elle y réfléchisse. Ils se reverraient plus tôt que prévu. Oui, il avait réglé le problème. Son amie avait fini par partir. Ils auraient bien le temps d'en rediscuter.

Comme on gratte un vernis de surface, il fit glisser l'ongle de son index sur son cellulaire. Une merveilleuse invention. Qui lui permettait d'être là partout au bon moment. De tisser sa toile *in absentia*. Faire preuve de finesse. Dans les règles de l'art. Il admirait la technologie de son époque qui permettait de contrer l'œuvre du temps. Caroline lui aurait-elle pardonné s'il avait laissé le doute s'installer chez elle au cours de la soirée ?

Il se sentit du coup traversé par une légèreté qui le porta à faire quelques pas de tango dans le corridor, où il attrapa les clés qui pendouillaient au bout d'un crochet. En passant le seuil de la porte, il se dit que les mots étaient somme toute fort utiles. Les trésors d'Ali Baba appartenaient à ceux qui savaient trouver la bonne formule : celle qui permet d'émouvoir avant tout. Pourquoi s'en priver ? Sa méthode était éprouvée et le reste, négligeable. Seul importait le fait de maîtriser les vertiges.

# La maison loin

Je suis le seul à être seul. Les autres sont derrière les vitres des maisons ou des voitures. Ils ne se parlent pas, contents d'être entre eux, et non isolés au milieu de l'hiver. Le silence est un abri où il leur fait bon se retrouver pour résister au vent qui menace de les disperser. Quand ils me voient passer dans la rue, comme le dernier d'une espèce rare, leurs cœurs s'accordent au même pouls. Le phénomène est celui des familles. Ces fragiles forteresses des regards tacites, je n'aspire pas à les investir. Je suis ici en étranger.

Penché en sens contraire du nord-ouest, j'ai des flocons dans les yeux. La rue borde la mer où sont couchées les dunes de février. Qu'il fasse jour, qu'il fasse nuit, la ville dort sous un vaste champ de neige. Entre deux rafales, le silence est plus fort que tout. À tel point que j'en suis assourdi quand je laisse le fournil. Après les heures passées à écouter la musique diffusée par Radio-Canada, je n'entends plus, une fois dehors, qu'un sifflement continu qui annule tous les autres sons.

Dans les moments creux, je me dis parfois qu'il n'y a plus de frontière entre moi et ce grand désert blanc. L'humain y est une absence prolongée. Mais l'heure n'est pas si grave. Peu à peu, je me crée des repères. Et j'apprécie désormais les choses simples. L'odeur du pain, le crissement de mes pas sur la glace, la chaleur d'une phrase échappée du silence. J'apprends à saisir la vie dans ses traces.

Dès mon arrivée, le propriétaire de la boulangerie a su me mettre à l'aise en me trouvant une maison à l'entrée de la ville. On y accède par un chemin de terre qui éloigne des autres endroits habités en menant vers la côte. Là, j'ai été témoin des vagues de l'été et, avec l'automne, du passage des canards. J'y reste maintenant à espérer la fin du grand enfermement, quand le bris des glaces libérera le paysage et que l'eau se remettra à scintiller tout autour.

L'aube est grise sur la baie de Caraquet. De chez moi, j'ai vu hier le soleil enflammer la ligne d'horizon, le rouge teinter les dunes d'orangé. On aurait dit une grosse crème brûlée comme sur Mars. Puis la lumière s'est adoucie en une gamme de violets et de roses pâlissants. Bercé par cette douceur, j'ai fait une sieste avant de me rendre au travail pour la nuit.

Dans l'offre d'emploi qui m'a attiré jusqu'ici, il manquait un détail d'importance qui aurait pu décourager ma venue si j'avais su. Il aurait fallu y lire : *Le transport en commun étant inexistant, la personne intéressée devra détenir un permis de conduire.* Par faute de temps, par paresse ou pour me complaire dans mon infortune, je n'ai toujours pas de voiture. C'est pourquoi on m'appelle l'homme qui court.

Je savais que Caroline n'allait pas me croire quand

je le lui ai raconté dans ma première lettre. Un peu plus de huit kilomètres au quotidien, de quoi l'impressionner. Moi, l'anticonformiste, le loser, j'entretiens la forme que je n'ai jamais eue. J'ai d'abord franchi ces kilomètres en marchant. Puis mon pas s'est accéléré naturellement jusqu'à devenir celui du jogging. Qu'on ne s'y trompe pas. Je ne fais pas ça pour le raffermissement musculaire. Les enjeux se situent sur un autre plan. En réalité, c'est une façon de se faire croire qu'on ne disparaît pas totalement et qu'un retour en force est encore envisageable. Rocky et moi, même combat. Pour ne pas s'avouer vaincu, explorer ses propres limites permet de se donner une preuve d'existence. Je m'y exerce à fond.

Mais s'il est un sport extrême, c'est bien sûr la solitude. Pour survivre aux rigueurs de cet entraînement, j'ai adopté un des minous dont la photo était affichée sur le babillard de la coopérative alimentaire, à côté d'un tracteur rouge à vendre. Il me fallait organiser mes gestes autour d'une compagnie, mettre en place une routine. L'animal a des besoins que je dois combler. Au retour du travail, je lui verse du lait dans un bol acheté au Dollarama. Quand il se glisse sous les couvertures et se love contre mon dos, j'en retire un certain profit. Car son ronron me rassure.

Dans ma vie antérieure, je partageais mon sort avec d'autres gens seuls dans un café-bar. Il y avait l'amitié désintéressée de Carlo, l'effet analgésique du scotch et, surtout, la cigarette compensatrice. Les lieux diffèrent et le temps a déjà fait son œuvre. Dans cette vie-ci, presque plus d'alcool et pas du tout de tabac. Malgré ma nouvelle

343

santé, le mal est pareil. Changer de monde n'aide pas à se dessaisir de quelqu'un qu'on aime. Une fois qu'elle est dans votre tête, cette personne n'en sort pas si facilement.

Oublier nécessite une intervention chirurgicale. Et je parle en connaissance de cause. Car je n'ai pas su extirper le souvenir de Caroline au moment propice. Il aurait fallu le découper avec la précision d'un scalpel pour ensuite l'épingler sur un mur et le regarder jaunir. Au lieu de quoi, je l'ai laissé s'incruster en profondeur. Et j'ai bien peur qu'il ne disparaisse que lorsque les cellules qui en sont imprégnées se décomposeront sous terre. Ce qui a été côtoyé sur une longue période de temps vous reste dans le corps. On ne peut que s'habituer à vivre avec.

Je dois donc me résigner à cette nouvelle sagesse que me rappelle un proverbe japonais. Si Caroline était devant moi, je lui dirais qu'on apprend peu par la victoire, mais beaucoup par la défaite. Elle me répondrait alors que je suis pour cette raison même passé maître en matière d'apprentissages. Elle n'a jamais manqué une chance de se moquer de mes faiblesses. Comment aurais-je pu le lui reprocher? Quand bien même j'aurais trouvé le courage de lui dire la vérité. Que lui aurait donné de savoir la peine qu'elle me causait?

Une fois à la maison, je répondrai à cette lettre qui traîne dans la poche de mon jean depuis plusieurs jours et qu'il serait temps de mettre avec les autres dans la trappe à homards. C'est tellement joli dans le salon, une trappe à homards avec ses lettres à elle dedans. Je m'appliquerai à formuler des phrases qui ne ressemblent pas trop au chagrin. Mais la neige abondante ralentit trop ma course. À ce rythme-là, je n'y serai pas avant long-temps. Rentrer chez soi peut parfois devenir une épreuve de patience.

Durant le trajet, ma pensée est laissée libre à elle-même. Neuf fois sur dix, elle me ramène vers Caroline. Ma volonté reste pourtant inébranlable. Il est hors de question de revenir en arrière. J'irai jusqu'au cercle polaire, s'il le faut, pour m'éloigner d'elle. Pas pour rien que j'ai refusé de donner suite à ses courriels. Il fallait que ce soit bien clair : la rupture n'était pas que physique. Incontournable, toutefois, l'attrait de son Facebook, que j'ai fréquenté avec régularité jusqu'à ce que Caroline laisse tomber ses très nombreux amis sans donner d'explications.

Peu après mon départ, on pouvait lire le nom d'Anthony dans les nouvelles qu'elle donnait d'un voyage à Paris. Des photos d'elle. Jamais de lui. Puis cet homme-là a disparu du Facebook aussi rapidement qu'il était apparu dans notre vie. Les nombreux amis se sont alors mis à poser des questions. Comment allait Anthony ? Quelle date, le mariage, finalement ? Les commentaires ont fini par générer un malaise qu'elle n'a pas su gérer autrement que par la fermeture de son compte. C'est du moins ce que je suppose.

J'ai décidé de lui écrire à partir du moment où je ne suis plus arrivé à me connecter. La poste me paraissait un bon moyen de rétablir le contact tout en gardant mes distances. J'ai aussi pensé qu'en glissant la pointe du stylo sur le papier les mots se dépouilleraient de ce qu'ils ont de convenu pour gagner en authenticité. Que je pourrais exprimer tout ce que j'aurais pensé ne jamais pouvoir arriver à lui dire. Ce qui viendra peut-être, à force de constance.

Je peux cependant affirmer que j'en sais un peu plus sur cette étrange planète d'où j'ai toujours été éjecté sitôt que j'arrivais à y poser le pied. Dans ses lettres, Caroline m'apparaît moins inaccessible, comme si son aventure avec Anthony avait fait tomber ses résistances à se montrer telle qu'elle est. Les anecdotes qu'elle me raconte, la tournure de ses phrases, souvent inachevées, son ton, surtout, qui a perdu de son assurance, tout m'indique qu'elle est déboussolée, déçue d'une existence qui s'est révélée non conforme à l'idée qu'elle se faisait du bonheur.

Si elle pouvait me voir avancer dans la neige qui s'accumule partout autour, elle n'en reviendrait pas. Sur ce fond de blanc, je distingue un point noir qui bouge, le toit d'une voiture peut-être. Je le fixe en me disant qu'il y a aussi une part d'inavouable dans cette correspondance que j'entretiens avec Caroline. Car il ne faut pas oublier ce que j'avais en tête au moment de lui écrire.

L'idée m'en était venue au cours d'une de mes nuits à la boulangerie, après avoir écouté une entrevue avec un romancier au nom compliqué. Une personne née en 1925 qui avait à peu près tout vécu. Le combat dans les tranchées, les camps, la chute du Mur, le succès littéraire, la révolution sexuelle, le 11-Septembre. Mais le grand écrivain avait surtout parlé de ses deux divorces, plus précisément des rapports entre son métier et l'échec amoureux. En une seule phrase, il avait formulé une théorie que l'interviewer lui a demandé de répéter pour le bénéfice de l'auditoire et que j'ai eu le réflexe de noter sans trop savoir pourquoi. Je l'ai ensuite apprise par cœur pour mieux y réfléchir en me rendant chez moi.

Voici ce que disait le romancier. Parler de ce qui nous manque et qui nous hante suffit parfois à faire disparaître les fantômes en les vidant de l'âme qui les anime aux dépens de notre force vitale. Il a aussi affirmé que le mot tue la chose et que tuer cette chose permet de lui donner l'existence dont elle est autrement privée. Même si je ne suis pas certain de comprendre toutes les implications de son propos, il m'a semblé présenter une solution à mon problème. Parler de cette relation qui continuait à hanter mon quotidien était peut-être le seul moyen d'en finir avec Caroline. Mon hypothèse demeure toujours invérifiée. Le romancier n'a d'ailleurs pas précisé combien de mots il fallait pour tuer la chose.

Je crois tout de même avoir obtenu quelques résultats, car je suis plus disposé à la détente qu'auparavant. Écrire à Caroline permet de restreindre à un temps précis l'attention que mon esprit lui consacre. Plutôt que de me laisser assaillir par son souvenir, je vais au-devant de lui. Je ne laisse plus le passé me rattraper. C'est moi qui le capture dans les pages que je lui adresse. Mes sensations sont plus diffuses. Je respire mieux. J'en oublie que je suis un homme malheureux.

Dans la neige qui virevolte au point de m'aveugler, je me dis que les choses sont mieux comme elles sont. Même si le temps peut facilement virer au pire. Ce n'est pas la première fois que je m'y fais prendre. Face à la violence du vent, j'abandonne le jogging pour un pas ferme. La route se fait de plus en plus longue. Je ne m'en plains pas. Tout ce qui m'arrive est une matière précieuse pour mes observations.

Ce qui se passe se déroule maintenant en moi. Dans mes cahiers, je ne décris plus que les faits qui me concernent. Car j'ai compris que la clé du hasard se trouve au cœur de nos actions et qu'il suffit de les sonder pour en consigner le chiffre. Je suis donc devenu le voyeur de moi-même. C'est ce que j'essaierai d'expliquer à Caroline de façon plus claire. Dans sa dernière lettre, elle parle de mes carnets de Toronto. Elle aurait aimé que je lui fasse assez confiance pour les lui faire lire. Au lieu de partir comme ça, sans même lui dire au revoir, j'aurais ainsi pu lui laisser un petit quelque chose de moi. C'est bien sûr sa façon à elle de m'exprimer sa rancune. Avec raison.

Mais je ne veux plus avoir à m'interroger sur ce que j'aurais dû faire ou ne pas faire. Je me laisse porter par le cours de l'imprévisible. Dans la tempête, je marche comme un funambule. La poudrerie annule toute distinction entre la route et le ciel, mais j'avance toujours. Je veux voir ce qui arrivera si je continue. Et si j'arrive au bout, ce qu'il en sera de moi quand je ne verrai ni n'entendrai plus rien de reconnaissable. Parcourir la distance, tout entier à cette traversée, voilà la seule chose qui doit m'importer. Quant au reste, le vent l'emportera.

J'ai enroulé mon foulard autour de ma tête pour protéger mon front et mon nez. Par la fente laissée pour les yeux, la visibilité est nulle. Je fixe le bout des poteaux électriques pour aller en ligne droite. L'absence d'autres repères pourrait me donner le vertige. Ce qui n'est pas le cas. Je ne sais pas comment je me rendrai en lieu sûr, mais mon corps, lui, semble le savoir. Il est son propre guide. L'instinct me dit de m'y fier.

À moins d'un mètre de moi, je distingue le toit d'une voiture. Il s'agit peut-être du point noir de tout à l'heure que j'aurai fini par rejoindre. Le véhicule s'est enlisé dans une lame de neige barrant la route. Une forme s'active tout près. C'est un costaud aux larges épaules comme il y en a beaucoup par ici. Une force de la nature qui a cependant trouvé ses limites, si j'en juge par son impuissance à libérer les roues arrière.

Il pellette avec ses mains. Chaque centimètre de neige qu'il réussit à dégager est comblé de nouveau par une bourrasque dans l'instant qui suit. Je reste là à le regarder, admiratif face à sa ténacité. En faisant de grands gestes avec les bras, il me crie quelque chose qui se perd dans le vent. Je réussis tout de même à comprendre qu'il me demande d'agir. Il veut que j'aille chercher de l'aide. Facile à dire, pas facile à faire quand il n'y a personne pour répondre à votre appel. Le carnet d'adresses de mon cellulaire ne m'est d'aucun secours. Je pense au propriétaire de la boulangerie, puis me ravise. Il ne pourra jamais se rendre jusqu'ici. Reste la possibilité du 911, que je m'apprête à composer au moment où j'aperçois une lueur à ma droite.

C'est un phare qui clignote, indiquant une présence humaine. Je me dirige vers elle, croisant les doigts pour que ce soit un policier ou un ambulancier. Mieux :

un garagiste au volant de sa remorqueuse. Je fantasme la situation idéale, m'efforçant de distinguer la source de cette lueur, qui révèle non pas un phare, mais un faisceau de petites ampoules électriques qui scintillent par intermittence sur la corniche d'un toit. Je m'approche de la maison, décidé à en réveiller les occupants à cette heure trop matinale pour que la tempête soit encore pour eux une réalité.

Devant la galerie, je m'arrête, le souffle coupé. L'intérieur est éclairé par les flammes d'un feu de foyer qui rougeoie sur les fenêtres sans rideaux. Toute la vie absente au-dehors semble s'être réfugiée derrière les bardeaux de cèdre grisonnants comme ceux d'une vieille grange. Un visage rond de femme se découpe entre deux volets et s'éclipse pour réapparaître accompagné d'une petite tête qui écrase son nez sur un carreau. L'enfant rit tout en agitant sa menotte pour me saluer. Moi qui me croyais devenu invisible, je m'étonne d'abord. Puis, j'en éprouve un soulagement. La fatigue gagne du coup tous mes muscles. La tension de l'épreuve se relâche. Mes jambes n'iront pas plus loin.

La porte s'ouvre. Un homme passe la moitié de son corps dans l'entrebâillement. Avec son avant-bras, il me fait signe de ne pas rester là. Je lui obéis. En empruntant les marches de la galerie, je me laisse appeler par les modulations d'une flûte qui me parviennent du dedans. C'est une suite de notes qui s'élèvent en équilibre entre les mugissements du vent. Et je n'entends bientôt plus que cette musique, prélude au repos.

J'entre.

Crédits et remerciements

Les Éditions du Boréal reconnaissent l'aide financière du gouvernement du Canada par l'entremise du Fonds du livre du Canada (FLC) pour leurs activités d'édition et remercient le Conseil des arts du Canada pour son soutien financier.

Les Éditions du Boréal sont inscrites au Programme d'aide aux entreprises du livre et de l'édition spécialisée de la SODEC et bénéficient du programme de crédit d'impôt pour l'édition de livres du gouvernement du Québec.

Couverture : Alexandra Levasseur, *Summer Games III* (détail)

Ce livre a été imprimé sur du papier 100 % postconsommation,
traité sans chlore, certifié ÉcoLogo
et fabriqué dans une usine fonctionnant au biogaz.

MISE EN PAGES ET TYPOGRAPHIE :
LES ÉDITIONS DU BORÉAL

ACHEVÉ D'IMPRIMER EN SEPTEMBRE 2013
SUR LES PRESSES DE MARQUIS IMPRIMEUR
À MONTMAGNY (QUÉBEC).